02231

RICHARD
BURTON

PENNY JUNOR

RICHARD BURTON

UNE VIE, UNE LÉGENDE

Traduit de l'anglais
par Gérard Mannoni

filipacchi

Remerciements

Ce livre n'aurait jamais pu être écrit sans l'aimable et généreuse collaboration de tous ceux et celles qui ont accepté de donner du temps pour me parler de Richard Burton, de l'amitié qu'ils avaient pour lui, des expériences vécues à ses côtés. Je leur suis très reconnaissante, tout particulièrement à Lady Baker, Christopher Fry, Sir John Gielgud, Robert Hardy, Sheran Hornby et Emlyn Williams, que j'ai tellement dérangés, ainsi que Frank Hauser pour son aimable autorisation de reproduire la lettre de Richard.

Je remercie également Dennis Bowden, Williams et Arthur Colburn qui m'ont présentée à tant de gens à Port Talbort et rendu si agréable mon voyage au Pays de Galles.

Merci également à ma famille et à mes enfants, en particulier à Jack qui, pendant les premiers mois de sa vie, dut rivaliser avec un ordinateur littéraire. Mille mercis encore à Margaret Willes, qui a mis en forme ce manuscrit. C'est un éditeur parfait. Je suis enfin très redevable à Diana Korchein de l'aide qu'elle m'a fournie dans la recherche iconographique de ce livre.

De tous les livres que j'ai lus sur le sujet et qui m'ont servi, les suivants m'ont été le plus utiles et je remercie leurs auteurs et éditeurs :

Richard Burton, de Fergus Cashin (W. H. Allen, 1982)
Richard Burton, de Paul Ferris (Weindfeld et Nicolson, 1981)
The street where I live, de Alan Jay Lerner (W. W. Norton & Compagnie 1978)
John Gielgud directs Richard Burton in Hamlet, de Richard Sterne (Heinemann, 1968)

A JACK,

L'auteur et l'éditeur tiennent à remercier les éditeurs et journaux suivants qui leur ont permis de reproduire certains extraits d'ouvrages et d'articles :

J. M. Dent & Sons Limited, *Under Milk Wood*, de Dylan Thomas.

The *Sunday Telegraph*, critique du film *Cléopâtre* par Philip Oakes.

The Washington Post, l'éditorial intitulé *Slings and Arrows*.

New York Herald Tribune, critique de *Hamlet* par Walter Kerr.

William Heinemann Limited, *Meeting Mrs Jenkins* et *A Christmas Story* de Richard Burton.

Newsweek Inc., critique de *Hamlet*.

David Lewin, interview dans le *Sunday Mirror*.

1

Un enfant des vallées

Richard Burton était dans son élément. Son public était attentif; il avait un verre à la main, et le ton de son récit montait. Soudain, son vieil ami l'acteur Robert Hardy rompit le charme. Il connaissait bien ses histoires. « Voyons Richard », dit-il « ça ne s'est pas passé comme ça. »

Burton se tourna vers lui, fou de rage. « N'oublie jamais » dit-il, « que les mythes, c'est nous qui les fabriquons. »

Les mythes ne manquaient pas, et il empruntait à l'expérience des autres ceux qui ne venaient pas de la sienne. Il s'appropriait les histoires de ses amis, voire celles des amis de ses amis et les insérait dans son propre passé.

Un jour, Stanley Baker prenait un bain de soleil sur le yacht des Burton au large de Naples, tandis que son hôte donnait une interview à un journaliste de *Cosmopolitan*; il entendit Richard raconter une histoire sur son père, mineur, qui avait perdu une jambe.

« Ce n'était pas ton père », s'indigna Baker, « c'était le mien! »

« Qu'est-ce que ça peut bien faire », dit Burton qui continua son interview.

Il ne comprit jamais où était la différence, ni pourquoi son ami était si contrarié.

Toute sa vie, de ses débuts modestes au Pays de Galles jusqu'à ses années de gloire, Richard Burton eut une conception de la vérité et une capacité à affronter les réalités de la vie des plus approximatives. La vérité n'était jamais aussi délectable que les fruits de son imagination, les faits jamais aussi drôles que la fiction. C'est ainsi qu'il amusait tout le monde, même enfant. Il avait une remarquable aptitude à retenir l'attention des gens, à leur faire croire tout ce qu'il racontait, à éveiller en eux tout un éventail d'émotions. La manière dont il les touchait, l'histoire qu'il racontait, tout cela ne comptait guère. Il importait seulement de les faire rire, sursauter, s'indigner ou même pleurer.

Il restera, certes, dans les mémoires à plus d'un titre : pour sa voix, — au timbre gallois profond et riche ; pour son magnétisme ; pour ses mariages tapageurs ; pour ses liaisons, sans doute ; et même pour son goût immodéré de la boisson. Mais ceux qui l'ont bien connu se souviendront surtout de ses histoires. Elles étaient démesurées, désopilantes, souvent répétées, mais elles incarnaient un mode de vie, et qu'il eût un public de deux personnes ou de mille, il fallait qu'il parade, devant les gens fascinés.

Il ne se lassait jamais, notamment, de raconter celle-ci : c'était le jour du Grand Prix à Pontrhydyfen. Son grand-père, dont le seul moyen de locomotion était une chaise roulante, avait misé sur le gagnant. Donc Grand-père, ses gains à la main, fut véhiculé jusqu'en bas de la colline par son fils pour célébrer dignement l'événement au pub du village. Quand vint l'heure de la fermeture, tous deux bien en voix, reprirent le chemin de la maison, le père de Richard s'efforçant de faire remonter la colline à la chaise roulante. En arrivant devant la maison, il lâcha une seconde la chaise pour ouvrir la grille, mais quand il se retourna pour la reprendre, il la vit dévaler la colline, sous les encouragements de Grand-père qui criait « Vas-y Black Sambo, vas-y Black Sambo » jusqu'à ce qu'un mur de briques au bas de la pente le réduisit au silence. « Et il était méconnaissable ! » concluait Richard, triomphalement.

L'histoire voulait être drôle, mais derrière le rire se cachait un aspect plus profond et plus sombre de Richard Burton, et une angoisse qu'il garda toute sa vie. Pour le comprendre, pour comprendre tout ce qui concerne cet homme, il faut retourner dans cette vallée minière au sud du Pays de Galles où il est né ; vallée pleine de chansons, de poésie et de bière. Les hommes travaillaient dur, buvaient sec et jouaient ferme, et les enfants grandissaient avec la perspective d'une vie dans les puits sombres et poussiéreux.

Richard n'est pas né Richard Burton. Ce nom est venu plus tard. Fils d'un mineur et douzième enfant de la famille, Richard Walter Jenkins, vit le jour le 10 novembre 1925 ; dans le petit village de Pontrhydyfen, commune encore active avant la fermeture des puits qui l'entouraient. Elle était située vers le haut de la vallée à six kilomètres de la ville côtière de Port Talbot. Son père, affectueusement surnommé Dic Bach (le petit Dick), car il ne mesurait guère plus d'un mètre cinquante, y avait passé toute sa vie. C'était un bel homme avec un visage aux traits fins, aux pommettes hautes et aux grands yeux, dont hérita Richard. Il travaillait à la mine depuis des années. Il était bien connu dans le village, et passait pour un sacré gaillard qui buvait trop, s'amusait beaucoup et avait la langue bien pendue quand il avait bu ses douze pintes de bière au « Miners Arms ».

Tout le monde savait qu'Edith, sa femme, qui ne buvait pas et fréquentait assidûment la paroisse, comme la plupart des autres épouses, n'avait pas la vie facile avec un tel mari. Les vieux du village parlent encore d'elle avec beaucoup d'admiration. Elle était petite et jolie, avec des yeux enfoncés, des cheveux blonds et bouclés. Toujours gaie, jamais débordée, elle tenait bien sa maison et ses fourneaux, mais les maternités répétées et l'éducation des enfants l'avaient épuisée. Elle cuisinait, nettoyait, récurait, ravaudait et lavait pour sa propre famille, mais faisait aussi la lessive chez les autres afin d'améliorer les revenus du ménage. Tout le monde savait qu'une bonne partie de l'argent gagné par Dic Bach à la mine passait chaque semaine dans la caisse du « Miners Arms », ou dans celle d'autres auberges accueillantes du voisinage.

Evoquant la Noël 1920 pour le *Daily Mail,* bien des années plus tard, Richard fit plus qu'esquisser le portrait du vrai Dic Bach :

« L'homme se tenait sur le pas de la porte de cette cuisine propre, pauvre, dépouillée. Il était petit, trop musclé, chancelant, moustachu, et il souriait de cet air niais que prennent ceux qui se savent en faute, mais ont la certitude absolue qu'on leur pardonnera tout, sauf l'homicide, le suicide, l'infanticide, le génocide ou le viol.

Car le Dieu auquel il ne croyait pas lui avait donné de l'esprit et de l'intelligence, une beauté virile et surtout, infiniment de charme. Grâce à ce charme, il s'était sorti d'une multitude de situations démentes et avait transformé à coups de chantage, de menace et de séduction, de sombres poursuites dans des impasses sans issue, en promenades de santé entre deux orages.

Il était donc là, après avoir fracassé la porte de la cuisine, regardant avec une bienveillance aussi grande qu'avinée sa nombreuse famille — la jolie maman, le petit dernier, ceux qui commençaient à trottiner, les fils aînés, la fille aînée, s'échelonnant de treize ans à quelques semaines.

Il chantait avec un large sourire qu'il fallait " pardonner et oublier tous nos ennuis passés... "

La famille réunie, qui attendait depuis des jours dans l'angoisse qu'il rentre avec la paie, essayait désespérément, selon les conseils de la mère, d'avoir l'air sidéré ou impuissant, misérable ou réprobateur, méprisant ou désolé, gémissant ou simplement très en colère.

Mais qui pouvait résister à ce grand sourire, à ce regard noir brillant, à cette voix unique ? Et lentement les visages se détendaient...

De la paie il ne restait rien ; il l'avait bue jusqu'au dernier sou, et Noël serait bien sombre.

Il venait de tirer l'une de ses bordées apocalyptiques, et devait avoir cette fois trouvé refuge dans une cage à poules car il avait à l'évidence été plumé. »

La vie des communautés minières du sud du Pays de Galles dans les années 20 était dure et les Noëls souvent sombres. Les enfants grandissaient en sachant que dès la fin de leur scolarité ils suivraient les traces de leurs parents : les filles trouveraient un bon mari et lui donneraient des enfants ; les garçons iraient comme leurs pères au fond du puits. La seule alternative était d'aller travailler l'acier ou le fer à Port Talbot. Les enfants de mineurs qui parvenaient à quitter la région ou le monde de l'usine étaient peu nombreux et bien peu osaient y songer. La mine était un travail d'homme et les garçons de Rhondda Valley étaient des hommes, avant tout.

Comme l'écrivit plus tard Richard dans *Christmas Story* ★, à cette époque, tous les jeunes garçons :

> « avaient l'ambition d'être équipés comme un mineur, avec des pantalons de gros velours serrés au genou pour empêcher le charbon d'entrer dans leurs bottes et les rats de remonter leur mordre le ventre — ou pire —, avec une lampe fixée sur la casquette et cette façon de marcher typique des gueules noires, les jambes arquées, en roulant des mécaniques. Ils rêvaient d'être l'un de ces garçons au visage bleu, postés au coin de la rue le samedi soir, une demi-couronne en poche, rassurés par leur nombre, et qui sifflaient les filles du quartier résidentiel : la fille du médecin, de l'avocat ou du maître d'école ».

En dépit de ses difficultés, de ses privations, la communauté minière se débrouillait toute seule. Personne n'avait faim, personne n'avait froid. Dans les vallées, les enfants de certaines familles des communautés désespérément pauvres comme le Goitre, à trois kilomètres de là, n'avaient pas de chaussures aux pieds, mais pas à Pontrhydryfen. Les femmes travaillaient vingt-quatre heures sur vingt-quatre. Les hommes envahissaient les pubs le soir avant de rentrer à la maison — pour eux, boire quinze pintes de bière après une longue journée sous terre n'était pas rare, mais cela ne suffisait pas à les mettre hors d'action. Les vieux, qui en avaient fini avec la mine, restaient assis sur des chaises, dans la rue, et racontaient des histoires ; les enfants rôdaient dans les collines, embêtaient leurs aînés, taquinant ceux ou celles du sexe opposé. Vieux ou jeune, chacun s'inventait des distractions.

★ *Un conte de Noël.*

Seule la Paroisse représentait une sorte d'îlot. Son influence était grande et profondément ancrée. Malgré la rigueur de ses préceptes, la foi baptiste faisait couler la poésie et la musique dans les collines et dans le cœur de tous les hommes, de toutes les femmes et de tous les enfants qui y vivaient. La Paroisse n'était pas un endroit solennel mais un lieu de rencontre, d'échange, où l'officiant devait réclamer le silence avant de commencer et où les premiers accords dramatiques de l'orgue annonçaient ce que toute l'assemblée attendait : l'occasion de chanter et de chanter, non comme des anglicans empruntés, effrayés par le son de leur propre voix, mais joyeusement, à tue-tête.

Les incroyants étaient peu nombreux et dispersés, mais beaucoup d'entre eux venaient à la Paroisse pour chanter. Le père de Richard quant à lui, ne croyait pas en Dieu et n'allait pas à la Paroisse. Comme le dit plus tard Richard ; « Il ne croyait en rien, et surtout pas en lui-même. »

Dic Bach Jenkins et sa femme, Edith Thomas, s'étaient mariés la veille de Noël, en 1900. Il avait vingt-quatre ans et travaillait déjà à la mine, comme son père ; elle n'en avait que dix-sept, et bien qu'elle fût née à Swansea *, sa famille s'était installée dans la vallée d'Avan où son père travaillait à l'usine de cuivre. A l'époque de son mariage, Edith était serveuse au « Miners Arms » à Pontrhydyfen.

Les enfants se succédèrent très rapidement. L'aîné, Thomas, naquit en 1901, puis vint Cecilia en 1905, Ifor en 1906, William en 1911, David en 1914, Verdun en 1916, Hilda en 1918, Catherine en 1921, Edith en 1922 et deux filles entre Ifor et William, mortes au berceau. Ainsi, quand Richard arriva en 1925, sa mère avait donné naissance à douze enfants. Il naquit dans cette maison du 2, Dan-y-bont, où la famille avait emménagé quelques mois plus tôt et que l'on voit encore à l'ombre du grand viaduc de Port Talbot qui traverse le village. C'est une portion de cette route sinueuse nommée les

---

* Swansea est un assez grand port du sud du Pays de Galles, une ville par rapport à ces petites cités minières.

« Bends », entre Pontrhydyfen et Port Talbot que Richard décrivit plus tard comme l'une des plus belles du monde.

Tout le monde s'accorde à reconnaître que le douzième enfant d'Edith avait une passion pour sa mère. Comme tous les marmots, il la suivait partout et s'affolait si elle le quittait des yeux une minute. Mais cela ne dura guère. En octobre 1927, deux semaines avant le deuxième anniversaire de Richard, sa mère mettait au monde son treizième et dernier enfant, Graham, et mourait quelques jours plus tard des suites de cet accouchement.

La famille fut soudain privée de son âme ; et personne ne ressentit cette perte plus que Richard. Dic Bach, déjà irresponsable quand tout allait bien, était incapable de s'occuper des deux petits derniers. Les aînés les prirent donc en charge. Graham, le nouveau-né, fut envoyé chez Tom, l'aîné, âgé alors de vingt-six ans, mineur, marié et installé à Cwmavon, trois kilomètres plus bas dans la vallée. On confia Richard à sa sœur aînée, Cecilia, vingt-deux ans, mariée à Elfed James, mineur lui aussi à Tailbach, dans le district de Port Talbot. Ils n'avaient pas d'enfant. Quittant une maison bourdonnante du bruit de ses sept frères et sœurs, le petit Richie, comme on l'appelait, dut s'adapter à une vie différente, avec une nouvelle mère deux fois plus jeune que celle qu'il venait de perdre. Cecilia raconte que, malgré la passion qu'il avait eue pour leur mère, une fois installé à Port Talbot, il ne la réclama jamais et n'en parla même plus.

Cecilia avait une forte personnalité ; comme sa mère, elle était efficace et avait les pieds sur terre. Elle faisait montre de beaucoup de patience et de chaleur humaine. Elle adorait son petit frère et remplaça vraiment leur mère auprès de lui. Mais Richard ne l'appela jamais maman. Pour lui elle était Cis ou Cissie, son mari était Elfed, et la nature de leurs liens fut toujours très claire dans son esprit. Pourtant ceux-ci l'élevèrent comme leur propre enfant.

Quand Richard arriva à Port Talbot, il ne parlait pas anglais. Il ne connaissait que le gallois. Cis et Elfed partageaient alors une maison dans Caradoc Street avec la sœur d'Elfed, Margaret Dummer, et sa famille. Richard apprit vite à parler l'anglais, mais il n'oublia jamais le gallois. Il le parlait avec Mrs Dummer qu'il appelait Tantine.

Les Dummer avaient un enfant, un fils nommé Dillwyn, presque du même âge que Richie, et ceux-ci grandirent comme deux frères. Les deux familles vécurent six ans ensemble et les garçons étaient inséparables. Si l'un tombait malade, l'autre partageait son lit pour essayer d'attraper la même maladie. Ils avaient en commun une paire de patins à roulettes, une bicyclette et des douzaines de parents. Les parents d'Elfed, ses tantes et ses oncles vivaient tous à un jet de pierre et étaient alliés aux Jenkins de Pontrhydyfen. La grand-mère maternelle de Cis et celle d'Elfed étaient sœurs. Transplanté plus haut dans la vallée hors de son clan d'origine, Richard n'était pas pour autant perdu en terre étrangère. Il retournait fréquemment chez les divers Jenkins, et la famille de Pontrhydyfen rendait visite de temps à autre aux James le dimanche après-midi.

La vieille Mrs Dummer, « Grand-mère » pour Dillwyn et Richard était le pilier de la famille. Elle habitait la maison voisine dans Caradoc Street et sa présence était prépondérante dans la vie de tous. Elle était très pieuse et rigoriste, et les enfants avaient très peur d'elle. Dillwyn recevait une bonne raclée de son père quand il le fallait et Elfed faisait de même avec Richie si nécessaire, mais les punitions de Grand-mère étaient bien pires. Si elle les surprenait en flagrant délit de mensonge, elle leur mettait les mains sur la grille brûlante de la cheminée.

Le poêle à charbon dans la pièce de devant était la seule source de chaleur des petites maisons identiques de Caradoc Street. Une grosse bouilloire métallique trônait toujours sur la plaque, du pain cuisait dans le four, et on se chauffait le dos à tour de rôle. En hiver, il faisait très froid, même dans la pièce chauffée ; les chambres étaient de véritables glacières et la buée faisait souvent ruisseler les vitres. Plus tard, Richard raconta combien ce froid faisait mal, dans son enfance ; il disait alors que si sa fortune pouvait lui servir à quelque chose, ce serait à ne plus jamais avoir froid comme cela.

Le seul confort était l'abondance de charbon qui venait de la mine et était livré à la tonne, dans des voitures à cheval. Il était déversé en tas devant les maisons et c'était aux enfants et à leurs amis de le transporter dans des seaux à travers l'étroit couloir qui menait dans la cour située derrière la maison, où on l'entreposait. Ce n'était pas facile et les enfants étaient noirs des pieds à la tête quand ils avaient fini. On ne les payait jamais pour cette tâche.

Richard devait aussi éplucher les pommes de terre pour sa tante Edith — Edith Evans, la sœur mariée d'Elfed, qui tenait une échoppe de poissons et de frites à côté. Il restait assis dans la cour, parlant à voix haute, entouré de monceaux de pommes de terre. Pour tout paiement, il recevait une bonne portion de frites enveloppée dans du papier journal. Il parlait déjà beaucoup, et il disait à Edith que plus tard il serait prédicateur, écrivain ou bien acteur. C'était un beau petit garçon, avec des cheveux bruns en broussaille, des yeux bleu vif, et une fossette au menton qui lui donnait un air attendrissant et angélique. Et il savait comment séduire ses aînés.

La famille n'était vraiment pas riche, mais tout le monde mangeait à sa faim. On se nourrissait simplement, de saucisses, de crépinettes, de pâtés, de bas morceaux de viande, et l'on ne gâchait rien. Le jarret de porc bouilli d'un jour servait pour la soupe aux poix du lendemain. La viande dont on disposait était agrémentée d'une grande quantité de pommes de terre bouillies et de pain, ou utilisée pour un brouage nourrissant, le « cawl », plat traditionnel gallois composé de côtes de mouton, de poireaux et de divers légumes. Autre plat traditionnel, le « Lava Bread » n'avait rien à voir avec du pain, mais était fait à base d'algues, avec un goût très reconnaissable. Richard l'appelait « Colliers Caviar » et bien qu'il eût ensuite souvent l'occasion de manger de vraies algues cuisinées, il préféra toujours secrètement le Lava Bread ; tout comme il n'aima jamais rien autant que les saucisses à la purée ou les tripes aux oignons, même lorsqu'il goûtait une cuisine raffinée dans les plus grands restaurants du monde.

Au petit déjeuner, on avait du thé et du pain, autre mélange qui transformait des denrées bon marché en un repas nourrissant, calorique et bourratif. On mélangeait du pain, du lait concentré et du thé, obtenant ainsi une sorte de porridge. Le pain était un produit de base que l'on trempait dans le jus pour faire durer le repas plus longtemps, et les enfants, lorsqu'ils jouaient dans la rue, emportaient avec eux des tartines avec de la confiture et parfois du miel.

L'argent n'abondait pas et quand Cissie et Elfed s'installèrent dans leur propre maison au 27 Caradoc Street, au bout de la rue, ils prirent un locataire pour les aider à joindre les deux bouts. Ce locataire s'appelait Elliot. Il s'installa ensuite dans la maison voisine qu'il transforma en épicerie-confiserie. C'est du fils de M. Elliot, Tommy, que Richard parle plus tard dans ce conte de Noël :

> « J'essayais de deviner avec anxiété ce que le Père Noël m'apporterait. Serait-ce une ferme avec des cochons dans une porcherie, des canards sur une mare en métal, un cheval ou deux, plusieurs vaches et des barrières blanches, et aussi un seau miniature et une vachère, et toute la ferme avec le fermier et sa femme montrant leur visage rougeaud à la fenêtre ? Et une cheminée sur le toit ? Je priais le ciel que ce ne fût pas la ferme de Tommy Elliot, avec laquelle je jouais depuis deux ans. Les regards échangés entre ma sœur et Mrs Elliot me faisaient craindre qu'elle me serait offerte pour Noël, bien nettoyée. Ce serait la honte d'avoir un cadeau d'occasion. Tout le monde le saurait. Si c'était une ferme, il fallait qu'elle fût toute neuve, étincelante de peinture fraîche, sans qu'apparaisse la moindre parcelle de plomb. »

Finalement, il n'eut pas de ferme neuve, ni même celle de Tommy, ce Noël-là, mais on lui donna une nièce, le premier enfant de Cissie. Avec l'arrivée des enfants, les finances d'Elfed et de Cecilia s'amenuisèrent encore. Pourtant, en dépit des difficultés, Cissie restait aussi gaie et ne regrettait pas une seconde de s'occuper de son frère. Elfed était aussi une nature généreuse, et même si Richie l'exaspérait souvent (il lui administra plus d'une taloche) il l'élevait comme son fils et lui donnait tout ce qu'il pouvait. Leur foyer était propre, d'une bonne tenue morale. Personne ne buvait. Ils allaient à l'église régulièrement et ils étaient aimés et respectés de tous.

A cette époque, il n'y avait pas d'électricité dans les maisons de Caradoc Street, et pas de toilettes intérieures dans tout le quartier. On s'éclairait au gaz et prenait des bains dans un baquet de métal rempli d'eau chauffée sur le feu. Pour tout tapis, les foyers les plus riches avaient une natte de sisal ; mais la plupart des familles, y compris les Dummer et les James, recouvraient les dalles de sable rapporté de la plage. On le balayait tous les jours, et il servait ainsi à la fois à réchauffer le sol et à le nettoyer.

La rue était divisée en trois parties distinctes : le bas, le milieu et le haut. Chacune avait sa propre bande d'enfants qui vagabondaient et s'affrontaient à toute occasion. Richie, comme Dillwyn, appartenait à la bande du haut de Caradoc Street, pour la simple raison que leur maison était tout en haut de la rue. Il n'y avait à l'époque aucune maison devant celle des James. Plus tard, on en construisit toute une rangée. Le numéro 27 donnait sur la pente escarpée d'une colline que les enfants dévalaient sur des traîneaux métalliques en hiver et où ils faisaient de l'escalade ou du camping en été. Aujourd'hui, tout a changé. L'autoroute M4 traverse Port Talbot en plein milieu, haut perchée au-dessus de la ville sur de grands piliers de béton. Tout ce coin surnommé « La Pente », où Richie Jenkins et sa bande vagabondaient, est maintenant érasée depuis Taibach.

Il fallait alors douze heures de voiture pour se rendre à Londres ; il en faut quatre aujourd'hui.

Dans les années 20, Londres était quasiment un pays étranger. C'était un endroit auquel aucun enfant de Caradoc Street ne songeait et surtout pas pour s'y rendre. La vie se déroulait d'une manière très insulaire. Les vacances étaient des expéditions organisées par le clergé. On partait à l'aube vers d'autres points de la côte, entassés dans une carriole, et l'on rentrait en fin de journée, fatigués, ébouriffés, tout salés. Personne n'avait de voiture ; pour se déplacer, on marchait. A toute heure du jour, on voyait des hommes faire six ou sept kilomètres pour rejoindre les puits. Le bruit des sabots de bois dans la rue était un son familier qui réveillait le matin et annonçait le retour des hommes le soir.

Bien sûr, le train passait par Port Talbot, mais bien peu d'habitants de Caradoc Street le prenaient ; et sûrement pas en payant. Les enfants faisaient parfois une balade. Les voies passaient au bout de l'allée près de la maison de Cissie, et Richie et Dellwyn sautaient la barrière avec leurs copains. S'ils connaissaient le conducteur, ils faisaient un voyage gratuit jusqu'aux quais pour nager en été, ou bien pêcher.

A Taibach, le train fournissait du travail à quelques heureux élus. Le signaleur, dans sa vieille guérite de bois jour après jour, assurait avec toute la vigilance voulue le passage des trains. Il coupait aussi les cheveux des garçons, y compris ceux de Richie Jenkins. La route qui menait à la guérite, et à la gare elle-même, longeait le cimetière, et bien souvent, à quatre ou cinq heures du matin, au moment du pointage, les mécaniciens et les conducteurs de machines à vapeur, étaient terrorisés en sentant leur chapeau mystérieusement soulevés de leur tête par des garnements cachés derrière le mur du cimetière et manipulant des perches. Eux-mêmes se faisaient des peurs bleues en escaladant les tombes pour se sauver dans la nuit noire.

Quand il eut cinq ans, Richard commença sa scolarité à La Pente, l'école primaire la plus proche, au coin de la rue près de chez Elfed. Tous les enfants du voisinage y allaient. A huit ans, on séparait filles et garçons et les garçons partaient pour leur école un peu plus bas dans la rue. Ils étaient souvent cinquante élèves par classe, mais la discipline était infiniment plus stricte qu'aujourd'hui. Les enfants ne se privaient pas de faire mille bêtises hors de l'école et ils en étaient dûment châtiés quand on les découvrait. Mais ils grandissaient dans un respect très sain pour l'autorité des adultes, entretenu en partie par celle de la Paroisse et tout simplement par les habitudes de l'époque.

Ainsi, à huit ans, Richie Jenkins était un fumeur chevronné et appréciait déjà la bière ; mais il savait lire et était tombé sous le charme d'un maître, le premier des deux qui devaient changer le cours de sa vie. Meredith Jones, qui enseignait le grec et le latin à l'école des garçons, avait « la pensée aussi vive que la parole et beaucoup de brio », comme devait le dire plus tard Richard. « Il était vif comme une pile électrique, étincelant, rapide comme l'éclair : des courts-circuits se produisaient parfois dans la pyrotechnie de ses arguments, mais le courant passait toujours. » C'était une puissante personnalité, dont on se souvient encore aujourd'hui à Taibach. Professeur compétent et inspiré, il avait deux grandes passions, le rugby et l'anglais, et il les communiqua à Richard. C'est lui qui fonda le Club des Jeunes de Taibach où Richie, à quinze ans, prit vraiment goût à la scène. C'est lui qui transforma en jeu cohérent ce que Richard faisait avec un ballon lorsqu'il jouait dans la rue. Lui encore qui prépara le jeune garçon de onze ans à ses examens d'entrée à l'école secondaire de Port Talbot, et qui, quatre ans plus tard, prépara le terrain pour sa réadmission.

A l'époque il y avait deux collèges à Port Talbot : le « County » et la « Sec », sans cesse en rivalité. Ainsi distinguait-on les « chiens du County » et les « Choux de la secondaire ». C'est comme « chou de la secondaire » que Richard rencontra le deuxième maître qui allait jouer un rôle majeur dans sa vie.

Le jeune Richard Jenkins était un garçon intelligent, mais ce ne fut jamais un bûcheur. Il était aussi dissipé que les autres, bien que l'indiscipline des enfants d'alors nous semblerait dérisoire. De toute façon, il ne se laissait jamais prendre. C'était généralement Dillwyn qui écopait pour leurs escapades communes ratées. Dès sa plus tendre enfance, le jeune Jenkins sut se tirer de n'importe quelle situation par le mensonge. Comme le dit Dillwyn, qui a conservé le regard malicieux d'un enfant de huit ans :

    « Richie a été acteur toute sa vie. Il disait toujours : « C'est Dillwyn qui l'a fait, Grand-mère », et c'est moi qui prenais.

    Un certain Mr Churc vivait alors dans une grande maison. Il avait une ceinture avec une boucle de dix centimètres de large et s'en servait pour nous taper dessus quand nous faisions des bêtises. Pour nous amuser, nous allions frapper à sa porte et nous nous sauvions à toutes jambes. Parfois, il nous guettait au coin de la rue et nous donnait un coup de ceinture. Quand je rentrais à la maison, mon père me disait : « Qu'est-ce que tu as à l'oreille ? » et je répondais : « Rien, je me suis cogné contre un mur. » Si je lui avais vraiment dit ce qui s'était passé, j'aurais ramassé une raclée. Mais Richie arrivait et déclarait : « C'est Mr Church qui l'a frappé aujourd'hui », et je recevais encore des coups. »

On ne les prenait pas souvent la main dans le sac, mais un jour, il n'y eut pas d'échappatoire. La plupart des gamins passaient le samedi après-midi au cinéma local, que tout le monde appelait le Cach, ou les chiottes. Il avait été construit en 1930 avec l'avènement du monde magique du cinéma parlant. Avant, les enfants passaient leur samedi après-midi à regarder des images en couleur à la paroisse de Gibeon, que tout le monde appelait la « Lanterne magique ». Elle avait été la scène d'une célèbre émeute en 1920. Une moitié de l'assemblée s'était retournée contre l'autre en brandissant ses parapluies, et l'avait rossée avec une telle violence, que la police avait dû intervenir pour rétablir l'ordre. C'est ainsi que l'on construisit une deuxième église de l'autre côté de la rue pour que les deux factions puissent continuer à faire leurs dévotions sans mettre leur vie en péril.

Le Cach se trouvait entre les deux églises. Y voir un film était le clou de la semaine. Le cinéma était dirigé par un vieux monsieur, Bertie Roberts, qui s'efforçait de maintenir l'ordre. Il pensait également qu'il lui appartenait de lutter contre l'invasion des parasites. On le voyait durant la matinée du samedi arpenter les allées en vaporisant généreusement de l'insecticide. (Il disait que c'était du parfum, mais on savait que c'était de l'insecticide.) Il empêchait aussi les enfants de partir au milieu d'un film, car la lumière extérieure inondait la salle quand on ouvrait la porte et gênait tout le monde. Il barrait donc la sortie avec un grand bâton, et si le film était une histoire d'amour, ce que détestaient Richard et Dillwyn, comme la plupart des autres gamins, il n'y avait pas moyen d'y échapper.

A cette époque, le ticket valait deux pence et les deux garçons devaient extorquer cet argent à leurs parents, avec quelques pennies en plus, s'ils avaient de la chance, soi-disant pour acheter des bonbons chez Katie David, dont l'échoppe faisait le coin de la rue. Le jour où ils n'eurent pas à extorquer d'argent fut celui de la naissance de la petite sœur de Dillwyn (qui avait lieu à la maison, dans la chambre du haut, comme la plupart des bébés dans cette partie du monde), car on souhaitait vivement qu'ils sortent quelques instants. Ce jour-là, il n'y eut pas de restriction sur les pence destinés aux sucreries.

Seulement Richard et Dillwyn ne dépensèrent pas leur argent à acheter des glaces au citron ou des sucettes comme les autres enfants. Ils achetèrent des cigarettes — un paquet de cinq Woodbine pour trois pence et demi, et une boîte d'allumettes — pour fumer pendant le film, au fond des fauteuils d'orchestre. Inutile de préciser que les deux gamins auraient été écorchés vifs si leurs parents les avaient découverts. S'ils n'avaient pas le temps de tout fumer pendant la séance, ils jetaient à contrecœur les cigarettes qu'il leur restait par-dessus le pont de bois.

Un soir, pourtant, au lieu de jeter la dernière Woodbine, ils décidèrent de la fumer en rentrant à la maison. Malheureusement ils s'étaient déjà débarrassés des allumettes. « Ça ne fait rien », dit Richie, de la hauteur de ses huit ans, « voilà quelqu'un qui arrive ; va lui demander du feu ». Dillwyn s'exécuta : « Vous avez du feu, monsieur ? » demanda-t-il à la silhouette qui passait dans l'obscurité.

« Oui, j'en ai », répondit une voix horriblement familière ; et son père lui donna la première bonne raclée que Dillwyn se rappelle avoir reçue pour une bêtise qu'il avait faite lui, et non pas Richard.

Leur apprentissage de fumeurs commençait sous de mauvais auspices. Le grand-père de Dillwyn fumait la pipe et avait un porte-pipes qu'il demandait souvent aux garçons de lui apporter. Un jour, ils en prirent une qui avait encore des restes de tabac, et l'emportèrent sur la colline, au gros rocher du champ de Mrs Moss, au-dessus des maisons, où ils avaient planté une tente. Là, ils commencèrent à tirer sur la pipe jusqu'à ce que la fumée les empêche de se voir. Ils rentrèrent tous deux à la maison en chancelant, verts comme des salades.

La pipe du grand-père Dummer n'était pas la seule à les faire tourner au vert. L'un de leur passe-temps préférés était d'aller voir Tom Francis, étrange vieux garçon qui gardait les cochons de Mrs Thomas et qui vivait comme un sauvage dans un hangar près des animaux. Il mangeait la même chose que les cochons, faisait du thé au goût infect dans de vieilles boîtes de conserve, et préparait son propre tabac avec des feuilles et des herbes. Mais les garçons adoraient bavarder avec lui, boire son thé répugnant, et ils passaient des heures en sa compagnie. Un jour, pendant que Tom allait nourrir les cochons, Richard et Dillwyn chipèrent quelques brins de son tabac, le roulèrent dans du papier ordinaire, l'allumèrent et virèrent instantanément au vert.

Ils prirent goût à la bière. On les envoyait souvent au pub du coin acheter de la bière ou du cidre pour leurs parents, munis généralement d'un pichet que la serveuse remplissait et qu'ils rapportaient à la maison. Mais tout n'arrivait pas à bon port. Ou bien ils se présentaient à la fenêtre du bar sans licence, le « Jug and Bottle », et Richard, de sa voix la plus grave, demandait une grosse bouteille. Parfois, il avait de la chance ; d'autres fois, il se faisait jeter.

Quand les Dummer et les James habitèrent séparément, les règlements de comptes eurent lieu le dimanche. Les familles se réunissaient, comparaient les récits, et c'était là que les versions de Richard et de Dillwyn sur ce qui s'était passé pendant la semaine ne concordaient pas toujours. Si tel était le cas, chaque père emmenait son fils — Elfed pour Richard — et le punissait ; non pas tant pour la sottise elle-même que pour avoir menti. C'est ainsi que Richard se perfectionna encore dans l'art de donner le change.

La vieille grand-mère Dummer, par exemple, ne comprit jamais pourquoi Richie prenait un tel plaisir à jouer des hymnes sur son piano. En fait, il jouait tous les soirs au pub et ce piano était le seul sur lequel il puisse travailler son toucher. Certes il ne jouait pas « En avant soldats du Christ » au pub, mais mieux valait s'exercer en jouant des hymnes que ne pas s'entraîner du tout.

Richard avait obtenu une bourse pour la « Sec », mais pendant ses quatre années à l'école, il concentra la plus grande part de son énergie aux sports : le rugby et à un moindre degré, le cricket. Il auditionnait aussi pour les pièces que l'on jouait à l'école, moins par ambition de devenir acteur que pour appartenir à une sorte d'élite, car il aimait déjà être l'objet de l'attention générale.

C'est ainsi qu'il rencontra Philip Burton, professeur d'anglais des grandes classes, connu pour être l'auteur d'œuvres créées à la radio et pour diriger une compagnie théâtrale dans la région. Son prestige auprès des élèves était immense. Mais si Richard fut très impressionné par Burton, Burton ne le fut nullement par Richard, et la première fois qu'il auditionna pour un rôle dans une pièce, il ne fut pas pris.

En janvier 1941, lorsqu'il fut finalement choisi pour le petit rôle de M. Vanhatten dans *The Apple cart* de George Bernard Shaw, Richard avait quinze ans et était dans sa quatrième année d'école. Ses débuts sur les planches ne furent pas fracassants, et on ne lui reconnut aucun talent particulier. Il faut dire que dans cette pièce, M. Vanhatten est américain. Richard avait un accent gallois très prononcé et même une exagération dans la prononciation des « a » ne parvenait pas à le dissimuler.

Exactement au même moment, ses professeurs de la « Sec » en vinrent à la conclusion que Richard n'était pas davantage doué pour les études. C'était la guerre, Cis et Elfed avaient maintenant deux filles à nourrir et à vêtir, et Elfed songea qu'au lieu de perdre son temps dans les salles de classe, Richard ferait mieux de travailler et de rapporter un salaire supplémentaire à la maison.

Le jeune beau-frère d'Elfed ne posait guère de problèmes quand il était petit, mais devenu un adolescent de quinze ans, il était de plus en plus difficile à tenir. Il dépensait ouvertement son argent en cigarettes et en bière, il empruntait à Cis sur l'argent du ménage pour emmener des filles danser ou pour aller au pub, puis il n'arrivait pas à la rembourser. Il se transformait en fils de mineur endurci, difficile, et les affrontements se multipliaient avec Elfed. Il y avait des scènes de famille. Cis essayait de prendre la défense de son frère, ce qui envenimait encore les choses. L'examen de fin d'année avait lieu en juin, et elle souhaitait qu'il reste au moins jusque-là pour le passer. Elfed, lui, voulait qu'il parte tout de suite. Son père pouvait intervenir pour qu'il ait un travail à la Coopérative locale, à une époque où il était difficile de trouver un emploi. C'est ce qui se passa. Richard resta en classe jusqu'à la fin du deuxième trimestre et en avril, il accrocha sa casquette d'écolier et se mit au travail. Il n'avait aucune qualification, et semblait bien parti pour devenir l'un de ces nombreux employés anonymes de Port Talbot.

· Par chance cependant, l'ancien professeur de Richard à Eastern Boys, Meredith Jones, se lançait dans le projet révolutionnaire d'un club de jeunes qu'il voulait ouvrir à Taibach. Son partenaire dans cette aventure était le conseiller municipal du lieu, Alderman Llewellyn Heycock, qui s'était débrouillé pour obtenir des fonds au profit du club auprès de l'inspection générale de Glamorgan. Il engagea Leo Lloyd pour s'occuper du théâtre au club. Ce furent ces trois hommes qui donnèrent pour la première fois à Richard l'envie de progresser, d'avoir dans la vie une plus grande ambition que de rester employé de coopérative, et qui, chacun à sa manière, lui en procurèrent les moyens.

Avant l'arrivée de ces trois hommes, rien n'était fait pour les jeunes à Taibach. Il y avait le Cach, une salle de snooker *, et bien sûr, de nombreux pubs, mais aucun lieu accueillant où se retrouver entre amis pour faire des choses ensemble, discuter, découvrir les arts, voir plus loin que leur horizon limité. Comme Meredith Jones aimait le proclamer en gallois : « Les membres de mon club ne sont ni cultivés ni raffinés pour l'instant, mais ils sont ici et en éveil. »

Le club se réunissait à la Eastern Elementary School, bâtiment condamné, au toit suintant, à l'éclairage sinistre et mal

---

* Sorte de billard, (N.d.T.).

chauffé. C'était la guerre et l'on manquait de tout, mais ce local faisait l'affaire. Richard, Trevor George et Gerwyn Williams (qui devint ensuite international de Rugby gallois) se débrouillèrent même pour organiser des combats de boxe, partageant la seule paire de gants de boxe du club. Malgré le rationnement et avec un coup de main officieux des troupes américaines stationnées tout près, à Margam Castle, ils ouvrirent une cantine. Et ils passèrent beaucoup de temps dans les greniers poussiéreux à réparer les volets qu'il fallait fermer pour que l'on ne voie pas la lumière depuis le ciel pendant le black-out.

Lors de la première représentation publique donnée par le club, les lumières sautèrent et tandis que tout le monde attendait à sa place que les pompiers viennent mettre en place un éclairage de secours, Richard et Trevor George sautèrent sur scène et divertirent le public en imitant Hitler et Mussolini, à la faible lueur d'une lampe électrique et de deux bougies.

Leo Lloyd avait donné à Richard le premier rôle de son premier spectacle dramatique, celui du Condamné dans *Les chandeliers de l'Evêque*, pièce mimée en un acte, adaptée des *Misérables* de Victor Hugo. Les répétitions se passaient bien et la première approchait, lorsque Leo demanda à Meredith ce qu'il prévoyait comme scène. Meredith, que rien ne déroutait, réfléchit une seconde et dit : « Nous avons des tables, des tableaux noirs et des bureaux. » Ainsi, une scène fut montée, avec quelques briques pour soutenir les tableaux noirs et compenser la pente des bureaux. Seulement, en élaborant cette astucieuse construction, ils avaient négligé le poids des acteurs et leurs déplacements ; à peine la première représentation était-elle commencée que ces mouvements ébranlèrent les briques, ce qui fit basculer les tableaux à la tête des acteurs. Rapide comme l'éclair, Tommy Lane renonça à ses débuts dans le rôle d'un gendarme et, recrutant un autre solide gaillard, disparut sous la scène. Accroupis, les mains tenant leurs genoux, ils supportèrent sur leur dos le poids des tableaux et des acteurs. Et le spectacle continua.

En fait, c'est ce spectacle qui donna à Richard l'idée de faire une carrière d'acteur. Il avait accepté le travail que le père d'Elfed lui avait procuré comme apprenti au rayon de confection masculine de la Coopérative, mais il détestait cela. Pour un fils de mineur issu d'une rude communauté minière, joueur de rugby et de boxe, quelle honte! Richard le ressentait profondément. Il ne travaillait pas très bien : il mettait par exemple deux heures pour faire une livraison toute proche; il bavardait avec les amis ou les parents qui entraient dans le magasin; il oubliait de réclamer aux clients les tickets de rationnement. Ses employeurs commençaient à se demander s'ils avaient bien fait de l'engager. A la maison, il était de plus en plus difficile. Il fumait, allait boire au pub bien qu'il n'eût pas l'âge légal, fréquentait les durs de la ville. La seule chose qu'il apprit durant ces mois de travail à la Coopérative, fut comment bien plier un costume. Plus tard, s'il voyait quelqu'un le faire autrement, il lui montrait immédiatement comment s'y prendre. A part cela, les dix mois qu'il passa derrière le comptoir de la boutique à ranger des billets dans de petites boîtes de métal, expédiées au moyen d'un système à air comprimé au service comptabilité, furent du temps intégralement perdu.

Les trois hommes du club de jeunes unissaient leurs efforts pour lui préparer un autre avenir. Chaque fois que l'on demanda par la suite à Richard quels furent ceux qui influèrent le plus sur sa vie, ou ce qui lui fit choisir la carrière théâtrale, il cita toujours ces trois hommes :

« Meredith Jones, avec son cynisme à vous couper le souffle, ses idées brillantes et son éloquence, me communiqua avec force une autre ambition que celle d'être apprenti dans la confection à trente livres par semaine.

Llewellyn Heycock, Doyen, Conseiller municipal et Président du Comité d'Education de Glamorgan, m'en fournit les moyens. Il usa de tout son pouvoir pour que je sois réintégré au collège après dix mois d'absence — ce qui était tout à fait inhabituel.

Leo Lloyd, le regard brillant, dévoué corps et âme à son travail — et j'ai du mal à croire qu'il ait pu le faire autrement à ses moments libres — affina mon ambition. Il me persuada

que jouer la comédie était fascinant. Il m'apprit les bases du
métier : se tenir, parler et bouger sur scène avec assurance. Il
m'apprenait sans se ménager et je retenais vite. Il m'enseigna
la rigueur et aussi, par son exemple et par la manière dont il
se donnait lui-même à son art, que le " réel " peut être plus
fort sur une scène que dans la vie. Il m'apprit la puissance du
mot et comment s'en servir. Il jugula mon mal de vivre,
canalisant mes forces, et fit naître en moi le désir d'être
acteur. »

Ce ne fut pas l'affaire d'une nuit. C'est en août 1941 que
Richard vit avec précision quelle direction sa vie allait prendre ;
il comprit aussi que le chemin d'un garçon défavorisé au départ
devait passer par les études. Ses nouvelles ambitions étaient
colossales. Le garçon de quinze ans, dur et difficile, à l'aspect et
au comportement plus mûrs que son âge, tenant la dragée haute
aux jeunes ouvriers de la ville, reprit sa casquette d'écolier et
retourna en classe. Richard n'oublia jamais cette humiliation.
Ce fut l'une des épreuves les plus dures qu'il eut à affronter dans
sa vie.

Meredith et Llewellyn avaient employé toute leur force de
persuasion pour que l'Ecole Secondaire de Port Talbot l'accep-
tât. Ses dix mois à la Coopérative n'avaient pas amélioré sa
réputation et si le vieux Directeur connaissait les capacités du
jeune Jenkins, il savait aussi que ses quatre premières années de
classe n'avaient guère été fructueuses. Il n'avait pas envie de le
reprendre, mais le conseil d'établissement se laissa convaincre
— après tout Llewellyn Heycock était président du Comité
d'Education de Glamorgan et s'y connaissait en la matière.
Meredith, l'un des meilleurs professeurs de l'Eastern School,
était également de ceux dont on respectait le jugement.

Une autre voix se joignait aux leurs. En avril 1941, Philip
H. Burton, le professeur d'anglais de la « Sec », devint commandant de la troupe de cadets que l'on venait de fonder,
l'escadron d'entraînement aérien N° 499 de Port Talbot.
Meredith Jones, toujours prêt à travailler avec les jeunes, devint
officier d'aviation et entraîna l'équipe de rugby de l'escadre. Il y

amena beaucoup de jeunes de son club, y compris Richard. Comme celui-ci ne pouvait plus faire de rugby à l'école, c'était une merveilleuse occasion de continuer le sport ; de plus, il y avait, un soir par semaine des exercices d'entraînement au quartier général de l'escadre et il y apprit les rudiments du métier d'aviateur.

Ainsi, tandis que Llewellyn Heycock travaillait à convaincre les directeurs de l'Ecole Secondaire de reprendre Richard Jenkins, Meredith s'alliait Philip Burton. Philip avait donné un rôle à Richard dans une pièce radiophonique qu'il avait écrite sur les Air Training Corps, *Venture, Adventure* (leur devise).

Il pensait comme Meredith que malgré son caractère difficile Richard avait de grandes possibilités. Il promit à son officier qu'il tiendrait le garçon à l'œil lorsqu'il retournerait en classe, afin d'éviter qu'il ait une mauvaise influence sur les autres.

A trente-huit ans, Philip Burton était célibataire ; c'était un solitaire. Il avait d'abord enseigné les mathématiques puis l'anglais ; mais ce qui le passionnait c'était le théâtre et il y consacrait tout son temps libre. Il était assez excentrique, vivait dans un appartement tenu par une femme nommée « Ma » Smith, et bien qu'extrêmement cultivé et très estimé de ses collègues, on le considérait un peu comme un original. Il avait un accent anglais quasiment pur, avec juste une touche de gallois sur les voyelles, et l'on trouvait cela un peu affecté pour un fils de mineur débarqué de Mountain Ash, à peine à trente kilomètres de là.

Ce n'était pas vraiment juste, puisque son père et sa mère étaient anglais. Philip était né tard et, comme certains parents qui ont des enfants tardivement, ils l'élevèrent dans une atmosphère un peu compassée, lui interdisant les plaisirs rudes et violents de la rue qui avaient eu une telle importance dans l'enfance de Richard. Il ne s'exprimait qu'en anglais. Il avait appris le gallois à l'école, mais il ne le parlait pas avec les autres enfants, si bien qu'il ne fut jamais facilement accepté comme l'un des leurs. Une autre différence le séparait d'eux : la religion. Ses parents étaient anglicans, alors que la grande majorité de la communauté galloise était méthodiste. A une époque où la vie communautaire avait pour centre la Paroisse, c'était un sérieux handicap.

Philip n'avait que quatorze ans quand son père fut tué dans un accident de la mine. Il se retrouva seul avec sa mère qui n'avait pas la même agilité intellectuelle que son fils. Elle lui était pourtant toute dévouée et souhaitait le voir réussir, ce qui arriva. Après sa scolarité à Mountain Ash, Philip entra à l'Université du Pays de Galles à Cardiff où il obtint ses diplômes en mathématiques et en histoire : en 1925, à vingt ans, il avait un poste de professeur à l'Ecole Secondaire de Port Talbot.

Ses années d'université et la fréquentation assidue des théâtres de Cardiff, le convainquirent que l'anglais était ce qu'il préférait, surtout lorsqu'il s'agissait d'œuvres théâtrales. Mais c'était une activité beaucoup trop incertaine pour un fils de mineur avec une mère à charge. L'enseignement était un métier sans risque et respectable, et si Philip Burton finit par abandonner les mathématiques pour enseigner l'anglais, il devait s'écouler bien des années avant qu'il quitte vraiment l'enseignement pour travailler à plein temps à la BBC de Cardiff.

Philip Burton ne se maria jamais et on ne lui connut aucune relation féminine d'importance. Son enfance solitaire en avait fait un être très secret. Il se contentait de sa propre compagnie. Ce qui est certain en revanche, c'est que n'ayant pas lui-même d'enfants sur qui transférer ses ambitions, il se tournait naturellement vers ses élèves.

L'un de ses protégés était un garçon du nom d'Owen Jones, qui, grâce à Philip Burton, avait obtenu une bourse pour l'Académie Royale d'Art Dramatique, l'une des principales écoles de théâtre de Londres. Il avait ensuite joué Shakespeare à l'Old Vic, et l'on pensait qu'un brillant avenir s'ouvrait devant lui. Mais il fut blessé en servant dans la RAF et mourut en 1943.

A l'époque où Richard fut réintégré à la « Sec », tout le monde savait que Philip Burton avait pris ce petit ouvrier de Glamorgan sous sa protection. Il en avait aussi remarqué d'autres et leur avait promis un grand avenir, mais les parents s'y étaient opposés. Le professeur d'anglais n'était donc pas seulement une célébrité comme au temps du premier séjour de Richard à l'Ecole ; il était devenu celui qui pouvait vous faire quitter la vallée.

Richard Jenkins ne mit pas longtemps à le comprendre et à en tirer profit. Il s'efforça d'attirer l'attention du professeur. Richard avait une personnalité séduisante et savait jouer de son charme. Il faisait **tout** pour être sûr que Philip Burton le remarque. Il restait après les cours pour poser des questions sur son travail, pour discuter d'un poème ou d'un passage de Shakespeare. Il trafiqua le tableau de roulement sur lequel les élèves les plus âgées et les professeurs s'inscrivaient pour les tours de garde anti-incendie, afin de faire sa ronde le même soir que lui et ainsi lui parler. Il dit une fois à son aîné qu'il désirait secrètement faire du théâtre. Peut-être le maître pourrait-il le guider ? Une autre fois, il lui confia que la vie devenait difficile chez lui ; que sa mère était morte, qu'il vivait avec sa sœur et ne s'entendait pas avec le mari de celle-ci. Il semait peu à peu des graines qui devaient germer.

Philip Burton mordit à l'hameçon. Richard avait le profil d'un authentique protégé. Comme le dit plus tard Philip : « Il me fascinait. Je pensais qu'il avait des possibilités fantastiques et qu'il en voulait vraiment. » Et il finit par inviter Richard à prendre le thé chez lui après la classe. C'est ainsi que commença une relation d'une qualité exceptionnelle. Ils prenaient le thé tous les jours dans le salon de « Ma » Smith, des livres étalés devant eux sur la table, le professeur se lançant dans la lourde tâche de dégrossir cette recrue et de le préparer à un avenir qui vaille la peine d'être vécu.

L'avenir qu'il voyait pour Richard, — celui qu'il aurait aimé avoir lui-même — c'était le théâtre classique, mais aucune compagnie n'engagerait jamais quelqu'un parlant comme Richard. Certes la voix était bien timbrée, mais il avait un accent à couper au couteau, et le changer ne serait pas une tâche facile. Il n'y avait guère autour d'eux de voix anglaises « standard » à imiter et Richard avoua plus tard que ces séances avec Philip Burton avaient été « les plus douloureuses et les plus laborieuses de toute sa vie ». Mais tout ne se résumait pas à la voix. Il lui fallait apprendre à respirer, à dire un texte, à bouger. En même temps, il y avait l'échéance toute proche des examens de fin d'année et il fallait trouver encore du temps pour les préparer.

Peu de mois après le début de ces séances, une chambre se libéra dans la maison de « Ma » Smith. Elle avait pris des locataires et au début de 1943 l'un d'eux partit au service militaire. Persuadé que Richard était malheureux chez lui, ce qui n'était pas exact mais correspondait à l'image que son protégé avait voulu donner de lui, Philip Burton suggéra à Richard de venir s'installer dans la maison. L'idée ravit Richard. Burton alla proposer à Cissie et à Elfed de s'occuper du jeune garçon et l'affaire fut conclue.

Un tel arrangement peut paraître étrange aujourd'hui, mais les circonstances dans lesquelles il eut lieu, la pauvreté et l'incertitude dans lesquelles on vivait à Port Talbot en 1943, le rendaient moins bizarre à l'époque, et Philip Burton était un universitaire parfaitement respectable. Cissie et Elfed étaient impressionnés et reconnaissants qu'un professeur connu s'intéresse autant à Richie et soit prêt à lui donner sa chance dans la vie. Ils étaient aussi soulagés d'avoir une bouche de moins à nourrir. Car à peine Elfed avait-il réussi à sortir Richard de classe et à lui faire gagner un peu d'argent, qu'il était de retour derrière un pupitre, empruntant de l'argent à sa sœur pour payer sa bière et ses cigarettes.

Ainsi, en mars 1943, Richard quitta le 27 Caradoc Street et alla s'installer chez « Ma » Smith. Il était enchanté. Son apprentissage continuait, l'école reprenait ainsi que ses activités à la préparation militaire. Richard se pavanait, fier d'avoir été distingué par le grand Philip Burton. Il était en route. Mais s'il croyait que le chemin serait facile, il se trompait. Son mentor se révéla un maître exigeant — pédagogue, didactique, précis — et il demandait le maximum à son disciple.

Burton donna à Richard des rôles dans deux pièces qu'il montait cette année-là, *Glorious Gallows* jouée à l'école, et *Youth at the Helm,* produit par les ATC pour récolter de l'argent. Les répétitions se prolongeaient tard dans la nuit chez Burton, toujours à la recherche de la perfection. S'ils ne travaillaient pas l'une de ses pièces, ils répétaient Shakespeare : de longs passages, des monologues héroïques, que Richard devait réciter encore et encore.

Si Richard travaillait beaucoup sa voix, que son professeur décrivait comme « rauque et mal contrôlée, sans tessiture », il n'avait rien à apprendre dans le domaine de la poésie. Il la sentait naturellement, comme beaucoup de Gallois. Les offices religieux sont pleins de musique et de poésie, et, en grandissant, il avait appris à les aimer profondément. Il avait aussi un grand sens de la langue, de son rythme, et pendant cette période d'entraînement et de travail intensifs, il fit sienne la passion de Philip Burton pour Shakespeare.

La dernière année de Richard à la « Sec » touchait à sa fin et les examens étaient terminés. Philip Burton se mit donc à songer à l'avenir. Que faire maintenant pour son protégé ? Le théâtre était le but à atteindre, mais il fallait d'abord passer par l'Université. Il était convaincu que rien ne pouvait la remplacer, que les diplômes ouvraient toutes les portes, et que plus ils étaient importants mieux cela était, quoi que l'on souhaitât faire dans la vie. Il ne doutait pas un instant que Richard pût y parvenir, comme ses résultats aux examens le confirmèrent. Il avait obtenu des notes suffisantes dans sept matières pour être accepté dans n'importe quelle université. Seul le coût des études posait un problème. Si Richard n'obtenait pas de bourse, Burton devrait sortir l'argent de sa poche ; ni les Jenkins ni les James n'en avaient les moyens. Même avec ce que lui rapportaient quelques émissions de radio, c'était la guerre et Burton n'était vraiment pas riche.

Pourtant, si la guerre avait bien peu d'avantages, elle en fournit quand même un à Richard Jenkins et toute sa vie en fut transformée. Vers la fin des hostilités, la RAF avait lancé un plan de recrutement pour de futurs jeunes aviateurs, offrant une brève session universitaire à Oxford ou à Cambridge aux candidats. La plupart d'entre eux venaient des escadrilles d'entraînement basées dans le pays et, en tant que

Commandant de l'escadrille 499, Philip Burton avait toute latitude pour choisir ses candidats.

C'était une occasion unique. Si Philip Burton avait rêvé, pour son protégé, d'une université parmi toutes celles d'Angleterre, c'eût été l'une de ces deux-là, où lui-même aurait voulu aller. C'était une occasion qu'il ne fallait ni manquer ni gâcher. S'il n'y avait aucun problème sur le plan scolaire, socialement, il n'en allait pas de même. Malgré tout ce qu'il avait acquis, sur le papier Richard Jenkins était toujours le fils d'un mineur et en 1943 de telles barrières sociales existaient encore. La société n'évoluait guère et les origines modestes de Richard le défavoriseraient aux yeux d'un comité de sélection de la RAF. Si, en revanche, il était le fils d'un maître d'école...

Philip Burton eut alors l'idée d'adopter Richard, de lui donner son nom et de transformer leur situation de fait en une relation légale et permanente de père à fils. Richard en vit rapidement les avantages. Il voulait obtenir une place à l'université à n'importe quel prix, et celui d'abandonner son nom de famille lui semblait négligeable. Jenkins était un nom très répandu dans les vallées ; ce n'était pas un grand mal de le perdre, et « Burton » était bien moins commun.

Il fallait cette fois obtenir l'autorisation de Dic Bach, puisqu'il était toujours responsable de son fils au regard de la loi. On n'avait jamais rien entrepris pour donner ce statut à Elfed qui avait pourtant élevé son beau-frère comme son fils et payé son éducation pendant ces seize dernières années. C'est donc à juste titre que l'on discuta la question d'abord avec Cis et Elfed, qui furent d'accord, comme tout le reste de la famille, après quelques hésitations, pour reconnaître que cette solution était la meilleure.

Cependant il fallait légalement vingt et un ans de différence entre des parents et leur enfant adoptif, et Philip Burton était trop jeune de vingt et un jours pour pouvoir adopter Richard. La seule solution était de prendre Richard comme pupille, lien qui ne durerait que jusqu'à ses vingt et un ans. Le document légal permettait néanmoins à Richard de porter le nom de son tuteur et correspondait en tous points à une adoption. Il donnait à Burton la responsabilité complète de Richard, et l'obligation de le vêtir, de le nourrir et de l'éduquer. En retour, son pupille devait « renoncer totalement à se servir du nom de famille de ses parents, ne porter et n'employer que celui de son père adoptif et se présenter dans le monde à tous égards comme s'il était effectivement l'enfant de son père adoptif ».

Philip Burton organisa tout ceci sans même rencontrer Dic Bach. Il ne se rendit jamais à Pontrhydyfen pour discuter de cette affaire avec le vieux mineur. Quelqu'un d'autre lui apporta les documents à signer. Dic était un brave homme, il aimait son fils et il était content de lui donner une chance de réussir, mais peu lui importait ce qu'il faisait. Dic Bach était muré dans son petit monde, avec ses whippets * et ses compagnons de beuverie. Le théâtre lui était aussi étranger que la planète Mars et l'université ne lui disait pas grand-chose non plus.

Ainsi, le 17 décembre 1943, un mois après son dix-huitième anniversaire, Richard Jenkins change de nom, prenant celui qui allait lui permettre de quitter la Vallée de Rhondda, loin des puits et de la pauvreté, pour le conduire à l'Université d'Oxford.

---

* Sorte de lévrier anglais, race créée par les mineurs du nord de l'Angleterre. *(N.D.T.)*

2

Les années de théâtre

En août 1943, Oxford n'était encore pour Richard qu'une ville imaginaire et féerique et il attendait les résultats de ses examens pour s'y rendre, quand une petite annonce dans le journal local attira l'attention de Philip Burton. Emlyn Williams, disait-on, cherchait des acteurs et des actrices gallois, notamment un jeune acteur, pour sa dernière pièce qui devait être jouée à Londres l'automne suivant. Cette comédie, *Le Repos du Druide,* était produite par H. M. Tennent, l'un des plus importants organisateurs du West End. C'était la chance de sa vie.

Burton écrivit immédiatement en donnant le nom de Richard. C'était le fils du maître d'école, expliquait-il, et il l'avait dirigé dans plusieurs mises en scène amateur. Son élève s'y était révélé plein de promesses. On lui répondit en invitant Richard à auditionner à Cardiff. Richard s'y rendit avec Philip. L'endroit bourdonnait de candidats plein d'espoirs et de parents ambitieux, désireux de lancer leur rejeton sur les planches. Une jeune femme était chargée de sélectionner ceux qui avaient des chances et ceux qui n'en avaient pas. C'était Daphné Rye, responsable des distributions pour H. M. Tennent. Elle fut la première à repérer un certain talent sur le visage boutonneux de Richard Jenkins. Il n'avait alors que dix-sept ans.

A cette époque, il avait un air bohème. Il plaquait ses cheveux noirs et bouclés et son corps gardait la gaucherie de l'adolescence. Son visage, pourtant, semblait l'œuvre d'un sculpteur, avec ses pommettes hautes, sa bouche parfaite, et des yeux qui retenaient l'attention de tous ceux sur qui ils se fixaient.

Quand Daphné Rye eut effectué sa sélection, Emlyn Williams reçut individuellement les candidats retenus, un soir à l'hôtel Sandringham. Après une sinistre série de « ne correspond pas à l'emploi », Emlyn se rappelle l'entrée de Philip Burton dans la pièce. Il se présenta comme le professeur qui avait écrit pour parler de son élève. Il fit signe à Richard qui s'avança vers l'écrivain et le fixa de ses immenses yeux bleus. C'était un garçon au physique étonnant malgré sa vilaine peau et il connaissait son pouvoir de séduction — sur les hommes comme sur les femmes. Emlyn fut tout de suite impressionné. « Un garçon de dix-sept ans, d'une surprenante beauté et d'une intelligence équilibrée. Il avait l'air — comme tous les êtres d'exception à cet âge — il avait l'air... éternel. »

Il commença à parler avec Richard et lui demanda ce qu'il avait déjà fait au théâtre, et Emlyn eut l'impérissable plaisir de s'entendre répondre avec un accent aussi massif que les collines de Margam, que Richard venait de jouer le Professeur Higgins (ce professeur de linguistique qui entreprend d'enseigner à la vendeuse des fleurs *cokney*★ à parler l'anglais le plus parfait) dans *Pygmalion* de G.B. Shaw.

Par chance, *Le Repos du Druide* se passait au Pays de Galles, et un fort accent gallois était un atout. Richard obtint donc un rôle. On lui dit de se présenter au théâtre de Haymarket à Londres en octobre pour les répétitions ; la pièce partait en tournée en novembre et revenait à Londres deux mois plus tard. Richard rentra ce soir-là chez « Ma » Smith en planant. Il avait pris le grand départ.

Un autre garçon revint de ces auditions de Cardiff son avenir assuré ; choisi aussi pour un rôle dans « Le Repos du Druide », c'était Stanley Baker, âgé de quinze ans. Il était lui aussi fils de mineur et avait été pris sous la protection d'un professeur, tout comme Richard : Emlyn Williams n'avait-il pas lui aussi été

★ Des faubourgs de Londres. *(N.d.T.)*

aidé par un professeur ? A Londres, Richard et Stanley furent d'abord assez démoralisés ; loin de chez eux pour la première fois, aussi néophites et gallois l'un que l'autre, ce qui les rapprocha, engendrant une amitié qui, malgré d'occasionnelles crises, dura toute leur vie.

Emlyn était très satisfait d'avoir choisi Richard. Dès la première répétition il se rendit compte que Burton avait sur scène une qualité très rare : la faculté d'attirer l'attention sur lui sans rien faire, en restant parfaitement calme. Hors de scène, il était plutôt réservé, conscient de son accent et de la nécessité d'y travailler, mais il ignorait la timidité. Il s'assumait très bien dans la troupe et les différences d'âge ne l'impressionnaient pas. Richard quittait un jour la répétition un livre à la main et Emlyn lui demanda ce qu'il lisait. « Dylan Thomas », répondit-il. « C'est un grand poète » ; et il s'arrêta soudain pour réciter : « Ils auront des étoiles aux coudes et aux genoux... » d'une voix riche et profonde qui résonna dans l'obscurité de St Martin's Lane.

Les répétitions finies, la compagnie partit en tournée. Ils avaient alors perdu leur verdeur. Richard et Stanley, totalement libres, menaient joyeuse vie, partageant leur logement dans les différentes villes où ils jouaient, buvant trop, et pourchassant les filles avec un succès variable. Un matin, Richard se vanta d'avoir fait la conquête de leur propriétaire. « Je l'ai eue », dit-il. « La nuit dernière, je l'ai eue devant la cheminée, et au beau milieu, j'avais l'impression d'avoir les pieds dans le feu et d'être en enfer. Je me suis alors aperçu que j'étais si près des flammes que mes chaussettes brûlaient. » Stanley qui avait juste seize ans — et Richard dix-huit —, fut très impressionné et crut à cette histoire pendant au moins vingt ans, jusqu'au jour où Burton lui avoua qu'il avait tout inventé.

A Nottingham, il discutait un jour avec un groupe de jeunes mineurs dans un pub. L'un d'eux, un adolescent du Derbyshire nommé John Dexter, s'intéressait au théâtre. Il devint plus tard metteur en scène et travailla plusieurs fois avec Burton. John raconta qu'il allait partir au service militaire. Dis-leur que tu es homosexuel, conseilla Richard, apparemment bien renseigné sur les moyens d'éviter le couperet. « Dis-leur aussi que tu as la syphilis. »

Pourtant, de retour à Port Talbot, il remplit son propre dossier et fut trop heureux d'être engagé. Richard Burton, dans l'état actuel des choses, devait entrer à Exeter College, à Oxford, en avril 1944, pour y suivre pendant six mois des cours d'anglais, discipline qu'il avait choisi d'étudier, ainsi qu'un entraînement intensif de la RAF. Aucun diplôme universitaire ne sanctionnerait ces études. On souhaitait seulement que les recrues reviennent à l'université après la guerre pour y passer les examens appropriés.

C'était une période étrange pour entrer à Oxford. Ceux qui auraient dû rejoindre l'université après leur scolarité étaient partis à la guerre, et la moyenne d'âge des étudiants était beaucoup plus élevée que d'habitude, à l'exception de ceux qui suivaient des cours militaires spéciaux comme Richard, ou de quelques recrues réformées. Pourtant, en 1944, Oxford était toujours le bastion des classes sociales les plus favorisées : ceux des écoles privées qui avaient le même langage, la même forme de pensée et venaient du même milieu social privilégié. A son arrivée, Burton se trouva en terre étrangère. Il n'avait pas grand-chose en commun avec les autres. Il en parlait comme des « rupins » et, au moins pendant la période où il s'installa, rechercha la compagnie des autres anciens, venus comme lui des écoles publiques, notamment ceux dont l'accent était semblable au sien. Il retrouva même une fille de sa ville natale, une certaine Bunny Evans. Durant cette période, il passa avec elle le plus clair de son temps.

Mais il ne mit pas longtemps à faire son trou et à s'implanter dans les activités dramatiques de l'université. Par chance, il avait pour maître et tuteur Nevil Coghill, professeur de littérature anglaise, directeur de la Société Dramatique de l'Université d'Oxford, le OUDS. C'était un homme fort respecté pour ses activités en ce domaine. Coghill fut séduit par le jeune Burton, par l'individu comme par l'acteur. Parlant de carrière, il disait plus tard : « Je n'ai eu pour élève que deux hommes géniaux,

W. H. Auden et Richard Burton. Quand on en rencontre, on les reconnaît toujours. »

La beauté virile de Richard n'était pas sans effet sur les autres étudiants. Il fascinait les hommes comme les femmes et dans les pubs de la ville, il tenait sous son charme des groupes entiers, racontant les histoires de son pays, de ses beuveries, de sa famille de mineurs, parlant de ses origines étranges qui changeaient tout le temps, ou récitant du Shakespeare. Il avait une passion pour Shakespeare et il en connaissait par cœur des passagers entiers. Il respectait également ceux qui pouvaient en faire autant. Cet intérêt commun lui permit de se lier avec l'un des plus « rupins » du collège, Tim Hardy, qui devint plus tard l'acteur Robert Hardy, avec qui il resta très lié toute sa vie.

Ils firent connaissance lors d'une réunion du Club de Théâtre Expérimental d'Oxford qui venait d'être fondé. Trente ou quarante personnes s'étaient entassées dans une petite pièce et discutaient pour savoir qui allait mettre en scène la prochaine production de « *The Dark Beneath the Skin.* » Différents noms avaient été avancés par divers orateurs, frais émoulus d'Eton, quand un bruit de meuble que l'on bouge fit taire tout le monde. Une silhouette étrangère se dressa derrière un piano droit dans un coin — un garçon brun et boutonneux. « Si vous voulez une mise en scène adéquate », dit-il d'une voix profonde et puissante qui glaça tout le monde, « je vais vous trouver le meilleur metteur en scène du pays ». Puis, après une pause théâtrale très appropriée, il ajouta, « Mon père », et il s'assit.

« Qui est donc ce père extraordinaire ? » demanda un peu plus tard ce même jour Tim Hardy, tandis qu'ils examinaient ensemble une carte de navigation. « Il est connu ? »

« Ce n'est pas mon père », répondit Richard. « C'est mon père adoptif. Mon père est mineur au Pays de Galles. »

Poussés par une fascination mutuelle, ils se mirent à parler, et Tim dit à Richard qu'il allait devenir acteur.

« Qu'est-ce que tu connais de Shakespeare ? » demanda Richard.

« C'est lui que j'étudie », dit Tim. Quand je reviendrai après la guerre, je passerai mes examens. »

« Qu'est-ce que tu penses des parties un et deux de *Henri IV ?* »

« Ce sont les plus grands chefs-d'œuvre du monde », dit Tim.

« Exact ! » s'exclama Richard, et ainsi leur amitié fut-elle scellée.

Ce fut une relation exceptionnelle. Richard n'eut pas beaucoup d'amis à Oxford. Il était toujours le centre d'intérêt des réunions, celui avec qui tout le monde voulait se trouver, mais il gardait ses distances. Il se produisait pour eux : il racontait des histoires, chantait des chants gallois, buvait des quantités effrayantes de bière, charmait les femmes avec des poèmes extravagants, et ne quittait jamais un groupe sans réussir une sortie choquante ou humoristique.

Toute l'université le connaissait comme un grand buveur. C'était sa manière de s'affirmer dans cet environnement étranger, une sorte de défi lancé à ses camarades étudiants dont aucun ne pouvait boire autant sans devenir ivre. La bière semblait n'avoir aucun effet sur Richard. Quelqu'un s'amusa un jour à couper son bock d'une bonne mesure d'alcool pur pris au laboratoire. L'effet fut catastrophique. Il oscilla sur ses pieds, roula des yeux, et tomba la tête la première dans les escaliers, atterrissant lourdement sur la nuque. Cette absurde blague d'étudiant, aggravée par diverses blessures sur le terrain de rugby, engendra des douleurs dorsales qui ne cessèrent de s'accroître jusqu'à la fin de ses jours.

Financièrement, Richard tenait le coup à côté de ses compagnons. Personne n'avait beaucoup d'argent à dépenser, mais avec ses cachets, il était mieux nanti que certains. Tim Hardy lui demanda un jour s'il pouvait lui emprunter cent livres pour aller passer le week-end à Paris. Il accepta, mais donna l'argent à Tim sous la forme de vingt chèques de 5 livres. Au cas où il ne dépenserait pas tout, expliqua-t-il, il serait plus facile de rembourser avec des chèques non encaissés.

Nevil Coghill produisait un grand spectacle par an avec l'OUDS. En 1944 c'était *Mesure pour mesure* de Shakespeare, dont la distribution était déjà faite lorsque Burton demanda à son professeur de lui donner un rôle. Coghill aurait bien aimé employer le nouveau venu, idéal pour Angelo, mais il avait déjà donné le rôle à un autre, et il lui était impossible de changer. Il suggéra pourtant de prendre Richard comme doublure, ce qui lui permettrait au moins de participer aux répétitions. Si le titulaire tombait malade ou s'il y avait le moindre problème, il pourrait jouer.

Richard assista aux répétitions avec assiduité, et la chance voulut que l'étudiant qu'il doublait tombât effectivement malade si souvent pendant la période qui précédait la première, qu'il dut se retirer, laissant sa place à Richard. Il donna une interprétation d'Angelo qu'un bon nombre d'imprésarios londoniens purent voir et dont les membres de l'OUDS parlèrent pendant des années.

Il joua le rôle avec une puissance extraordinaire. Comme toujours, il bougeait de manière plutôt gauche. Peu gracieux, il donnait sans cesse l'impression de chercher sur la scène l'endroit où il devait réciter ses vers. Quand il l'avait trouvé, il parlait avec une passion et une flamme étonnantes et il transportait le public. *Mesure pour Mesure* était joué dans la cour centrale de l'un des collèges et pendant un monologue passionné, Burton agrippa l'arcade de pierre qui formait le coin de la cour avec une telle force que la pierre friable de l'Oxfordshire s'effrita sous ses doigts et qu'il lui en tomba un morceau dans les yeux. C'était douloureux, et il pleura abondamment diluant son maquillage, mais il continua à jouer quand même.

Burton faisait l'envie de toutes les autres recrues. Il obtenait non seulement de Coghill des permissions auprès du commandant de l'escadrille aérienne de l'Université le dispensant d'une bonne partie des entraînements de la RAF, mais il eut aussi l'autorisation de se laisser pousser les cheveux pour le rôle, tandis que les autres garçons étaient soumis à une tonte hebdomadaire.

A cette époque, Richard savait certainement que son avenir était dans le théâtre, mais il n'aimait pas que ses amis croient qu'il se prenait trop au sérieux. Il pensait que cela diminuerait son prestige intellectuel. Quand il rencontra pour la première fois John Dexter à Nottingham, il lui dit qu'il adorait le théâtre, mais que le plus important pour lui était d'entrer à l'Université. Maintenant qu'il y était, il disait : « Je veux pouvoir m'en servir comme d'une source inépuisable. »

Il dit à l'un de ses amis que Tim Hardy serait un bien meilleur acteur que lui, mais on ne sait pourquoi, il le considérait inapte à faire du théâtre et croyait qu'il lui revenait de l'en dissuader. Un week-end, il invita Tim à venir au Pays de Galles, sous le prétexte que Philip Burton voulait faire sa connaissance et lui donner quelques conseils.

Les deux amis prirent le train et dès leur arrivée, Phil, comme l'appelait Richard, les emmena au studio de la BBC à Cardiff pour faire passer une audition à Tim. Il le fit asseoir devant un micro dans une petite salle insonorisée et lui donna différents textes à lire. Hardy n'avait pas d'illusions sur lui-même, et sa voix, se rappelle-t-il, sonnait « comme un John Gielgud désespérément juvénile ».

« Bien, merci », dit la voix désincarnée de Phil Burton dans la cabine technique. Il apparut un instant après : « Vous savez, ce n'est pas bon », dit-il. « Vous avez une voix anglaise vraiment très très terne. Sans musicalité — sans qualités. Je ne peux vraiment pas vous conseiller... »

Il fut soudain interrompu par quelqu'un qui l'appelait dans un coin du studio : « Philip ? »

« Oui, Aneurin », dit Burton, et un homme appelé Aneurin Abtalleron Davis s'avança vers eux. C'était un spécialiste renommé de la langue galloise.

« Je viens d'entendre ce que vous avez dit, Philip, et je dois avouer que je ne suis pas d'accord. J'ai écouté, et cette voix est l'une des plus raffinées que j'aie entendues depuis longtemps. »

« Bon, j'admets qu'il n'est pas sans possibilités », concéda Burton à contrecœur. « De toute façon, il y a votre nom : Tim. Tim Hardy. On dirait qu'on appelle le chat réfugié sous la table : Timothy, Tim, Tim, Tim. Vous n'avez pas d'autre prénom ?

« Bien sûr », dit Tim.

« Lequel ? »

« Robert. »

« Oui », dit Burton, en réfléchissant. « Robert Hardy, ce n'est pas mal. »

Tim repartit donc et changea de signature, de nom à la banque et sur son passeport et devint, à partir de ce jour-là, Robert Hardy. Il fut toujours certain que c'était un coup monté par Richard pour lui retirer l'envie de faire du théâtre, et que, sans l'intervention d'Aneurin Abtalleron Davis, ça aurait bien pu marcher.

Au bout de ces six mois d'Oxford, on envoya les recrues à la RAF de Babbacombe, base située sur la côte sud, près de Torquay, pour suivre encore deux mois d'entraînement. Sur le rapport de Burton, Coghill écrivit : « Ce garçon est génial et deviendra un grand acteur. Il est étonnamment beau et solide, très viril et animé d'une grande flamme intérieure, tout en restant très réservé. »

Comme à Oxford, une grande partie de l'escadrille venait de l'enseignement privé et formait un cercle très fermé, qui excluait quiconque lui semblait socialement inférieur. Burton leur posait un problème. Il venait d'un autre milieu et ne s'en cachait pas, mais il était si amusant, si maître de lui, qu'ils aimaient sa compagnie. Ils lui inventèrent donc un passé. Ils lui attribuèrent une école privée, Blundles, et ils le baptisèrent Burton de Blundles, lui permettant ainsi de devenir un des leurs.

Il avait l'aura d'un chef. A Oxford, il s'était fait la réputation de celui avec qui il faut compter comme : joueur de rugby, orateur gallois, buveur tenant le coup mieux que quiconque, irrésistible séducteur de filles, et transgresseur de n'importe quelle règle. Alors que tous partageaient leur logement, il se débrouilla pour s'approprier la seule chambre individuelle et il y recevait tous les soirs. Un jour, il faillit mettre fin à sa carrière militaire. Il arriva en trombe chez Robert Hardy, paniqué et blanc comme un linge, lui disant qu'il venait d'arriver une chose terrible. Le lendemain, on fit sortir Burton du rang pendant la parade et le caporal Barker, d'habitude souriant et l'un des grands admirateurs de Richard, s'avança d'un air très sévère.

Tout le monde, y compris Richard, crut qu'il serait envoyé devant la cour martiale ; mais il se disculpa habilement et l'incident fut oublié. Il ne voulut jamais révéler vraiment ce qu'il faisait quand on l'avait surpris, mais tous pensèrent qu'il recevait la femme de l'un des officiers supérieurs.

C'est à Babbacombe que Richard mit en scène sa première pièce. Il produisit *A youth at the helm,* la pièce dans laquelle Philip Burton l'avait dirigé pour les ATC l'année précédente, et il donna le rôle principal à son ami Robert. Il s'attribua celui d'un concierge qu'il joua avec une dent en moins. Tout le monde savait qu'il était un vrai professionnel et sa réputation de conteur restait solide. Il ne ratait pas une occasion de réciter. Un jour, deux ou trois cents hommes attendaient dans une salle l'arrivée d'un conférencier. Le temps passait et personne ne venait. Fatigués d'attendre, les hommes commencèrent à réclamer Burton. Richard finit par se lever et tint en haleine l'assistance pendant un quart d'heure, jusqu'à l'arrivée de l'officier qui put commencer sa conférence.

Dans ce camp les recrues subissaient examens et tests d'aptitude, à l'issue desquels on décidait de les prendre comme pilotes ou comme navigateurs. A l'évidence, ces tests n'étaient pas infaillibles. L'un d'entre eux consistait à mettre des figures géométriques en bois dans les trous de même forme, comme ces boîtes à lettres-jouet pour enfants. L'un des garçons, nul partout ailleurs, le réussit en quelques secondes. Personne ne comprenait cet éclair de génie chez un garçon n'ayant pas la capacité de devenir pilote ni navigateur, jusqu'au moment où pour la plus grande joie de tous, on s'aperçut qu'il avait été empaqueteur dans une usine de biscuits.

Peu de gens pouvaient avoir un plus mauvais sens de l'orientation, et pourtant, après avoir subi tous ses tests, Richard reçut le grade de navigateur et traversa l'Atlantique pour rejoindre son poste au Canada au début de 1945. La guerre était heureusement presque finie, et ses capacités ne furent jamais mises à l'épreuve de manière sérieuse, car les escadrilles étaient riches en contrôleurs aériens s'efforçant de remettre les navigateurs errants dans le droit chemin. Il se retrouva plus d'une fois au-dessus de Winnipeg quand il aurait dû survoler Toronto, et il lui arrivait d'entendre l'ordre : « Retournez immédiatement à la base, vous êtes à 206 milles nautiques de votre itinéraire. »

Il resta en contact épistolaire avec Phil Burton pendant ces mois d'éloignement, mais il oubliait souvent de poster ses lettres, et ses amis étaient surpris de sa négligence en recevant une missive écrite plusieurs semaines auparavant. Ils lui trouvaient beaucoup d'insouciance dans ses rapports avec Burton.

Vers la fin de 1945, Richard et ses poulains aviateurs étaient de retour en Grande-Bretagne. La bombe atomique était tombée, la guerre était finie, et l'aviation se retrouva avec des centaines de jeunes gens très bien entraînés, que l'on regroupa un peu partout dans des centres en attendant que vienne leur tour de démobilisation. On envoya Richard dans un ancien aérodrome pour bombardiers, dans le Norfolk, RAF Docking, où il resta des mois à languir sans rien d'autre à faire que de jouer au rugby et de transgresser les règles de son arme. Ce fut pour tous une période frustrante ; ils étaient dans les limbes, ne pouvant ni utiliser les connaissances acquises des deux dernières années, ni reprendre les carrières civiles qu'ils avaient dû quitter pour entrer dans l'armée. L'aviation comprit ce problème et un ordre vint de haut pour que l'on laissât ces jeunes gens tranquilles. Les autorités fermèrent les yeux sur des comportements qui en d'autres circonstances auraient conduit à la cour martiale.

Richard s'installa en maître des lieux, tout comme il l'avait fait à Babbacombe ; on finit même par l'appeler « le seigneur » et ne voulant pas vivre dans une vieille baraque humide comme les autres, il alla dans l'une des grandes maisons du centre du village. Dès qu'un visiteur se présentait il disait : « D'accord, allons boire un verre », et ils partaient pour le pub, toujours plein de types de la RAF en veste bleue avec des faux gallons de général de brigade ou de général de division peints ou dessinés à la craie. Ils buvaient beaucoup, dansaient, couchaient avec les filles de l'endroit quand elles en valaient la peine, braconnaient les faisans, et se servaient dans les champs de ce dont ils

manquaient à la cantine. Tout sous-officier qui tentait d'intervenir se faisait tout simplement rosser. Un sergent particulièrement peu populaire faillit même y laisser la vie.

Il n'y avait rien de spécial à faire, et ils passaient leur temps à
accomplir des tâches matérielles comme nettoyer les toilettes ou
peler les pommes de terre. Les plus chanceux, comme Robert
Hardy qui avait des amis haut placés, avaient pu s'arranger pour
être envoyés à Londres, où ils menaient grand train, tapant à la
machine le jour et profitant des boîtes la nuit. Robert avait
demandé à Richard s'il voulait y venir avec lui, mais pour
l'instant ce dernier préférait rester où il était, dans le Norfolk, et
jouer dans l'équipe de rugby de la RAF. Certains des meilleurs
joueurs du pays se sont perfectionnés dans ces camps. Danny
Blanchflower, qui devint capitaine de l'équipe d'Irlande du
Nord, était à Docking avec Burton.

C'était aussi l'occasion de lire — l'un des plus grands plaisirs
de Richard tout au long de sa vie — et de refaire le monde. Il
arpentait souvent les pistes par les matins glacés d'hiver avec
Robert Hardy, luttant contre les bourrasques de vent, et
dissertant sur Shakespeare. Ils avaient toujours la même fixation
sur les actes I et 2 de *Henri IV,* élaborant des projets compliqués
sur ce qu'ils feraient de ces passages en s'appuyant sur l'interprétation qu'en donnait Philip Burton. Ils étaient d'accord pour
trouver que Laurence Olivier, qui venait de monter la pièce, en
avait détruit l'équilibre en jouant lui-même le rôle de Hotspur et
en donnant celui du Prince Hal à un acteur de moindre
envergure. Robert se livrait à une imitation d'Olivier qui faisait
hurler de rire Richard. Cette interprétation traditionnelle faisait
de Hal, ce poseur, un second rôle, ennuyeux, et de Hotspur un
personnage romantique, beaucoup plus important. Pour eux
cela fonctionnait bien dans la première partie, mais que faire
dans la deuxième où il ne restait que Hal, puisque Hotspur avait
été tué ? Falstaff occupe toute la scène, puis Hal devient roi et
rejette Falstaff et on arrive à *Henri V.* Ils trouvaient que cela
formait un ensemble magnifique sur l'histoire d'Angleterre,
indépendamment du malheureux Prince. Ils préféraient tout
concentrer sur le personnage du Prince Hal, et transformer le

triptyque en une étude détaillée sur l'apprentissage de la royauté, celui de Hal, se débarrassant peu à peu de ses amis, et quand on en arrive à *Henry V,* que l'on apprécie ou non le résultat, on a vu comment un très jeune homme apprend à devenir un chef victorieux. Chacun devait mettre en temps voulu sa théorie en pratique.

Finalement vers la fin de 1947, Richard fut libéré de la RAF. Avant cette date, il avait eu une permission pour paraître pendant deux semaines dans une autre pièce d'Emlyn Williams, *Le blé est vert,* réalisée pour la télévision par la BBC. C'était une autobiographie racontant comment Emlyn avait été arraché aux vallées, élevé et éduqué par l'institutrice galloise qui l'avait pris sous sa protection. Sa bienfaitrice se nommait Sarah Grace Cooke, et elle était curieuse de ce deuxième « paysan gallois », comme disait Emlyn, converti au théâtre. Il lui présenta donc Richard. Burton se montra sous son meilleur jour. Quand il fut parti, miss Cooke se tourna vers Emlyn et lui dit : « Il fera son chemin. De plus, c'est un possédé. Pas vous. » Depuis *Le repos du Druide,* il était resté lié avec Emlyn, sa femme Molly et leurs deux enfants, Alan et Brook. Il allait parfois les voir le temps d'un week-end, quand il avait une permission. Leur maison lui rappelait le pays, et Richard devint plus tard le parrain de Brook.

On lui donna aussi une ou deux fois quelques jours de permission pour enregistrer des pièces à la radio, pour la BBC de Cardiff. Philip Burton était alors devenu producteur à plein temps. Il avait abandonné l'enseignement l'année précédente, quitté Port Talbot et pris une maison à Cardiff, qui devint le vrai foyer de Richard — bien qu'après son vingt et unième anniversaire le 10 novembre 1947, Philip Burton ne fut plus officiellement son tuteur.

Quand arriva l'ordre de démobilisation de Richard, il trouva rapidement du travail au théâtre. Les jeunes acteurs n'étaient pas nombreux dans l'immédiat après-guerre. De plus, les contacts qu'il avait établis avant d'entrer dans la RAF le mettaient en bonne position. Il songeait parfois à retourner à Oxford pour y passer ses diplômes, comme le firent beaucoup de ses camarades, notamment Robert Hardy. Il avait même dit à Donald Cullimore, l'un de ses camarades du cours accéléré, qu'Emlyn Williams avait juré de ne plus lui adresser la parole s'il ne retournait pas à Oxford après la guerre ; mais quand vint l'heure du choix, il tirait le diable par la queue assez longtemps et il avait hâte de se lancer et de gagner vraiment de l'argent.

Quand il arriva à Londres, il commença donc par se rendre chez ses anciens employeurs, H. M. Tennent Ltd., que dirigeait Hugh (Binkie) Beaumont, figure légendaire du monde théâtral, homosexuel, comme l'ont été beaucoup d'hommes influents dans ce métier. Son bras droit était Daphne Rye, qui avait repéré Richard dans *Le repos du Druide*. Elle joua un rôle fondamental dans son nouvel engagement. On lui dressa un contrat d'un an à dix livres par semaine pour rester à la disposition de Tennent, comme c'était le cas de plusieurs autres jeunes acteurs.

Rentré à Londres, Richard fit de nouveau équipe avec Stanley Baker. Ils s'en donnèrent à cœur joie. Ils se logèrent à Streatham, quartier un peu excentrique mais bon marché, au sud de la Tamise. Ils buvaient, dansaient et flirtaient avec les nurses irlandaises dans le parc. En fait, ni l'un ni l'autre n'auraient dansé même pour tout l'or du monde, mais le dancing était un lieu idéal pour trouver des filles, et ça marchait si bien qu'on les appela bientôt les rois du Palais de Danse de Steatham.

Le travail interrompait parfois leur règne. Tennent fit une première fois appel à Richard pour un petit rôle dans *Castle Anna*. La pièce commença au Lyric Theatre d'Hammersmith en février 1948, mise en scène par Daphne Rye, et Burton passa inaperçu. Avec une deuxième pièce, *Dark Summer*, il partit en tournée dans tout le pays, mais également sans grand succès, ni pour la pièce ni pour lui personnellement. Puis, au cours de l'été 1948, Emlyn Williams vint à son secours en lui offrant un rôle relativement important dans un film qu'il avait écrit, qu'il mettait en scène et dans lequel il jouait lui-même. C'était *Les derniers jours de Dolwyn*.

L'histoire racontait avec bonne humeur comment un homme d'affaires gallois, joué par Emlyn, projetait de noyer un village de son pays pour en faire un lac artificiel au service d'une ville anglaise. Burton jouait un rôle spécialement écrit pour lui. Dame Edith Evans incarnait une vieille dame qui refusait obstinément de quitter son village, et Richard était son fils adoptif, Gareth, qui haïssait les villes. Et bien qu'Emlyn ait eu quelque mal à faire prendre à Richard l'apparence d'innocence voulue pour certaines scènes, il fut dans l'ensemble enchanté de sa manière de jouer. Quand le film sortit l'année suivante, les critiques remarquèrent Burton pour la première fois et parlèrent de lui comme d'un acteur plein d'avenir.

Dolwyn fut d'abord filmé aux London Film Studios d'Isleworth, puis sur place dans le nord du Pays de Galles, où l'on travailla jusqu'à l'automne. Pendant les vacances d'été, le plus jeune fils d'Emlyn, Brook, âgé de neuf ans, vint assister à son premier tournage, et passa beaucoup de temps avec Richard qu'il adorait. C'est également sur le plateau de *Dolwyn* que Burton rencontra Sybil Williams, jeune et jolie actrice de dix-huit ans.

Un jour, à l'heure du déjeuner, Richard et Emlyn étaient assis sur l'herbe devant les studios. Emlyn lui demanda ce qu'il avait fait la nuit précédente et il obtint la réponse inévitable : « Je l'ai passée avec une nana. »

« Tu sais, il serait vraiment temps de te fixer », lui dit son aîné, qui lui suggéra de choisir parmi l'une des gentilles filles tournant dans le film. « Celle-là est réellement mignonne », dit-il en montrant Sybil, assise non loin dans l'herbe. Richard se dirigea donc vers elle et se présenta.

Comme Richard, Sybil était originaire d'un petit village minier du sud du Pays de Galles, le même que celui de Stanley. Sybil et Stanley se connaissaient depuis toujours. Ils étaient comme frère et sœur. Les parents de Sybil étaient morts dans sa petite enfance et elle avait été élevée par des tantes maîtresses d'école, dans une atmosphère très guindée. Elle était donc particulièrement bien élevée et très instruite. Brune, ses cheveux allaient devenir complètement argentés à vingt-cinq ans.

Elle avait l'air d'une italienne, le nez romain, le cou long, des yeux et une bouche à l'expression rieuse, quelle que soit son humeur. Son charme était contagieux et elle communiquait à tous ceux qui la connaissaient son amour de la vie et son enthousiasme débordant pour tout ce qui se passait autour d'elle. Elle avait un style et une élégance bien à elle, et comme Richard, elle était de ceux dont tout le monde recherche la compagnie. Ils étaient faits pour s'entendre et formaient un couple digne d'envie.

Ils se marièrent quelques mois après leur première rencontre, le 5 février 1949, au Bureau d'Enregistrement de Kensington à Londres. Richard se comporta de manière typique, escamotant l'événement. Il épousait Sybil, disait-il « parce que c'est ce qu'elle attend de moi ». C'était le jour du match de rugby Ecosse-Pays de Galles à Murrayfield, et Richard ne l'aurait manqué ni par amour, ni pour de l'argent — ni même pour son mariage. Heureusement, ce jour-là Sybil travaillait. Elle était assistante-metteur en scène pour *Harvey*, comédie à l'affiche du West End, avec Sid Field. Après une petite réception donnée par Daphne Rye chez elle, à Pelham Crescent, où ils vivaient tous deux, la nouvelle Madame Burton partit pour le théâtre. Son mari s'installa avec du champagne à côté de la radio pour suivre le match. Après il monta et, à moitié ivre, lutina Sarah, la bonne de Daphne.

Burton était un grand romantique. Il adorait la poésie, et utilisait pour séduire, toute la fantaisie de la langue anglaise. Mais malgré son éloquence, amour et fidélité sexuelle s'accordaient mal dans sa vie privée. Célibataire très libre, il courait les filles comme le font tous les hommes au sang chaud, sans discrimination, sans émotion ni remords, prenant à peine le temps d'échanger un prénom. Mais alors que la plupart des hommes dépassent cette obsession de la conquête, il ne le fit jamais. Il conserva un appétit insatiable pour les femmes : pas pour les aimer, ni pour être aimé d'elles, mais par besoin de les posséder. Il n'aimait pas les caresser, il n'aimait pas leur compagnie. Il se servait d'elles pour se rassurer sur lui-même, pour dissimuler ses doutes, pour nourrir son ego, et pour se sentir désiré. Il s'en servait aussi pour prouver son hétérosexualité qui, tout comme son intelligence, se trouvait menacée par la profession qu'il avait choisie.

Peu avant son mariage avec Sybil, Burton eut pour la première fois occasion de jouer le rôle-titre d'*Henry V*. C'était pour une dramatique radiodiffusée du samedi soir, produite par un jeune diplômé d'Oxford, Frank Hauser, et programmée pour l'anniversaire de Shakespeare, le 23 avril. Au lieu de prendre une personnalité consacrée, Frank voulait pour ce rôle un jeune acteur gallois, et son ami Robert Hardy, qu'il avait connu à Oxford, proposa Richard. Frank avait entendu parler de Richard dans le rôle d'Angelo avec l'OUDS, mais il ne l'avait jamais rencontré. Robert les réunit à Londres. Ils allèrent dîner ensemble, prenant au passage Sybil au Prince of Wales Theatre où elle travaillait pour *Harvey*. Ils sympathisèrent tous beaucoup, discutant avec passion de Shakespeare, et Richard dit très discrètement à Frank qu'il était fier d'avoir cent livres de la collection Everyman et de les avoir tous lus. Quand la soirée s'acheva, Frank était décidé à prendre Richard pour le rôle, mais il lui fallait d'abord convaincre son patron à la BBC. Ils arrangèrent donc une lecture.

Richard à moitié ivre, lut plutôt mal, mais Marty Harding, le patron de Frank, pensa qu'il avait le trac et, se rangeant à l'avis de son producteur, accepta de l'engager.

Richard était dans une mauvaise passe. Il venait d'être renvoyé de sa première vraie production du West End et se sentait déprimé. C'était une nouvelle pièce de Terence Rattigan, *Adventure story*, avec Paul Scofield, jeune acteur de trois ans plus âgé que Burton, dans le rôle principal. Frank lui demanda pourquoi on l'avait remplacé.

« Tu sais, j'étais censé jouer un ami de Paul Scofield plus âgé que lui », dit Richard. « Mais qui peut jouer un ami plus âgé que Paul ? Avec la tête qu'il a, on lui donne déjà 108 ans. »

Anxieuse de lui trouver autre chose, Daphne Rye l'inscrivit pour le prochain spectacle de Tennent, une petite comédie en vers, *The Lady's Not For Burning*, d'un nouvel auteur en vogue, Christopher Fry. Personne ne croyait beaucoup à ses chances de succès, mais Daphne misait dessus et avait persuadé « Binkie » Beaumont de le donner au Globe Theatre dans le West End plutôt qu'en dehors de Londres. Elle s'était arrangée pour que John Gielgud la mette en scène et y joue également.

La pièce se déroulait en Angleterre au XVIe siècle et racontait l'histoire de Thomas Mendip, soldat malgré lui, qui voulait mourir, et de Jennet Jourdemayne, jolie sorcière condamnée à mort et qui voulait vivre. John Gielgud jouait Mendip et Pamela Brown, Jennet, la sorcière. Le rôle joué par Burton avait d'abord été donné à un autre acteur, mais après la première lecture, Gielgud déclara que ce garçon ne convenait pas, pas plus que la fille choisie pour le rôle d'Alizon. Il voulait les redistribuer tous deux. C'est alors que l'on demanda à Richard d'auditionner, avec une jeune actrice nommée Claire Bloom qui briguait le rôle d'Alizon.

Richard arriva à l'audition terriblement énervé. Il resta assis les sourcils froncés et les jambes entortillées autour de sa chaise comme un contortionniste. Il donna une lecture très indifférente de son rôle. En revanche, Claire Bloom, qui avait juste dix-huit ans, était l'image même de la maîtrise de soi ; et Pamela Brown, qui suivait l'audition avec Christopher Fry, déclara : « Bon, la fille est très bien, mais je ne crois pas que le garçon convienne. »

Par chance, Gielgud s'aperçut de la nervosité de Richard et suggéra : « Parlez un peu du rôle avec Christopher et revenez demain faire une autre lecture. » Le lendemain, il fut excellent et on lui donna le rôle de Richard, jeune clerc très séduisant qui tombe amoureux d'Alizon et s'enfuit avec elle — deux figures innocentes au milieu d'une cohorte de personnages cyniques et blasés. Burton incarna le garçon avec une grande simplicité, humour et sincérité. Il montrait déjà un calme dont il ne devait jamais se départir.

The Lady's Not for Burning tourna en province pendant deux mois avant de débuter à Londres au Globe, le 11 mai. Ce fut un énorme succès, jusqu'à la fin de cette année-là — on dut arrêter à cause de Gielgud qui avait des engagements à Stratford la saison suivante. Gielgud devait dire de Burton : « C'est un acteur né. Un travailleur acharné, avec un charme et des

possibilités sans limites. Ce fut une joie de jouer avec lui. »
Burton trouva là l'un de ses meilleurs rôles, l'un de ses plus
mémorables incarnations, mais comme le remarque Frank
Hauser qui suivit sa carrière de bout en bout :

> « Richard avait un rôle qui lui convenait à la perfection
> dans *The Lady's Not Fir Burning,* et il est très rare qu'un
> acteur débute avec un rôle parfait. Le garçon qu'il incarnait
> était modeste, séduisant et timide, avec quelques idées
> derrière la tête ; dans sa scène principale, il devait rester très
> calme pendant que les autres s'agitaient autour de lui.
> Richard était au mieux de lui-même, et on imagina plus tard
> pour lui des mises en scène où il restait au milieu du plateau,
> tandis que les autres s'agitaient autour de lui. Rester calme
> est une manière d'acquérir une réputation et d'obtenir bien
> des rôles, mais ce n'est pas ainsi que l'on devient un grand
> acteur. Les grands acteurs doivent bouger et avoir une
> présence. »

Hors de scène, c'est ce qu'il faisait. Burton ne jouait pas les
petits timides, même en une compagnie aussi impressionnante.
Comme le dit John Gielgud, « Il était drôle, sociable et un peu
m'as-tu-vu. » Il s'entendait particulièrement bien avec Pamela
Brown, — ils avaient le même sens de l'humour — mais il avait
beaucoup d'autres amis. Ils se réunissaient souvent, parfois chez
Christopher Fry, à Blomfield Road, et la conversation revenait
immanquablement sur les ancêtres de Richard et leur goût pour
la boisson, et sur le thème de la mort de son grand-père,
dévalant la colline dans son fauteuil roulant. Il ne manquait pas
une occasion de faire rire, mais comme le remarqua Gielgud, il
pouvait aussi bien être « maussade et lunatique, et avait, je
crois, cette profonde tendance galloise au pessimisme et à
l'insouciance. »
Richard abandonna la pièce avant la fin des représentations,
cédant le rôle à sa doublure, pour commencer les répétitions
d'une autre pièce de Fry mise en scène par John Gielgud et qui
débutait au Lyric Theatre d'Hammersmith en janvier 1950.

C'était un Miracle en un acte, *The boy with a cart,* sur la légende de Cuthman, jeune berger qui emmenait sa mère sur une charrette (celle-ci était jouée par Mary Jerold) à travers le pays jusqu'à cet endroit du Sussex où Dieu lui avait dit de construire une église. Fry avait écrit cette pièce douze ans auparavant pour le jubilé d'une église de village. A cet époque il était encore professeur, et cette pièce n'avait jamais été montée. Richard jouait le rôle de Cuthman. John Gielgud eut beaucoup de travail avec Richard pendant les répétitions, surtout pour sa première entrée où le personnage surgit en scène en disant « Quelle belle matinée pour prendre l'air ! » Il restait trop réservé. Il fallut beaucoup de persévérance pour qu'il mît un peu de flamme dans son rôle. A certains moments de la pièce, cette attitude était parfaite, sa simplicité et sa fraîcheur extraordinaire ; mais à d'autres, Fry trouvait qu'il aurait dû en faire un peu plus.

Richard ne fut guère couvert d'éloges par la critique, mais Anthony Quayle s'intéressa à lui. Il prospectait pour sa prochaine saison de Shakespeare à Stratford. Burton avait aussi été remarqué par l'un des plus prestigieux agents artistiques de Londres, Vere Barker, directeur de l'agence Connies, qui comptait parmi ses clients des stars comme Ralph Richardson, Margaret Leighton, Bric Portman et Laurence Harvey. Il invita à la fois Richard et Stanley Baker à se joindre à eux et bien que plus tard leur séparation se passât mal, ils travaillèrent ensemble de nombreuses années. C'est Vere Barker qui rassembla l'argent nécessaire à l'achat de la première maison de Sybil et de Richard, dans Lyndhurst Road, à Hampstead. Ils s'y installèrent au début de 1950. Pour payer les traites, ils louèrent le dernier étage à un couple de lesbiennes. Richard racontait comment un matin il leur avait porté le petit déjeuner au lit et fut subjugué de les voir rouler l'une sur l'autre et se mettre à faire l'amour devant lui.

Au début de l'année, il s'était rendu deux semaines à Brighton pour jouer dans une autre pièce de Christopher Fry, *A Phoenix Too Frequent* au Dolphin Theatre, avec Diana Graves et Jessie Evans. C'était une pièce sans prétention, à partir d'une idée improvisée entre amis, et ils passèrent tous un agréable moment au bord de la mer. Richard joua une fois de plus en sourdine, et son jeu devint un sujet de plaisanterie. Comme cadeau pour la première, Christopher Fry, qui vivait alors à Shipton — under — Wychwood, lui donna un livre sur lequel il écrivit : Pour Interpréter

Richard
de la part de
Wychwood

Shipton.

Sybil aussi était venue à Brighton. Quand son travail le permettait, elle suivait Richard. Cependant un peu plus tard cette année-là, *Harvey* partit en tournée et elle partit aussi comme assistante-metteur en scène. Pendant son absence, Richard et Stanley restèrent dans la maison d'Hampstead. Bien que marié, Burton continuait nuit et jour à chercher de nouvelles femmes qu'il ramenait chez lui. Pendant ce temps, Stanley avait rencontré une jeune actrice dont il était tombé amoureux. Elle s'appelait Ellen Martin et s'installa chez eux pour s'occuper de la maison.

Ellen Martin était fascinée par le comportement de Richard, par son outrecuidance. Il ramassait des filles partout, dans les cinémas, dans les pubs, dans les boutiques, chez les coiffeurs. Aujourd'hui encore Ellen boit trop de café car elle dut passer des heures dans les bars au cours de cet été 1950, Richard la mettant dehors pendant qu'il recevait des filles à la maison. Malgré tout, il était terrifié à l'idée que Sybil le sache et il fit jurer à Ellen, qui ne connaissait pas encore Sybil, de garder le secret. Une de ces filles lui fit une peur terrible : la teinture de ses cheveux avait taché une paire de draps bien particulière que Sybil avait achetée. Richard appela Ellen au secours. Ces draps venaient d'Amérique il était impossible de les remplacer. Malgré tous leurs efforts, la couleur refusait de partir. Ellen dit à Richard qu'il devait retrouver la fille et lui demander ce qu'elle mettait sur ses cheveux. Il ne put s'y résoudre et supplia Ellen de le faire à sa place. Ellen la dénicha finalement dans un café où elle était serveuse, et aussi embarrassée qu'elle, lui demanda ce que contenait la teinture qu'elle utilisait.

Ellen trouvait à Richard un charme ravageur. Physiquement, il était loin de la perfection. Son visage était grêlé ; malgré la beauté et l'éclat de ses yeux, il avait un regard étrangement froid. Il était petit et trapu, le cou trop court, et ses mains ressemblaient à de grosses pattes. Il se tenait mal et avait une démarche chaloupée. Pourtant, avec ces imperfections, tout son être rayonnait de séduction et de sex-appeal.

C'était Stanley qui intéressait Ellen ; elle était fascinée, et elle affirme encore qu'elle doit son mariage à Burton. Elle revenait en train avec Richard d'Ealing où ils travaillaient tous les deux. Stanley tournait un petit film ailleurs. Elle le connaissait tout juste depuis deux semaines.

« Veux-tu épouser Stanley ? » lui demanda brusquement Richard.

« Oui, bien sûr » dit Ellen « Mais il n'a pas l'intention de me le demander, n'est-ce pas ? »

« Laisse-moi faire », dit-il. « Je trouve qu'il devrait se marier. J'en suis bien passé par là moi aussi. »

Ce soir-là il prit Stanley à part et lui dit : « Vas-tu épouser Ellen ? »

« Je ne la connais que depuis deux semaines », protesta son ami, plutôt interloqué.

« Connais-tu ses parents ? »

« Oui », dit Stanley.

« Tu sais comment ils sont ces Anglais. »

« Que veux-tu dire ? » dit Stanley.

« Où vivent-ils ? »

« A Stoke Poges. »

« Bon » dit Richard, comme si tout tenait à Stoke Poges. « Tu sais ce qu'ils attendent. »

Cette nuit-là, Stanley demanda à Ellen si elle voulait l'épouser.

« Demain, dit-elle, à condition que tu ne sois pas comme lui. »

« Chérie, murmura-t-il, Richard ne ressemble à personne. »

3

Naissance d'une légende

On parla beaucoup de la saison 1951 de Stratford-upon-Avon qui devait débuter le 24 mars. Burton allait enfin s'affirmer comme acteur classique, et le rêve de deux hommes se réalisait. Le Memorial Theatre avait monté un cycle de pièces historiques de Shakespeare : *Richard II*, les parties I et II de *Henri IV*, *Henry V* et *La Tempête*. Il participait ainsi au Festival de Grande-Bretagne, destiné à remonter le moral du pays et à attirer les touristes. On attendait un nombre record de visiteurs à Stratford et l'apport des sièges supplémentaires avait déjà coûté beaucoup d'argent, ainsi que l'augmentation du nombre de loges pour les acteurs et la remise en état générale du théâtre.

Pendant ce temps, Richard avait pour la première fois joué à l'étranger et goûté aux Etats-Unis. Il avait traversé l'Atlantique en grande pompe sur un paquebot de la Cunard pour se produire dans *The Lady's not for burning*, à New York, emmenant Sybil avec lui. A regrets il quitta la troupe avant la fin de la tournée pour rejoindre Stratford où les répétitions commençaient.

Paraître à Stratford était une perspective excitante : pour la première fois il allait interpréter Shakespeare en professionnel, et aborder des premiers rôles au sein de l'une des plus prestigieuses compagnies du monde. Certains prétendent que c'est dans ce rôle, alors qu'il était revenu jouer dans son pays, qu'il fut le meilleur de toute sa carrière ; celui-ci fit de lui le prince héritier de la scène britannique. Il avait alors pris goût à la grande vie. Les quatre films qu'il avait tournés en Grande-Bretagne n'avaient rien de génial, mais lui avaient rapporté beaucoup plus d'argent que ses apparitions au théâtre. Son appétit s'aiguisait.

Richard allait interpréter le rôle dont il discutait sans fin en arpentant les pistes du Norfolk avec Robert Hardy, le Prince Hal dans *Henri IV*. Son cachet serait maigre par rapport à ce qu'il avait gagné récemment, mais il désirait depuis longtemps jouer Hal. La manière dont Anthony Quayle le lui avait offert l'amusait beaucoup. Celui-ci avait téléphoné à Sybil pour lui demander si elle voulait jouer, en gallois, Lady Mortimer dans la première partie de *Henri IV*.

« Oh oui ! », avait-elle répondu avec enthousiasme.

« Bon, je vais y penser très sérieusement », dit Quayle, « Mais essayez de décider votre mari à jouer le Prince Hal et on verra. »

Mari et femme rirent beaucoup de cette ruse et Quayle remonta considérablement dans l'estime de Burton.

« Il n'y a que les Gallois pour être aussi futés », disait-il. « Pour obtenir quelque chose, il sait se débrouiller sans s'embarrasser de toute cette politesse britannique. »

Richard était très chauvin. Il aimait tout ce qui était gallois. Il portait presque tous les jours du rouge, la couleur nationale. Il chantait des chansons galloises, et après quelques verres, il récitait des textes dans sa langue natale. Quant aux histoires qu'il racontait, elles avaient invariablement pour sujet les Vallées. Mais ce qu'il aimait par-dessus tout, c'était le sport national. Il parcourait des kilomètres pour voir les Gallois jouer au rugby. Il était intarissable sur ce jeu et se passionna pour lui toute sa vie, suivant les commentaires de la BBC quand il était à l'étranger. Quiconque partageait son enthousiasme devenait son ami pour toujours.

Pendant la saison, chaque fois qu'il était libre le samedi après-midi, il allait voir un match, de préférence international. Il partait avec un groupe d'amis comme les acteurs gallois Stanley Baker, Donald Houston, Meredith Edwards et Euan Lloyd, le producteur de cinéma, alors chef de publicité d'une société de distribution qui s'était occupée des films de Richard. Ils s'arrangeaient pour trouver quelqu'un qui ne bût pas pour les conduire au stade, et l'après-midi n'était qu'une longue partie de plaisir, commencée dans le parking avant le match, s'achevant bien après que tout le monde fut rentré chez soi.

Le point culminant de l'année était les Internationaux à Twickenham et à Cardiff. Le stade était divisé entre supporters anglais et gallois. Le bruit fait par cette multitude de Gallois bien en voix, entonnant des chants folkloriques à tue-tête pour couvrir les voix des Anglais, faisait rayonner d'orgueil Richard. Il aimait cela plus que tout, et chantait lui-même très fort.

A cette époque, la plupart de ses amis étaient gallois, et un bon nombre d'émigrés se trouvaient à Stratford. On les appelait « la mafia galloise ». L'un d'entre eux, l'acteur Hugh Griffith, avait loué avec sa femme une grande maison, La Vieille Maison, non loin de là, plus près de Banbury que de Stratford, dans le village d'Oxhill. Richard et Sybil y vivaient avec Robert Hardy et sa petite amie. Robert était maintenant un acteur reconnu, commençant sa deuxième saison à Stratford.

C'était un été superbe ; les rossignols chantaient ; des amis passaient ; la famille de Richard allait et venait ; la sœur de Sybil faisait d'occasionnelles visites ; Philip Burton était là pour prodiguer ses conseils à son protégé ; Charles Laughton fit une apparition ; Frank Hauser vint de Londres et dormit dans l'un des lits jumeaux des Burton pendant que ceux-ci partageaient l'autre ; John Dexter vint de Derby à bicyclette pour assister aux spectacles et voir ses amis ; Stanley et Ellen Baker séjournaient dans le coin eux aussi. Ils bavardaient tous jusqu'au petit matin, dissertant sur les *Henrys*. Ils donnaient des réceptions, organisaient des pique-niques sur les rives de l'Avon et se livraient même à d'audacieux bains de minuit après le spectacle dans le plus simple appareil.

Au cours de cette saison, Richard acheta sa première voiture. C'était une vieille Flying Standard presque en ruine qu'il acheta à un autre acteur de la compagnie, Ronald Marsh. Il ne savait pas encore conduire, et les leçons données par Robert Hardy n'arrangèrent rien. En entrant un jour dans Stratford alors qu'ils venaient d'Oxhill, Richard emboutit un tas de gravillon sur le bord de la route. Ils se retrouvèrent à 45°, à moitié enlisés.

Son incompétence dans ce domaine — et il ne sut jamais vraiment tenir un volant — ne l'empêcha pas, poussé par ses amis, de désirer une voiture plus en rapport avec son statut de star de cinéma. Il s'adressa à Vere Barker qui lui prêta, avec « Binkie » Beaumont de quoi acheter un autre véhicule d'occasion, mais noir et grandiose.

La présence de Sybil n'empêchait aucunement Richard de convoiter d'autres femmes. S'il ne pouvait les ramener chez lui, comme il l'avait fait à Hampstead pendant qu'elle était en tournée, il se contentait d'une loge au théâtre, d'une pièce vide dans un pub, d'une chambre pendant une réception, ou d'un jardin, dès qu'il était sûr d'avoir quelques minutes à lui. Il ne lui fallait pas beaucoup de temps, et il n'avait aucune honte à demander à ses amis de le couvrir. Il n'avait pas davantage de complexe quant aux femmes qu'il séduisait. Celles de ses amis tout comme ses partenaires lui tombaient dans les bras.

Le public comme la critique furent unanimes sur son interprétation de Hal. Bien qu'il en soit parfois venu aux mains avec son metteur en scène, Anthony Quayle, à ce sujet, Richard joua Hal exactement comme il avait toujours souhaité le faire ; comme Phil Burton le lui avait appris. Ce n'était pas le Hal traditionnel bon vivant et exubérant, mais une créature puissante, à la force cachée, aux humeurs imprévisibles. Sa présence physique transportait le public. La critique de Kenneth Tynan dans l'*Observer* fut des plus élogieuses.

« Dès le début, sa façon de jouer le Prince Hal stupéfia tous ceux qui l'attendaient au tournant : pendant le premier entracte, les critiques locaux étaient bouche bée dans les couloirs. Burton est comme un grand lac calme, aux profondeurs impressionnantes ; à vingt-cinq ans, il se maîtrise totalement et peut rendre le silence bavard. Son Prince Hal n'est jamais exubérant ; il reste replié sur lui-même ou vautré, le regard noir et fixe ; ses bruyants compagnons

« Ce garçon est génial et deviendra un grand acteur. Il est étonnamment beau et solide, très viril et animé d'une grande flamme intérieure tout en restant très réservé. » *(Photo Camera Press)*

Youth at the Helm, RAF Babbacombe. Burton est à l'extrême gauche, Robert Hardy au centre, à gauche du Caporal Barker. *(Photo Robert Hardy)*

Richard à dix-sept ans, dans *The Druid's rest,* son premier rôle professionnel. L'annonce disait qu'Emlyn Williams cherchait des acteurs et des actrices gallois pour une création. *(Photo John Vickers)*

Pendant le tournage de *Les derniers jours de Dolwyn,* avec Emlyn Williams. « Comme tous les êtres d'exception à cet âge, il avait l'air... éternel. »

Emlyn, avec son fils Brook. L'enfant adorait Richard et venait constamment sur le tournage de *Dolwyn. (Photos Emlyn Williams)*

Richard et Sybil. Ils étaient faits l'un pour l'autre. Richard était un grand romantique, mais l'amour et la fidélité s'accordaient mal dans sa vie. *(John Topham Picture Library)*

Dans le rôle de Cuthman, avec Mary Jerrold dans *The boy with a Cart,* 1950. Burton parvint à une fraîcheur et à une simplicité extraordinaires dans ce rôle. Il attira l'attention d'Anthony Quayle et de l'un des principaux agents artistiques londoniens. *(Popperfoto)*

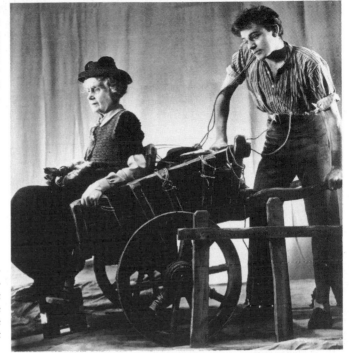

Burton dans *A Phoenix too frequent* de Christopher Fry au Dolphin Theatre de Brighton, avec Jessie Evans et Diana Graves. Le spectacle était né d'une idée spontanée, quasi improvisé avec des amis. *(Photo Chistopher Fry)*

Richard retourna chez lui à Pontrhydyfen en 1953. Il était maintenant une star d'Hollywood, heureux de jouer le rôle de l'enfant-des-vallées-qui-s'est-amendé. En haut sur la page opposée : avec son père Dic Bach. Le vieux mineur vivait dans son petit univers. Ils ne partageaient même plus le même nom. Photo du bas : Au Miners Arms, posant avec son père devant un demi. Ci-dessus : « Il avait ce sombre penchant des Gallois au pessimisme et à l'insouciance. » *(Photos BBC Hulton Picture Library)*

Dans le rôle de Hamlet, Richard était « plein de flamme, de passion et de force ». Ce fut la production la plus populaire de l'Old Vic en 1953. Un soir, Winston Churchill l'exaspéra en récitant toute la pièce de son fauteuil d'orchestre. *(Photo Robert Hardy)*

Avec Claire Bloom qui jouait Ophélie. Ce fut le début d'une aventure qui dura plus longtemps que toute autre. *(John Topham Picture Library)*

l'amusent peut-être, mais il voit déjà bien au-delà, quand il lui faudra se préparer au trône. " Il porte sa cathédrale en lui ", a dit avec étonnement l'un des membres de la compagnie. Malgré tout son panache de chevalier, ce Celte vigilant a aussi beaucoup de l'homme d'Eglise. Le geste aisé et sobre, trapu et soigné de sa personne, Burton sourit là où les autres Hal pouffaient ; il se détend là où ils se crispaient ; et Falstaff (joué avec une tendre obésité par Anthony Quayle) a bien du mal à le divertir. Dans l'affrontement, la voix de Burton est tranchante et vive, — toujours séduisante, toujours inaccessible. »

Harold Hobson quant à lui, écrivit dans le *Sunday Times*, « J'ai compris que le public de Stratford était ce soir-là en présence d'un acteur peu ordinaire, dès qu'il commença à jouer. Il montrait une telle force intérieure, que tous les sentiments étaient exprimés avec le plus grand naturel. »

Les critiques l'appréciaient, mais il n'était pas facile de travailler avec lui. Il n'était pas assez présent pour ceux qui lui donnaient la réplique sur scène. Il semblait penser à autre chose, indifférent à la pièce et au rôle.

Le mettre en scène n'était pas non plus une tâche aisée, surtout quand il avait bu, ce qu'il faisait abondamment pendant le travail. Les répétitions générales, à cette époque (avant que les syndicats n'y aient mis fin), continuaient jusqu'à deux, trois ou même quatre heures du matin. Tout le monde était alors fatigué, tendu, ne pensant plus qu'à aller se coucher. Une fois, en pareilles circonstances, Burton but dix-huit bouteilles d'une demi-pinte de bière blonde que son habilleur lui avait apportées. Ils en étaient alors à la scène interminable de la bataille de Shrewberry, quand Richard demanda :

« On peut s'arrêter ? », en scrutant l'obscurité des fauteuils d'orchestre où se trouvait Anthony Quayle.

« Non, non, non, Richard », cria Quayle d'une voix désespérée. « Il est très tard. Pas maintenant, Richard, je t'en prie. On fera une pause dans une demi-heure. »

« Très bien », dit Richard. « Regardez. » Et sous les yeux

incrédules de l'assistance, il se soulagea, le contenu de dix-huit bouteilles de bière blonde passant à travers son costume et formant une large mare sur le plancher de la scène.

Son interprétation d'*Henry V,* selon W. A. Darlington dans le *Daily Telegraph :*

> « est l'aboutissement de deux années d'un travail prometteur, commencé lorsqu'il attira pour la première fois l'attention dans *The Lady's not for burning.* Son roi Henry révèle un talent très diversifié et le met au premier rang de nos jeunes acteurs.
>
> Il a de la dignité et de l'autorité. Sa voix est bonne, un peu comme celle de Laurence Olivier, aussi impressionnante dans le calme que dans la colère. Il peut donner à Henry une expression songeuse qui montre son sens des responsabilités et le rend plus crédible comme meneur d'hommes ».

Cependant, d'autres critiques furent moins impressionnés. L'un d'entre eux notamment, écrivit que Richard Burton manquait d'envergure dans son incarnation du Roi, par rapport à l'excellente interprétation que Laurence Olivier en avait donnée dans la dernière version de l'Old Vic. Richard en fut mortifié, mais quelques jours plus tard, il eut la satisfaction de recevoir une lettre de Laurence Olivier contenant la critique que ce même homme avait écrite après la première de son propre *Henry V* à l'Old Vic. Selon lui, le Roi Henry de Laurence Olivier « manquait d'envergure » !

Au même moment, Frank Hauser se faisait massacrer par la critique pour sa toute première production d'*Hamlet* avec Alec Guinness. Quand il lut les critiques d'*Henry V,* il écrivit à Richard pour lui exprimer sa commisération et reçut la réponse suivante.

Cher Frank,
Je n'ai pas beaucoup plu à ces salauds. Merci de ta lettre. C'est gentil de t'être donné cette peine. J'ai découvert une

chose étonnante : il m'est difficile de libérer la puissance que je sais (que j'espère) posséder. Je dois y travailler.

Quayle m'a demandé de revenir ici l'an prochain pour interpréter *Hamlet*. J'ai refusé. A la place j'irai à New York jouer *Point of departure*. Quand je me mesurerai de nouveau au grand Barde — dans deux ans environ — tu devrais avoir fait ta rentrée. L'été prochain je fais mes débuts de star de cinéma pour Korda. Le premier film sera *The last enemy*, de Richard Hilary.

Comme toi, sans doute, j'ai été choqué et exaspéré par mes premières mauvaises critiques. Je vais lui apprendre, à ce cochon. Il faut que je travaille encore plus pour étendre les possibilités de ma voix. Ça s'améliore tout le temps, bien sûr. Cette histoire avec Korda n'est pas signée. Donc, tu n'en parles pas.

J'espère que l'échec de ta première mise en scène ne te démoralise pas trop. Je voulais t'écrire mais j'ai eu peur que ma lettre ne semble condescendante après les critiques que j'avais reçues. Nous les rangerons ensemble un de ces jours.

Pour son rôle de Ferdinand dans *La Tempête*, il reçut des critiques encore plus dures. Il avait horreur de jouer cette pièce. Il détestait qu'on le maquille, qu'on l'oblige à avoir « l'air joli » et refusait de mettre correctement sa perruque, si bien qu'elle glissait souvent, comme celle d'un vulgaire amateur. Il n'aimait pas les costumes shakespeariens, culottes bouffantes et collants dans le meilleur des cas, mais s'habiller en bleu et rose avec des volants et des jabots était plus que sa virilité n'en pouvait tolérer. Les critiques s'en aperçurent. Mais c'est le Prince Hal qui resta gravé dans toutes les mémoires à la fin de cet été-là et rien ne put amoindrir sa réputation. On vint de tous côtés pour le voir.

Avec la fin de la saison de Stratford en Octobre, la carrière théâtrale de Sybil s'acheva elle aussi. Elle avait joué avec plaisir plusieurs petits rôles pendant l'été. Son talent était évident, mais elle comprit que la carrière de Burton l'amenant sans cesse de l'autre côté de l'Atlantique, il lui serait impossible de bâtir la sienne si elle voulait le voir de temps à autre. Il lui fallait choisir : épouse ou actrice, et les idées de Richard sur le mariage étaient très traditionnelles. Il avait grandi dans une société où les femmes s'occupaient de la maison et se dévouaient à leur mari et, bien qu'il appartînt maintenant à la faune bohème du théâtre, il était resté au fond de lui-même un enfant des Vallées. Il voulait que sa femme se consacre à lui, c'est ce que fit Sybil avec beaucoup d'altruisme.

Sybil avait les pieds sur terre et savait comment prendre Richard. Il arrivait que le dîner tout juste prêt, il enfilât son manteau pour sortir :

« Il n'en n'est pas question », disait-elle. « Le repas est servi. »

« J'en ai pour cinq minutes. »

« Je ne te le conseille pas », disait Sybil, « ou ça va chauffer ». Richard savait ne pas aller trop loin. Il était certain qu'elle était faite pour lui. De plus, c'était une compagne formidable : vive, intelligente, spirituelle. Ils formaient un couple charmant, bêtifiant ensemble, se taquinant sans cesse, et faisant les imbéciles. Leurs amis les appelaient toujours « Rich et Syb », sans séparer leurs noms. Leur mariage semblait parfait. Tout le monde savait que Burton avait d'autres femmes, mais ce n'était que de brèves liaisons, des rencontres d'une nuit, et Sybil les ignorait. Ou du moins souffrait-elle en silence. Elle comprenait Richard, son caractère instable et emporté et elle le tolérait. Ses amis l'en admiraient d'autant plus.

Immédiatement après Stratford, tout se passa à peu près comme Richard le décrivait dans sa lettre à Frank Hauser. *Point of departure* démarra à New York en décembre 1951 après une brève tournée sous le titre de *Legend of Lovers*. C'était une pièce de Jean Anouilh*, dans laquelle Burton tenait le rôle principal face à Dorothy McGuire. La critique fut excellente pour lui. On le salua comme « un nouveau Laurence Olivier », « un acteur plein d'avenir » et « l'un des jeunes acteurs anglais les plus

---

* Eurydice.

doués ». La pièce, en revanche, fut jugée « sinistre, cynique et confuse » et ne tint que quelques semaines. Richard fut donc de retour à Londres en février. Il travailla un peu à la BBC, et joua dans la lugubre pièce de Lillian Hellman, *Montserrat*, présentée comme une étude sur la torture et qui fut donnée au Lyric d'Hammersmith en avril.

Ses projets avec Korda dont il parlait dans sa lettre à Hauser, se réalisèrent au cours de l'été, mais pas tout à fait comme il l'avait prévu. Il devint néanmoins une star de cinéma. A l'issue d'un marché assez complexe, Alexander Korda loua Richard à Darryl Zanuck de la Twentieth Century Fox pour plusieurs films, dont le premier s'inspirait du roman de Daphné du Maurier, *Ma cousine Rachel*, avec Olivia de Havilland. L'histoire se déroulait en Cornouaille, mais le film fut tourné en studio à Los Angeles. Richard et Sybil passèrent l'année suivante à Hollywood et côtoyèrent les stars.

A sa sortie, le film fut copieusement éreinté, mais le rôle de Burton suscita beaucoup d'intérêt des deux côtés de l'Atlantique, lui valant trois récompenses de la presse et sa première nomination aux Oscars. Qui plus est, il obtint ainsi le rôle principal de *La Tunique*, le film qui fit de lui le nouvel enfant chéri de Hollywood. Entre-temps, il avait fait *Les rats du désert*, film de guerre situé en Afrique du nord, mais tourné près de Palm Springs, avec James Mason. Le plus mémorable fut pourtant le troisième film auquel il participa : *La Tunique*, dont le tournage commença à Los Angeles au début de 1953. C'était une épopée (un budget de plusieurs millions de dollars) fondée sur la nouvelle biblique de Lloyd C. Douglas, qui avait pour thème les premiers chrétiens. On y employait pour la première fois le cinémascope, tout nouveau procédé photographique, projeté sur un écran légèrement incurvé, deux fois et demie plus grand que la normale, et qui donnait l'impression d'une image en trois dimensions.

On misait beaucoup sur ce film. Il se situait dans la lignée des grands spectacles hollywoodiens, comme *Ben Hur* et *Quo Vadis*. On disait que Darryl Zanuck y avait engagé tout l'avenir de la Twentieth Century Fox. Hollywood ne parlait que de cela.

Invitée sur le tournage, la presse laissait filtrer des informations. Et Burton avait le premier rôle. Il jouait Marcellus, officier romain responsable de l'exécution du Christ et qui en conçut tant de remords, qu'il se convertit au christianisme et mourut en martyr.

Burton était la nouvelle star. Il donnait des interviews interminables et romantiques sur ses origines galloises, ses ancêtres mineurs, ses blessures au rugby, sa passion pour Shakespeare, sa volonté de ne pas succomber à la tentation du cinéma. La presse gobait tout. Lors des réceptions hollywoodiennes, on attendait de lui qu'il soit non seulement une star, mais une star divertissante, racontant des histoires incroyables, et un tantinet dépassée par les événements.

C'est au cours de l'une de ces réceptions que Richard fit la connaissance d'Elizabeth Taylor, mariée alors à Michael Wilding. Il raconte la scène dans un livre qu'il écrivit douze ans plus tard, *Meeting Mrs Jenkins*. Il était loin de Caradoc Street.

> « Cette maison californienne — dans le quartier de Bel Air à Los Angeles, je crois — avait l'air d'avoir été projetée par un géant contre la colline et de n'en avoir plus bougé.
>
> Un premier niveau avec le salon, la chambre des maîtres de maison, les chambres d'amis, la salle à manger, la cuisine, surplombait un autre étage, celui de la salle de jeux.
>
> Elle n'était pas destinée aux enfants.
>
> Elle comprenait un bar avec un barman, des appareils pour les hot dogs, un énorme réfrigérateur avec double porte de deux couleurs, des réchauds, des trophées de chasse au gros gibier sur les murs (l'hôte était chasseur et faisait du théâtre à ses moments perdus), des chaises longues et des divans immenses, profonds, très inconfortables pour les hommes, mais merveilleusement adaptés aux petites femmes charmantes, qui repliaient leurs charmantes petites jambes et enfouissaient leurs charmantes petites personnes au charme boudeur dans ce vaste mobilier, comme de charmantes petites chattes.
>
> La salle de jeux surplomblait elle-même la piscine, les douches et les vestiaires.

* En français : « A la rencontre de Mrs Jenkins » *(N.d.T.)*.

Je découvrais la Californie et ce type de maison luxueuse. Beaucoup de gens se pressaient dans la piscine et autour, bronzés, buvant ce qui pouvait les remonter le dimanche matin — des Bloody Marys, des whiskys mélangés de bière, des long drinks, des bières glacées. Je connaissais certaines personnes. On me présenta aux autres. Des pas bronzés et humides sortaient de la piscine pour me serrer la main. Tous ces gens étaient très chaleureux et ils m'appelaient tout de suite Dick. Je leur demandai de m'appeler plutôt Richard — parce que Dick avait pour moi une valeur trop symbolique, ce qui amusa certains d'entre eux. C'était un dimanche matin bien sûr, et je me sentais nerveux.

Ce petit triomphe social me plaisait. C'est alors qu'une fille assise de l'autre côté de la piscine baissa son livre, retira ses lunettes de soleil et me regarda. Elle était tellement belle que je faillis éclater de rire.

Elle but un peu de bière et retourna à son livre. Je fis semblant de continuer à m'intéresser aux autres, mais tout en jouant pour eux le rôle du pauvre fils de mineur dérouté mais ravi de l'attention que ces gens adorables lui portaient, je l'observais du coin de l'œil...

Indiscutablement, elle était somptueuse. Je ne trouve pas d'autre mot pour décrire ce mélange de plénitude, de frugalité, d'opulence, de rigueur. Elle était resplendissante, prodigue de son inaccessible beauté brune. En un mot, elle était sacrément trop, et de plus, elle m'ignorait complètement. J'ai failli hurler de déception quand, à la fin de mon histoire si drôle sur la mort de mon grand-père je m'aperçus qu'elle était plongée dans une conversation avec une autre femme. J'essayai d'en saisir quelques mots : il s'agissait de Tony et Janet, de Marlon et de Sammy. A l'évidence, elle ne parlait pas de moi.

En revanche, plusieurs autres personnes parlaient de lui. A Hollywood, Richard avait de quoi satisfaire ses appétits sexuels, et le bruit de ses conquêtes fit le tour de Beverly Hills. Il faisait son chemin parmi les stars et les starlettes, sans discrimination, comme pour se prouver désespérément quelque chose. Certaines étaient mariées, d'autres pas, et il était parfois découvert. Aucun homme marié n'était vraiment à l'abri quand Richard Burton rôdait, pas même ses meilleurs amis.

Cet appétit ne devait jamais être rassasié. Mais ses conquêtes féminines, si désirables et belles qu'elles fussent, semblaient rarement lui procurer un plaisir réel ou durable. Ce n'était, paraît-il, pas un très bon amant, mais il gagnait à tous les coups car il avait tellement de charme, tellement d'esprit et un tel culot pour dire aux femmes ce que les autres n'auraient jamais osé leur dire, de leur proposer ce que les autres savaient d'avance qu'on leur refuserait.

Une fois, pendant qu'il était en Angleterre, à Stratford-upon Avon, on raconte que Richard, au milieu d'une réception, emmena dans la nuit une célèbre actrice américaine, chargeant ses amis de surveiller le mari qui était lui-même un acteur très respecté et légendaire, tandis que Richard donnait à son épouse une rapide preuve de son affection sur les bords de la Rivière Avon. Le plus étonnant fut non seulement qu'elle ait accepté, mais qu'ils aient été de retour par des portes séparées et se soient à nouveau mêlés à la réception avant que le mari ait seulement remarqué son absence.

Il eut une autre aventure, peut-être la plus brûlante, avec encore un couple d'acteurs célèbres, amis de Sybil et de lui-même et qui les avaient reçus plusieurs fois. Richard racontait cette histoire bien des années plus tard, disant comment il avait escaladé leur maison à Hollywood la nuit, en passant par le hangar à bois et fait l'amour à la femme sur un grand tapis blanc devant le feu, tandis que son mari dormait paisiblement dans sa suite à l'autre bout de la maison.

« J'en avais vraiment envie », disait Richard, se rappelant cette escapade. « Mais si vous défaites tout le contenu d'un hangar à bois, bûche par bûche, il faut être décidé pour arriver à faire quoi que ce soit quand vous êtes parvenu au bout. »

Richard n'avait pas toujours autant de chance avec les maris. Celui-ci découvrit ce qui s'était passé et en fit part à Burton. Il convoqua l'acteur dans son bureau et ce qui suivit varie selon l'auteur du récit. Il suffit de dire qu'aucun des deux hommes ne donna une haute idée du sens moral de l'autre.

Faire des films était fastidieux, et des situations scabreuses comme celle-ci et des mauvais pas comme celui-ci ajoutaient du piment à sa vie, car les journées passées sur le plateau en manquaient. C'était la même attitude provocatrice qui lui avait fait tant de fois risquer des raclées de son beau-frère pendant son enfance. C'était un jeu; et le danger constituait quatre-vingt-dix pour cent de l'amusement. Il n'éprouvait aucun scrupule à s'emparer de la femme des autres, et pas beaucoup plus à être infidèle à la sienne.

Sybil fermait les yeux sur presque toutes les aventures de Richard, mais il y en eut une qui dépassa les bornes. C'était la Saint-Sylvestre et tous ceux qui avaient un nom étaient à une grande réception à Hollywood. Richard dansait avec Jean Simmons et quand minuit sonna, chacun embrassa sa partenaire et but à la nouvelle année. Sous les yeux de tous les invités, Richard embrassa Jean lentement et passionnément sur les lèvres, tandis que ses mains glissaient sur ses seins et sur ses fesses et la serraient contre lui. Humiliée par une démonstration aussi voyante et publique, Sybil quitta la piste de danse et la réception, fit ses bagages et prit le premier avion pour New York. Quatre jours plus tard Richard la rejoignait et l'affaire était close. Le mariage dura encore quelques années.

Burton eut aussi bien des discussions pour se libérer d'une autre liaison avant de quitter Hollywood. Quand le tournage de *La Tunique* fut terminé, la Twentieth Century Fox prétendit qu'il était sous contrat exclusif avec eux pendant sept ans, pour une somme d'argent déterminée. Richard le nia. Ils dirent qu'un contrat avait été signé. Il fit remarquer que c'était son agent qui avait signé le contrat, et sans son autorisation.

Il résulta de tout cela que la Twentieth Century Fox attaqua en justice sa toute dernière star pour rupture de contrat.

Richard raconta plus tard ce qui se passa à un ami :

« D'un côté de la salle se trouvaient Darryl Zanuck et la moitié de la profession. De l'autre côté, moi, tout seul ; je n'avais même pas d'avocat. J'ai joué très à l'anglaise, très Ronald Colman.

» A un certain moment, l'un des avocats se leva d'un bond et me montra le poing en disant : " Vous avez serré la main de M. Zanuck pour conclure cet accord. Vous avez serré la main de M. Zanuck dans son bureau. "

» J'ai répondu : " M. Zanuck n'a certainement pas dit ça, car c'est un homme honnête. Mais s'il l'a fait, ce n'est qu'un foutu menteur. "

» Confusion totale dans l'assistance. Les plus forts s'évanouirent et les plus faibles durent les évacuer. Le lendemain matin, le téléphone sonna et j'entendis la voix d'une femme : " Avez-vous traité Darryl Zanuck de foutu menteur ? ", dit-elle.

» " Oui, je crois bien. "

» " Alors, vous avez besoin d'aide. J'arrive. " »

Cette femme était une avocate américaine chevronnée qui aida effectivement Burton à se sortir du pétrin légal dans lequel il s'était fourré. Elle continua par la suite à s'occuper de ses affaires.

Ainsi, pendant l'été 1953, libéré de la Twentieth Century Fox mais ayant accepté de revenir faire un film par an dans les sept années à venir, Richard rentra à Londres avec Sybil. Ils avaient apprécié le soleil, toute l'excitation d'un entourage extravagant, mais leur famille et leurs amis leur manquaient. Richard était très impatient de remonter sur scène et de jouer quelque chose de sérieux.

Il avait signé pour une saison Shakespeare à l'Old Vic, et devait commencer par *Hamlet,* dans le rôle-titre. Ce retour à Londres était cependant un coup dur pour ses finances. Pendant qu'il était à l'étranger, Burton avait fait trois films et gagné en tout 82 000 livres. L'Old Vic le payait 45 livres par semaine, c'est-à-dire 95 livres de moins que les sommes versées par le studio pour ses frais pendant qu'il était aux Etats-Unis. Richard avait un sens aigu de l'argent et disait souvent qu'il lui fallait un million de livres — somme colossale à cette époque et qui faisait rire ses amis —, et il fut épouvanté quand il calcula ce que les impôts britanniques allaient prélever sur ses revenus. Il s'aperçut qu'il ne lui resterait que 6 000 livres sur les 82 000. Cette idée l'obsédait.

Les répétitions d'*Hamlet* commencèrent en juillet et les semaines précédentes, Richard et Sybil descendirent au Pays de Galles voir leurs familles respectives. *Ma cousine Rachel* et *Les rats du désert* étaient sortis en Angleterre et Richard jouissait déjà d'une certaine notoriété. Il était heureux de jouer le rôle de l'enfant-des-Vallées-qui-a-réussi, et fit bon accueil aux attentions de la presse. Il séjourna chez Cis et Elfed à Port Talbot et rendit visite au reste du clan à Pontrhydyfen. Il posa avec bonne volonté (et selon leurs directives) pour les photographes : l'air méditatif avec les collines galloises en toile de fond ; le regard posé à mi-distance entouré de ses frères ; marchant avec son vieux père.

Ses frères et ses sœurs étaient tous très fiers. D'ailleurs tout le village était fier. Pourtant les réactions de son père l'attristèrent. Dic Bach n'avait pas suivi l'évolution de son fils avec le même enthousiasme que le reste de la famille. Il n'allait ni au cinéma ni au théâtre. Rien de tout cela ne l'intéressait et ces histoires le dépassaient. Il vivait dans son petit monde à lui et c'était un monde que Richie avait quitté.

Si Dic Bach avait l'impression d'avoir perdu son fils, Richard ressentait la même chose pour son père. Il pensait qu'il n'avait pas eu davantage un père qu'une mère. Dic Bach s'était débarrassé de lui tout enfant pour que sa sœur l'élève, et il avait sans regrets abandonné ses droits paternels quand à dix-sept ans Philip Burton était entré en scène. Ils ne partageaient même plus le même nom. Richard souffrait d'un profond sentiment de rejet dont il ne put jamais se débarrasser. Cissie lui avait donné tout ce qu'il pouvait attendre d'une mère ; il l'aimait profondément et emmenait partout avec lui une photo d'elle, mais ne rien pouvoir se rappeler de sa propre mère le troubla toujours. Il trouva cependant l'image du père avec son frère Ifor, de dix-neuf ans son aîné.

Physiquement, ils se ressemblaient beaucoup : Ifor remplaçait souvent Richard pour les essayages chez le tailleur. Il devint chauve très tôt, contrairement à Richard, et garda toujours son fort accent gallois, mais pour le reste il demeura très semblable à son frère par la stature et les traits. Il réunissait toutes les qualités dont Richard, dans ses moments de déprime, souffrait de manquer. Il était gentil, doux, loyal, d'une honnêteté et d'une respectabilité inébranlables. Gwen, sa femme, était aimable et intelligente. La grande tristesse de leur vie était de ne pas avoir d'enfants.

C'est vers Ifor que Richard se tourna, cherchant un interlocuteur et quelqu'un qui l'approuve. Il respectait son jugement et ce frère aîné devint un peu sa conscience. Philip Burton n'avait jamais incarné le père autrement que par son nom : mentor, certes, maître, critique, ami, quelqu'un envers qui Richard se sentait débiteur, mais jamais un homme vers qui il se tourna pour trouver une aide morale. En fait, maintenant qu'il avait une place dans le métier, qu'il possédait sa propre maison, était marié et ne faisait plus figure de découverte à Londres, il trouvait que Phil avait un côté vieille dame et sa pédanterie l'agaçait.

A l'Old Vic, Richard retrouvait ses vieux amis. Beaucoup d'anciens de Stratford appartenaient à la compagnie, y compris Robert Hardy, qui devait interpréter Laerte. Claire Bloom, avec qui il avait joué pour la dernière fois dans *The Lady's not for burning* quatre ans auparavant, devait incarner Ophélie.

Au début, Burton n'avait pas vraiment impressionné Claire Bloom. Son charme n'opérait pas sur elle. Paul Scofield l'attirait beaucoup plus. Quand elle sut que Richard devait jouer *Hamlet,* elle dit : « Mon Dieu, un type aussi balourd ! », remarque répétée à Richard par un autre membre de la compagnie.

Furieux, il déclara à un ami : « Je le lui ferai payer. Je l'aurai, et je l'aurai comme je veux. »

Ce fut le cas. Leur liaison dura plus longtemps que les autres, et elle s'acheva de manière plus grinçante aussi. Il la fit bien payer, mais pas en 1953.

Après les répétitions à l'Old Vic, la pièce fut présentée au festival d'Edimbourg au mois d'août et accueillie de façon mitigée par la presse. Burton avait beaucoup travaillé son rôle, non seulement avec le metteur en scène Michael Benthall, mais aussi avec Phil Burton ; cependant, aucun n'avait pu le tempérer. On jugea le Hamlet de Richard « plein de feu, de passion et de force », mais il prenait les grands passages poétiques à une telle allure qu'il « ne pouvait mettre en valeur leurs qualités poétiques ». Son interprétation tombait donc à plat, vide d'émotion. Les critiques furent cependant impressionnés par le combat opposant Hamlet et Laerte. Robert Hardy était un bon escrimeur, ce qui donnait plus de réalisme au duel, et bien que Richard manquât de maîtrise et de style, c'était un bagarreur. Il avait l'air tellement farouche au moment où le personnage finit par perdre son calme, que le public retenait son souffle et, terrorisé, se dressait dans la salle. Le sang coula une fois pour de bon, le jour où Richard toucha de son épée le front de Robert, mais ils étaient si concentrés, que ce fut le seul incident en cent une représentations.

La représentation la plus tendue fut celle à laquelle assista Winston Churchill. Richard fut sidéré de constater que le Premier ministre semblait se mettre à marmonner dès qu'il déclamait. Il comprit peu à peu que le vieil homme murmurait le texte d'*Hamlet* — et au grand désarroi de Richard, sans une erreur. A l'entracte, Churchill vint dans les coulisses. « Seigneur Hamlet », dit-il surprenant Burton dans sa loge, « puis-je utiliser vos toilettes ? »

John Gielguld, grand maître dans l'art de la gaffe, vint aussi dans les coulisses. Il avait passé une mauvaise soirée, mais avait prévu de souper avec Richard après le spectacle. Il ne savait trop que lui dire et fut soulagé de voir la queue d'admirateurs qui attendaient à la porte de la loge. Décidé à filer au restaurant pour retarder le moment d'exprimer son opinion, il passa la tête à travers la porte et dit : « Richard, mon vieux, je te précède ou j'attends que tu sois meilleur — je veux dire prêt ? »

Malgré les réticences de la presse, *Hamlet* fut la production la plus populaire de la saison. Mais c'est dans *Coriolan* que Richard

obtint les meilleures critiques. Il redevenait le brillant jeune
espoir du théâtre. Les critiques n'aimèrent pas son Toby
Belch dans *La nuit des Rois,* mais celui qui se fit réellement
éreinter fut Robert Hardy qui jouait Ariel dans *La Tempête.* Il
jouait le rôle presque nu, ce qui fit pousser des clameurs
outragées à toute la presse. On qualifia son interprétation
d'obscène et de répugnante, et le *Times* refusa de parler de la
pièce sans l'assurance du metteur en scène qu'Ariel serait
décemment vêtu aux représentations suivantes.

Robert Hardy en fut très perturbé et chercha du réconfort
auprès de son ami.

« Tant pis pour toi », dit Richard. « Pourquoi lire ces
idioties ? »

« Qu'est-ce qui ne va pas ? Je suis aussi mauvais qu'ils le
disent ? »

« Non », répliqua Richard avec colère. « Tu es trop bon.
Ils ne comprennent pas ce que tu veux faire. Cesse de te
tracasser ; ne t'affole pas. »

Hardy fonça de plus belle ce soir-là, jouant comme si les
critiques n'existaient pas ; il reprit confiance et courage.

Burton incarnait Caliban dans *La Tempête.* Cette saison-là
il joua aussi le Bâtard dans *Le Roi Jean.* C'est un rôle étrange,
très proche de celui d'un chœur antique, et le metteur en
scène, George Devine, le fit asseoir dans un coin de la scène
entre ses tirades, pendant que les autres acteurs continuaient à
jouer. Ce fut une catastrophe. Richard attendait, assis dans
son coin sans rien faire, et le public fasciné, ne le quittait pas
des yeux. Il fallut donc le laisser hors de scène jusqu'à ce que
vienne son tour. C'était un petit rôle, et il s'ennuyait beaucoup pendant les représentations. Il se demandait comment
mettre un peu d'animation dans tout cela. A un certain
moment de l'intrigue, pendant le siège de Moulins, les
barons, les princes et les comtes se lancent dans une série de
longs discours ennuyeux et le Bâtard doit les passer en revue,
le dos tourné au public, et dire un mot à chacun des digni-
taires. Un soir, Richard entra en scène et passant devant les
acteurs alignés, dit une obscénité à chacun d'entre eux, ce qui

obligea toute la distribution à se tourner à son tour, prise d'un irrépressible fou rire.

Quand la saison s'acheva à la fin du mois de mai, la compagnie partit faire une brève tournée en Angleterre, puis au Danemark pour y donner dix représentations d'*Hamlet* à Elseneur. Il s'ensuivit une merveilleuse semaine de plaisirs nocturnes. Tous les soirs, après le spectacle, les acteurs allaient souper, puis boire un verre, et à l'aube, ils embarquaient sur des yachts empruntés à d'aimables Danois complètement sous le charme.

En 1953, Richard travailla pour la Radio, enregistrant entre autres pour la première fois le 25 janvier la très célèbre « pièce pour voix » de Dylan Thomas, *Au bois lacté*. Thomas y raconte avec tendresse la vie d'une petite ville galloise au bord de la mer, Llareggub, de ses personnages — des gens comme Rosie Probert, le révérend Eli Jenkins, Mrs Willy Nilly, Evan the Death, Gossamer Beynon et le vieux marin aveugle en retraite, le capitaine Cat, — évoquant leurs pensées, leurs rêves et leurs secrets par le truchement bienveillant de deux narrateurs anonymes.

Thomas avait travaillé sur cette pièce de manière intermittente pendant presque dix ans, et il mourut un mois avant de l'avoir achevée et revue, si bien qu'il ne put jamais lire le rôle qu'il avait écrit pour lui-même. Le rôle de la Première voix échut donc à Burton, et c'était un cadeau : tout ce qu'il adorait ; le Pays de Galles, la poésie, une richesse de langage et une musicalité innées chez lui. Rien n'allait mieux à sa voix galloise riche et sombre.

« Pour commencer au commencement :

C'est le printemps, nuit sans lune sur le village, sans étoiles, d'un noir biblique, les rues pavées sont silencieuses et les bois pleins de gibier moutonnent, cahotent invisibles jusqu'à la mer noir de prunelle, lente, noire, noir de corbeau qui agite les bateaux de pêche...

Ecoutez. C'est la nuit dans la chapelle trappue et froide, où l'on chante en bonnet, avec ses bijoux, en noire alépine, foulard ou lacet de bottine noué autour du cou, toussant comme des chèvres, suçant des bonbons, somnolant pendant l'alléluia ; nuit dans la bière à quatre sous, calme comme un domino ; dans le grenier de Ocky Milkmar comme une souris furtive ; dans la boulangerie de Dar Bread, volant comme de la farine noire...

Rapprochez-vous maintenant.

Vous n'entendez dans la rue que les maisons qui dorment dans cette obscurité lente, profonde et salée, cette nuit enveloppante...

Vous ne voyez et n'entendez derrière les paupières des dormeurs que les voyages et les pays et les labyrinthes et les couleurs et les désarrois et les arcs-en-ciel et les chansons et les désirs et les fuites et les chutes et les désespoirs et la houle énorme de leurs rêves. »

Richard avait beaucoup aimé Dylan Thomas et il adorait sa poésie. La mort soudaine du poète, quelques jours seulement après son trente-neuvième anniversaire, avait été un grand choc pour lui, et cela d'autant plus que leur dernière conversation avait été difficile. Burton avait donné et prêté maintes fois de l'argent au poète durant ses dernières années, et Dylan s'en servait immanquablement pour boire. Peu avant sa mort, il était de nouveau sur la paille et avait téléphoné à Richard de chez Phil Burton à Londres pour lui emprunter 200 livres. Il prétendait que c'était pour ses enfants. Richard savait parfaitement à quoi s'en tenir et de plus, il n'avait pas cet argent en poche. Dylan lui proposa en échange les droits d'une pièce qu'il n'avait pas encore écrite. Richard refusa. Ce fut leur ultime contact. Dylan partit presque tout de suite pour les Etats-Unis, et mourut le mois suivant, le 9 novembre 1953.

Quand les représentations d'*Hamlet* furent terminées, Richard et Sybil partirent travailler de nouveau à Hollywood, ce qui au moins renfloua leur compte en banque. Burton commençait à voir le cinéma comme un moyen de « faire de l'argent ». Il touchait environ 50 000 livres par film pour trois mois de travail, travail qui demandait beaucoup moins d'efforts qu'une pièce de théâtre. Il n'y avait pas de public derrière les projecteurs pour juger chaque mouvement. Le metteur en scène formait un rempart entre le public et lui et tout ce qui était mauvais était coupé. Rien ne se passait dans l'instant et quand le film sortait, Richard était déjà loin. S'il disparaissait sans laisser le moindre souvenir, Richard s'en moquait bien. Il était riche, et quand la presse parlait de lui, c'était comme d'une star et il adorait ça.

De retour chez lui pour Noël en 1954, il fit cependant une expérience qui le bouleversa profondément. *La Tunique* était maintenant programmée sur les écrans depuis plus d'un an, même dans les cinémas de quartier, et tous ceux qui connaissaient Richard l'avaient vue. C'était le premier film pour lequel son rôle de Marcellus lui avait valu les éloges des journaux ; c'était aussi la première fois depuis des années que la censure britannique avait autorisé que l'on représente le Christ.

Richard fit sa tournée habituelle, allant voir tous ceux qui se souvenaient de lui dans Caradoc Street, y compris les Bagall, qui avaient un petit garçon de cinq ans, John. Richard avait toujours eu un faible pour lui. Il adorait les enfants et depuis des années il cherchait vainement à en avoir avec Sybil. Chaque fois qu'il rentrait au pays, il allait voir le petit John Bagall et ils faisaient ensemble une partie de foot dans la rue. Cette fois-là, le petit garçon se cacha derrière sa mère et refusa de lui parler.

« Allez, John », dit Richard, « tu viens jouer au foot ? »

« Non », dit John, « je ne veux plus jouer avec toi. Tu as crucifié Jésus ! »

Burton partit en janvier jouer *Alexandre le grand,* personnage encore beaucoup plus barbare, dans une autre grande épopée Hollywoodienne tournée à Madrid, avec Frédéric March dans le rôle de Philip et Claire Bloom. Elle jouait le rôle de Barsine, l'une des trois femmes d'Alexandre qui, expliqua-t-elle à la presse, était « réellement sa maîtresse ». C'était aussi sa position dans la vie. Claire était très amoureuse de Richard, et prête à faire n'importe quoi pour lui, mais Burton semblait enclin à mépriser son affection et à détruire leur liaison, aussi efficacement que toutes les autres.

Il était très destructeur par nature. Tant de bienfaits lui furent donnés pendant sa vie : le talent, la chance, et aussi les amis, tout comme les maîtresses, dont beaucoup auraient donné leur vie pour lui. Et pourtant, il s'arrangea pour décevoir tout le monde.

Ecrit, produit et dirigé par Robert Rossen, *Alexandre* ne fut pas le grand film annoncé par la publicité.

> « *Alexandre le grand* est pesant, clinquant, trop long et sans charme (écrivit Campbell Dixon dans le *Daily Telegraph*). Après être resté assis là pendant 161 minutes, j'avais moi aussi l'impression d'avoir fait l'aller et retour de l'Indus et d'être meurtri par ma selle.
>
> Alexandre m'est apparu comme un Tamerlan en tunique. M. Rossen le voit comme les romantiques et les fanatiques du pouvoir l'ont toujours vu, presque comme il se voyait lui-même, un Dieu grec destiné à imposer sa volonté au monde entier.
>
> Une telle conception a besoin de la poésie que Marlowe a donnée à Tamerlan, d'une très belle mise en scène, d'un acteur de génie, et tout cela est difficile à trouver. »

Richard lui-même vit bien qu'il s'était trompé. « Je sais que toutes ces épopées sont mauvaises, mais je croyais qu'*Alexandre le grand* serait la première réussie. Je me suis trompé. »

De retour à Londres, Robert Hardy avait eu beaucoup de succès à l'Old Vic. Il était resté pour la nouvelle saison quand Richard avait regagné Hollywood, et il venait de reprendre le rôle du Prince Hal dans *Henry IV*. La presse était délirante. Ils avaient maintenant tous deux ce personnage dont ils discutaient tant à la fin de la guerre. Tous deux avaient mis en pratique les idées qu'ils avaient en tête et ils étaient vengés.

Dès qu'il fut au courant, Richard téléphona de Madrid à Robert.

« On me dit que tu as eu un succès fantastique », dit-il. « Envoie-moi tous les articles, sur les deux parties. »

Quinze jours plus tard, il téléphona de nouveau à Robert.

« C'est formidable », dit-il. « Je te félicite. Tu sais que je dois retrouver la compagnie la saison prochaine pour jouer *Henry V.* Je ne le ferai pas. Je vais demander à Michael Benthall de te le laisser. Je viendrai jouer Othello et Iago en alternance avec Johnny Neville. »

Le geste était généreux, mais Burton n'avait pas encore le pouvoir de dicter les distributions à son directeur. Quand il retourna à l'Old Vic l'automne suivant, ce fut pour jouer le rôle d'Henry V.

Entre-temps, Richard retourna à Hollywood tourner *La mousson,* avec Lana Turner. Il y jouait le rôle d'un médecin indien. Ce fut un mauvais film, mal accueilli. Quand les critiques parurent, un journaliste demanda à Burton à sa descente d'avion, ce qu'il en pensait.

Richard attendit un instant, puis répondit au journaliste avec un large sourire : « Ah oui, ils disent qu'il ne pleut jamais à Ranchipur. »

Il ne voyait jamais ses films et il ne lisait jamais les critiques. « N'y pensez pas », disait-il. « Si elles sont bonnes, elles ne le sont pas assez. Si elles sont mauvaises, elles vous perturbent. Ne les lisez sous aucun prétexte. »

Il ne rêvait pas seulement de gagner un million de livres, mais aussi d'avoir une Jaguar. En 1955, peu avant de tourner *Alexandre le grand,* il acheta sa première Jag, une Mark 5 grise. Ce fut une expérience excitante, car c'était la première fois que Burton achetait une voiture neuve — les autres étaient des occasions — et le fait que ni lui ni Sybil ne sachent conduire n'entamait en rien leur plaisir. Son frère Ifor conduisait. Il venait de s'installer à Londres avec sa femme Gwen pour servir d'agent personnel à Richard et ils vivaient tous ensemble chez Richard à Hampstead. Ils les avaient déjà rejoints à Hollywood lors de leur dernier séjour.

C'était un arrangement idéal. Sybil aimait beaucoup son beau-frère et sa belle-sœur et Richard savait qu'il y aurait toujours quelqu'un auprès de sa femme pendant ses absences. Cela facilitait aussi ses aventures. Quand il ne rentrait qu'à l'aube, Ifor lui servait d'alibi. Il pouvait dire à Sybil qu'ils étaient allés boire un verre avec des copains, ou bavarder chez des amis, certain que Sybil ne resterait pas seule à attendre près du téléphone. Ifor n'approuvait pas du tout le comportement de son frère, mais il était forcé de conspirer, comme tous les amis de Richard. Ils le couvraient, et mentaient avec lui, surtout pour éviter que Sybil ne souffre.

Il lui arrivait aussi de faire des sacrifices matériels. Les Baker tenaient beaucoup à l'enregistrement original de *Guys and Dolls* ★ qu'ils avaient acheté en Amérique quand Stanley y jouait *A Sleep of prisoners* de Christopher Fry en 1951. Comme cette comédie musicale ne s'était pas encore jouée en Angleterre, ces disques étaient très appréciés et Stanley et Ellen les avaient apportés un soir chez des amis. Quand Richard arriva, trois filles fondirent en larmes et l'une d'elles, empoigna ce qui lui tombait sous la main, en l'occurrence les huit précieux disques de *Guys and dolls* et elle les lui cassa méthodiquement sur la tête.

L'année précédente, il s'était déroulé une scène tout aussi embarrassante alors que les Burton étaient aux Etats-Unis. L'actrice anglaise Dawn Addams épousait à Rome le richissime prince Vittorio Massimo, chef de l'une des familles nobles italiennes les plus anciennes. Ce fut l'un des grands mariages de l'année et les Baker y étaient invités. Ellen avait écrit à Sybil pour lui dire qu'elle avait commandé une robe pour le mariage, que tout cela allait être fabuleux, et Sybil lui avait demandé de transmettre à Dawn toutes ses amitiés. Quand elle finit par arriver au bout de l'interminable queue avec Stanley pour féliciter l'heureux couple, Ellen dit immédiatement : « A propos, chérie, Richard et Sibyl t'embrassent très fort. »

Dawn, mariée de rêve au bras de son prince, répondit : « Qu'il aille se faire foutre ! »

« Oh non ! » dit Ellen affolée. « Pas toi aussi ? »

« Tu ne le savais pas ? » dit Stanley, l'entraînant rapidement. « Tout Hollywood en a parlé ! »

★ Comédie musicale adaptée à l'écran sous le titre, *Blanches Colombes et vilains messieurs*. (*N.d.T.*)

Hormis quelques vigoureuses empoignades, quand le comportement de Richard dépassait les normes, même pour Stanley, les deux hommes étaient toujours aussi proches ; ils étaient comme des frères. Sybil et Ellen étaient aussi devenues des amies intimes. Elles avaient beaucoup de choses en commun : elles étaient toutes deux mariées à de rudes Gallois fanatiques de rugby ; elles avaient toutes deux renoncé à leur carrière d'actrice pour leur mari ; enfin, elles étaient l'une comme l'autre des femmes très séduisantes qui détestaient la forme de leurs jambes — ce que leurs maris ne savaient que trop bien. Dans la rue, Richard laissait passer les femmes devant. « Hey, Stan », disait-il. « Comment deux sex-symboles comme nous ont-ils pu épouser ces deux canards : la fesse basse et des jambes comme des poteaux ? »

Il y avait aussi des retours de bâton. La première fois qu'Ellen et Sybil se trouvèrent à New York ensemble, elles allèrent faire des courses chez Woolworth et achetèrent des croix de Malte identiques, en verre jaune à un dollar vingt. Quand Richard et Stanley rentrèrent ce soir-là à l'hôtel, elles montrèrent les croix, et dirent en bégayant un peu qu'elles ne savaient comment leur avouer qu'elles avaient été chez Tiffanys... La colère des deux hommes s'entendit d'un bout à l'autre de la Cinquième avenue.

Ils continuaient à se voir beaucoup tous les quatre et s'entourèrent d'un large cercle d'amis, et notamment de la plupart des acteurs gallois de Londres. Ils avaient une vie sociale très active. Réceptions, dîners, déjeuners se succédaient, et on passait beaucoup de temps dans les pubs. Burton adorait aussi le cricket, et quand la saison de rugby était finie, il allait avec ses amis voir les matchs. Chez lui, il écoutait la radio ou des disques, et il lisait. S'il avait un public, par exemple des amis venus déjeuner le dimanche, il passait l'après-midi à leur dire de la poésie. Il adorait parler et discuter, mais de moins en moins sur le théâtre. Elles étaient loin, les longues soirées de Stratford où l'on s'affrontait sur des problèmes de mouvements et de motivations. A cette époque, dès que l'on parlait d'interprétation, il éludait la question : « Oui, oui, d'accord, disait-il, venez plutôt prendre un verre. »

Juste avant l'ouverture de la saison de l'Old Vic à Waterloo Road, Richard fit une brève visite à Port Talbot pour parader avec sa Jaguar. Il s'arrêta d'abord chez Cissie, puis passa prendre Dillwyn avant de gravir la colline pour emmener son père prendre un verre. Le vieil homme avait alors quatre-vingts ans. Il n'y voyait plus guère et n'était jamais monté dans une voiture. On l'embarqua sur le siège arrière et on mit le cap sur le pub de Cwmavon road.

« Alors, qu'est-ce que tu penses de cette voiture ? demanda Richard en se retournant vers son père.

« Une voiture ? », dit Dic Bach. « Ce n'est pas une voiture, c'est une saloperie de bateau. »

Mais bientôt les Burton ne possédèrent plus une voiture, mais deux. Richard acheta une MG TF rouge vif à Sybil pour son anniversaire. Il la gara devant leur appartement d'Hampstead entourée d'un ruban rouge. Sybil ne savait toujours pas conduire, mais apprit très vite.

En décembre, *Henry V* commença et Burton se retrouva à l'Old Vic, attirant un public nouveau qui n'avait jamais vu de Shakespeare, mais qui venait applaudir la star de cinéma en chair et en os. Richard revêtait les collants qu'il détestait tellement, avec ces maquillages qu'il n'arrivait jamais à réussir et ayant atteint les trente ans, il commençait à se demander ce qu'il faisait de sa vie. Après avoir lutté avec tant d'obstination pour quitter les Vallées et bien que parvenu à se libérer de ses origines ouvrières, il se rendait compte que celles-ci le hantaient toujours. Il ne pouvait oublier que le travail accompli par les vrais hommes était dangereux, difficile, salissant, qu'il les tirait du lit à l'aube pour les ramener chez eux en fin de journée, épuisés. Et lui, pendant ce temps-là, se déguisait, se maquillait et paradait sur une scène. Ce n'était pas vraiment un métier d'homme, pas plus qu'apprenti tailleur, et toute sa vie il devait garder cette obsession.

De plus, il avait peur que le métier d'acteur n'émousse sa virilité. Le monde du théâtre était alors, comme aujourd'hui, abondamment peuplé d'homosexuels. Il était courant que les jeunes et beaux acteurs se voient faire des avances par des hommes en mesure de leur donner du travail. D'ailleurs beaucoup de ceux qui procurèrent des rôles à Burton étaient homosexuels, comme bon nombre de ses amis.

Emouvant, romantique et majestueux, son *Henry V* fut encore un grand succès. Quand il joua le rôle à Stratford, les critiques dirent qu'il s'était montré « un acteur de premier plan avec qui il fallait compter ». Depuis, « il avait mûri et s'était développé ». Son interprétation « alliait avec brio toutes les qualités d'un souverain shakespearien idéal ».

« Ce que l'on pouvait juger grinçant et métallique (à Stratford), s'est transformé en une force d'acier qui rejoint la sonorité martiale et la dureté éclatante du vers patriotique. On voit maintenant apparaître un sens romantique de la mission royale et une claire conscience de sa capacité à l'accomplir. »

Richard n'avait jamais eu d'aussi bonnes critiques, et pour y ajouter la reconnaissance officielle, il gagna en janvier le Prix Dramatique de l'*Evening Standard* pour le « meilleur rôle masculin ».

Le mois suivant il répétait *Othello,* deuxième pièce du répertoire. Reprenant une tradition qui, à une exception près en 1949, s'était perdue à Londres depuis un siècle, les acteurs jouant Othello et Iago, Richard et John Neville, alternèrent dans leurs rôles. De nouveau dans le rôle titre, on accusa Richard de déclamer platement, sans faire chanter le texte. Un critique jugea son interprétation « parfois impressionnante, parfois ennuyeuse » alors que son Iago était « plus satisfaisant parce que sans prétentions ». Ce fut John Neville qu'on apprécia le plus en Othello.

On ne vit jamais le troisième rôle de Burton cette saison-là, Thersites dans *Troilus et Cressida.* Deux semaines avant la première, il fut retiré de la distribution, soi-disant parce qu'il était épuisé et que les médecins lui conseillaient quelque repos. Ce n'était pas exactement la vérité. Il y avait en fait un conflit de personnalités avec le metteur en scène Tyrone Guthrie. « Tony » Guthrie n'avait jamais travaillé avec Burton et il était très inquiet de son statut de star de cinéma.

Richard qui avait toujours mal accepté d'être dirigé, s'opposa à lui ; ils en vinrent aux mains et Clifford Williams reprit le rôle.

Richard continua avec les deux pièces qu'il jouait déjà, ce qui était plus que suffisant. Henry V et Othello étaient des rôles épuisants. De plus, hors de scène il menait une vie de bâton de chaise, continuant à voire Claire Bloom, qui était installée dans un appartement à Chelsea, sortant, buvant avec les amis qui venaient voir le spectacle, passant la moitié de la nuit dehors, et pour tout arranger, inquiet pour ses finances, il songeait plus ou moins à s'exiler pour raisons fiscales.

Frank Hauser vint le voir pendant cette saison à l'Old Vic. Il avait quitté la BBC et avait le projet d'ouvrir un théâtre à Oxford, après une première tentative manquée. Il cherchait des fonds. Les Affaires Culturelles lui avaient alloué quelques subsides, les étudiants en avaient trouvé de leur côté, mais c'était loin de suffir. Il demanda à Richard s'il accepterait de venir jouer une ou deux pièces pour faire rentrer un peu d'argent.

Richard répondit qu'il ne le pouvait pas puisqu'il était sous contrat avec l'Old Vic, mais qu'il était prêt à l'aider financièrement.

« Tu nous aideras davantage si tu viens jouer », insista Hauser. « Combien peux-tu donner ? »

A son grand étonnement, Richard lui proposa 2 000 livres, ce qui était alors une somme énorme, bien plus que Frank n'avait songé à emprunter et il rentra à Oxford certain qu'il aurait assez pour lancer sa compagnie.

Frank n'entendit plus parler de rien pendant plusieurs semaines, jusqu'au jour où l'homme d'affaires de Burton l'appela pour lui demander de passer à l'Old Vic prendre l'argent. Cet après-midi-là Frank allait à un mariage, mais dit qu'il viendrait entre la matinée et la soirée. Il trouva Richard dans sa loge ; il jouait *Othello*. Il tendit à Frank le chèque de 2 000 livres.

« Tu l'as vue ? », demanda-t-il à Frank en parlant de la pièce.

« Non, dit Frank, mais je viendrai un soir de la semaine prochaine. Je suis censé me rendre à un mariage. »

« Impossible », dit Richard. « Il faut que tu restes. C'est la dernière ce soir. »

Frank resta. A la fin du spectacle, il passa en coulisse féliciter Richard, croyant qu'ils iraient dîner ensemble.

« Ecoute, je ne peux pas sortir », dit Richard, « mais mon homme d'affaires va t'emmener souper. D'accord » ?

Intrigué, Frank partit avec l'homme d'affaires, cette avocate américaine qui était venue au secours de Richard lors de ses démêlés avec la Twentieth Century Fox.

« Voilà », dit-elle, en dévoilant le secret. « Richard veut que vous renonciez au chèque pour le moment et que vous veniez faire un film avec lui. » Burton avait lui-même besoin de l'argent, mais plutôt que de reprendre sa parole et de laisser tomber son ami, il avait eu le geste de le lui donner et espérait le convaincre de le refuser. Il était malheureusement trop tard : la compagnie était formée et les 2 000 livres utilisées. Le comportement de Richard lui sembla toujours le comble de la délicatesse.

La Twentieth Century Fox finit par résoudre le problème de Burton, mais le film, *L'épouse de la mer* d'après le roman de J. D. Scott *Sea-Wyfe and Biscuit,* fut encore un fiasco. Il fut tourné à la Jamaïque avec Joan Collins qui jouait le rôle d'une religieuse qui, à la suite d'un naufrage, se retrouve seule sur l'île avec trois hommes dont l'un était Richard. La critique l'éreinta, mais Richard gagna plus d'argent en deux mois que pendant une année entière à l'Old Vic.

Il était devenu plus avisé. Son homme d'affaires veilla à ce que le fisc lui laisse de quoi vivre. Il investit pour l'avenir et fonda une société aux Bermudes où il touchait ce qu'il gagnait hors du Royaume-Uni. Il fit tout ce qu'il pouvait dans les limites de la loi, mais le seul moyen de devenir riche était de quitter complètement le pays. Avec Sybil, ils cherchèrent une maison en Suisse.

4

A la découverte de Mrs Jenkins

Ils trouvèrent une maison dans le petit village de Celigny, faubourg de Genève. Par sentimentalisme, ils l'appelèrent *Le Pays de Galles,* en français. Ils auraient pu s'en offrir une plus grande et plus belle mais la taille de la propriété importait pour obtenir les faveurs fiscales de la Suisse, et mieux valait une maison relativement modeste.

Ils firent d'énormes économies. Richard calcula qu'en gagnant 100 000 livres par an en Angleterre, il en donnerait 93 000 aux impôts. Vivant en Suisse comme résident à Genève, il n'en paierait pas plus de 700. Il ne voyait plus aucune raison de rester en Grande-Bretagne. Il savait que certaines choses lui manqueraient, mais rien ne valait 93 000 livres par an dans la vie anglaise : ni les matchs de rugby, ni les collines du Pays de Galles, ni la saison de cricket, ni le pub de Hampstead, ni même la compagnie de ses amis et de sa famille.

Burton voulait seulement être riche, et il ne l'aurait jamais été en vivant à Londres. De plus, si quelque chose lui manquait, il était à une heure et demi de Londres, à quarante-cinq minutes de Paris ou à deux heures de Rome. S'il ne pouvait plus faire un saut à Port Talbot voir sa famille, il pouvait lui payer le voyage jusqu'à Céligny. Il n'importait pas davantage que ni lui ni Sybil ne parlent pas le français. La Suisse attirait alors tant d'exilés fiscaux britanniques que toute une communauté s'était constituée dans la région.

Richard, cependant, n'avait pas le droit de posséder de biens en Grande-Bretagne et ne pouvait y passer plus de 90 jours par an sans payer d'impôts. Son travail s'y trouvait donc limité. Impossible, par exemple, d'assurer une autre saison à l'Old Vic. Impossible aussi de tourner des films en Angleterre ; ces contraintes furent les seules raisons qui poussèrent d'autres acteurs très bien payés comme Stanley Baker à rester dans leur pays.

Pour l'instant, les Burton avaient d'autres préoccupations. Sybil était enfin enceinte. Elle devait accoucher en septembre 1957 et ils attendaient fébrilement cette date. Mais cette bonne nouvelle fut vite suivie d'une mauvaise : le père de Richard venait de mourir à l'hôpital de Neath. Il était âgé de 81 ans et travaillait encore l'année précédente. Il avait passé cinquante ans au fond de la mine, et arrivé à l'âge de la retraite, s'était procuré d'autres emplois ; le dernier : veilleur de nuit pour une société de Port Talbot. Jusqu'à la fin il avait fait à pied les six kilomètres qui menaient à Pontrhydyfen.

Richard n'assista pas à l'enterrement. « Mon père n'était pas du tout sentimental », déclara-t-il. « Il aurait été choqué de savoir que j'avais parcouru plus de mille kilomètres pour assister à son enterrement. »

Burton avait beaucoup de travail, il tournait un autre film, un fiasco de plus, *Amère victoire,* réalisé en Libye. Il était question aussi d'autres films : la *Sainte Jeanne* de George Bernard Shaw avec Jean Seberg dans la production malchanceuse d'Otto Preminger ; on élabora un projet avec Marilyn Monroe entre autres, mais sans succès. Le seul projet qui se concrétisa fut une pièce d'Anouilh, *Léocadia.* Ce fut la rentrée de Burton sur la scène new-yorkaise.

Richard partit pour New York tout fier d'être père. La veille de son départ, Sybil avait donné naissance à une petite fille dans un hôpital de Genève. Ils l'appelèrent Kate. Sa fille venue au monde sans encombre, il laissa la mère et l'enfant à la garde d'une nourrice et s'envola pour les Etats-Unis. Sybil, Kate et la nourrice devaient le rejoindre plus tard.

Toute nouvelle production impliquait une nouvelle aventure.

Cette fois, il s'agissait de Susan Strasberg, jeune élément de la distribution. Elle avait tout juste dix-neuf ans et fut subjuguée par le charme de Burton. Il loua un appartement pour leurs rencontres, alla chez elle voir ses parents, et ne fit aucun mystère quant à leurs relations. Il la présenta à ses amis new-yorkais, à Philip Burton qui était maintenant installé là-bas, et même aux membres de sa propre famille qu'il avait invités à venir voir la pièce. Il lui avait appris un peu de gallois et quand ses parents arrivèrent, il lui fit réciter ce qu'elle savait.

« Qui aimes-tu ? » lui demanda-t-il.

« Ti rwyn du garu di (je t'aime) » répondit-elle. « Mwy na neb arall yn y byd (plus que quiconque au monde) ».

Elle était follement amoureuse de lui et fit une dépression quand il la quitta, des mois plus tard. La pièce resta huit mois à l'affiche, et bien qu'il fut discret quand Sybil arriva, l'aventure n'en continua pas moins. Pour Noël il donna à Susan une étole et un manchon de vison blanc et à Sybil un grand manteau.

Aucune de ses conquêtes ne se fit jamais d'illusions. Elles savaient toutes qu'il aimait Sybil. Il ne s'intéressait pas à elles parce qu'il souhaitait quitter Sybil ou parce qu'il était malheureux avec elle. Il ne prétendait même pas que sa femme ne le comprenait pas ; il ne remettait jamais en question son mariage, car non seulement Sybil le comprenait, mais elle l'adorait, et il était absolument sûr qu'en toutes circonstances elle ne le quitterait jamais. De son côté, Sybil était certaine que si elle le laissait mener sa vie, il ne l'abandonnerait pas. Elle savait pourtant qu'il était influençable. Les autres flattaient son ego, Sybil l'aidait à garder les pieds sur terre.

Son aventure avec Susan Strasberg s'acheva lorsqu'il rentra chez lui en juin, mais elle ne le comprit vraiment qu'en septembre, lorsqu'elle débarqua à l'improviste à Londres où il tournait un film d'après la pièce de John Osborne *Les corps sauvages*. Il avait Claire Bloom pour partenaire, ce qui créait un embouteillage de maîtresses. Il envoya une voiture du studio chercher Susan à l'aéroport pour la conduire jusqu'à sa loge à Elstree où avait lieu le tournage. A peine avait-elle franchi la porte qu'il se livrait à un tour de passe-passe, l'escamotant dans les toilettes dès que Claire entrait, pour que les deux femmes ne se voient pas. A la fin de la journée, quand il l'eut raccompagnée au Savoy et refusé de monter dans sa chambre de peur que quelqu'un ne les vît, Susan avait enfin compris.

L'idée de faire ce film était née quand Richard avait fait la connaissance de John Osborne à New York, quelques mois auparavant. Ils s'étaient rencontrés, au sens littéral du terme, alors que Richard était en pleine interprétation de *Knees Up Mother Brown,* au cours d'une réception très animée sur l'Hudson. Leur hôte était Laurence Olivier ; celui-ci jouait une autre pièce d'Osborne, *The Entertainer* et avait organisé une croisière nocturne sur le fleuve, servant à ses deux cents hôtes des anguilles en gelée à la mode Cockney et du poisson avec des frites dans des journaux anglais *.

C'était Emlyn Williams, grâce à qui tant de gens du métier s'étaient rencontrés, qui avait présenté Burton à Olivier. Ils s'étaient liés d'amitié et Burton se vantait toujours de lui avoir déclaré, à propos des mauvais films qu'ils faisaient tous deux : « Si tu tournes dans des navets, sois le meilleur navet du lot ! » A son tour, Olivier avait dit un jour à Burton : « Décide-toi. Veux-tu être un acteur ou seulement avoir un nom ? » Et Richard avait répondu : « Les deux. »

Mis en scène par Tony Richardson, *Les corps sauvages* fut pourtant une brève éclaircie. Le film n'était pas vraiment gai : c'était le tableau sans fard de la jeunesse et des illusions perdues, typique des années cinquante, et Burton y jouait le rôle de Jimmy Porter, jeune homme en colère, marchand de quatre saisons, intellectuel qui ne peut s'adapter au milieu bourgeois de sa femme. Richard ne correspondait pas au rôle. Il avait l'air trop vieux et pas assez paumé, mais on loua à juste titre sa voix et son étonnante présence, ce qui contribua beaucoup à rétablir sa réputation d'acteur sérieux.

C'était aussi son premier séjour en Angleterre comme non résident et sa fortune toute neuve crevait les yeux. Il descendit au Pays de Galles en Rolls-Royce et parla de son train de vie en

---

* Menu type des quartiers populaires londoniens. *(N.d.T.)*

94

Suisse : Cadillac décapotable, maison, compte en banque gorgé de dollars. On aurait dit le Père Noël descendu dans les vallées pour une tournée générale.

Par la suite, il offrit plus qu'une tournée. Il offrit à Cissie et Elfed une maison surplombant la mer, et permit à Elfed d'avoir une pension. Il acheta une maison pour Ifor et Gwen à Hampstead, un bungalow à Tom son frère aîné, ainsi qu'une maison avec terrasse à Pontryhdyfen pour Hilda, celle de ses sœurs qui s'était occupée de leur père avant sa mort. Il fit d'importants cadeaux au reste de la famille — une voiture à Will, à Verdun, à David et à Graham — et des chèques qui se mirent à arriver régulièrement. Il promit en outre un chèque de 25 livres à tous ses neveux et nièces qui entreraient au lycée.

Sa générosité ne se limita pas à sa famille. Richard organisa et finança une journée de vacances en car au bord de la mer pour les personnes âgées de Caradoc Street. Il continua à payer cette sortie tous les étés durant presque toute sa vie.

1959 le conduisit une nouvelle fois en Amérique pour deux autres mauvais films : *Le buisson ardent,* qui n'était guère justifié dès le départ et *Les aventuriers,* d'après le roman d'Edna Ferber qui avait pour thème les luttes familiales en Alaska. On dépassa le budget prévu et si Richard gagna beaucoup d'argent, il vit sa réputation tomber encore plus bas.

Puis, vers la fin de l'année, Moss Hart, qui avait écrit le scénario de *Le prince des acteurs* prit contact avec lui. Moss travaillait à un projet avec Alan Jay Lerner et le compositeur Fritz Loewe — créateur de *My Fair Lady* et de *Gigi* — et ils voulaient lui en parler. Il s'agissait de *Camelot,* d'après le livre de T. H. White *The once and future king,* sur la légende du Roi Arthur. Bien que les trois hommes n'avaient pas encore commencé à écrire, Julie Andrews avait accepté de jouer le rôle de Guenièvre et ils voulaient que Burton joue le Roi Arthur.

Richard n'avait jamais joué de comédie musicale, mais Alan Jay Lerner l'avait entendu chanter. C'était à Hollywood, au cours d'une réception donnée par George et Ira Gershwin, où Richard et Sybil avaient chanté des chants folkloriques gallois qu'il avait trouvés très jolis. Quand Moss Hart, pressenti pour la mise en scène, suggéra d'engager Burton, Alan fut tout de suite d'accord. L'idée enthousiasma Richard et il signa un contrat d'un an. Entre-temps, il fit de la télévision des deux côtés de l'Atlantique. Notamment il joua pour la BBC une autre pièce de John Osborne, *A subject for scandal and concern* — drame d'une heure pour lequel il toucha 1 000 livres — des broutilles, comme il le fit remarquer, comparé à ce que la télévision américaine l'avait payé. Pourtant, c'était le cachet le plus élevé que la BBC ait jamais payé pour deux semaines de travail.

A la fin de l'année, Richard était père pour la deuxième fois. On avait cru un moment que Sybil et Richard ne pourraient pas avoir d'enfants et ils avaient eu deux petites filles en deux ans. Richard espérait que cette fois ce serait un garçon — il désira toute sa vie avoir un fils — mais il fut quand même ravi de l'arrivée de cette autre petite fille qu'ils appelèrent Jessica.

Avant *Camelot,* Burton fit un feuilleton en trente-six épisodes sur la vie de sir Winston Churchill pour la BBC en Angleterre et la ABC en Amérique, *The valiant years.* Il prêtait sa voix à Churchill lisant ses mémoires de guerre. Certains pensent qu'il ne fit jamais rien de mieux. Il ne chercha pas à imiter Churchill : « J'ai pris pour modèle », expliqua-t-il à Roderick Mann du *Sunday Express,* «l'imitation faite par Peter Sellers d'un anglais de la haute société, sans aspirer les « h » et transformant les « r » en « w ». Le résultat fut fantastique et lui valut tous les éloges.

Les répétitions de *Camelot* commencèrent en septembre 1960. Elles auraient dû démarrer au printemps, mais la production de *Camelot* joua sans cesse de malchance. Alan et Fritz travaillaient encore sur la première version à Toronto, à Boston et quatre jours avant la première de Broadway, deux mois plus tard. Le soir de la création au nouveau O'Keefe centre de Toronto, le spectacle dura quatre heures et demie. Le rideau tomba à une heure moins vingt du matin. *Camelot* fut officiellement désigné comme « zone sinistrée » par les chacals de Broadway qui peuvent faire ou défaire un spectacle autour d'un verre au bar de Sardi, célèbre restaurant des gens du spectacle.

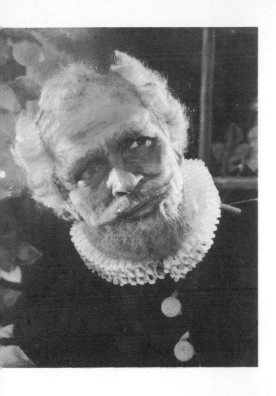

Dans le rôle de Sir Toby Belch dans *La nuit des Rois*. Il ne sut jamais se mettre une perruque ni se maquiller ; Robert Hardy le faisait pour lui. *(Photo Robert Hardy)*

Dans le rôle du Bâtard dans *Le roi Jean*. Ses répliques sur scène étaient si drôles que toute la distribution dut tourner le dos, secouée d'un fou rire général. *(Photo Robert Hardy)*

Burton retourna à l'Old Vic en 1955, attirant toute une génération qui n'avait encore jamais vu jouer Shakespeare.

Son *Henry V* valut à Burton les plus grands éloges et le prix très envié du meilleur acteur décerné par l'*Evening Standard*. Il avait toutes les qualités de l'idéal shakespearien du souverain. On le voit ici avec Zena Walker qui jouait le rôle de la Princesse de France. *(Photo Angus McBean)*

Dans *Othello*, Richard et John Neville renouèrent avec la tradition en jouant alternativement les rôles d'Othello et de Iago. On le voit ici avec Rosemary Harris. *(Photo Angus McBean)*

Leurs amis les appelaient « Rich and Syb » et ils semblaient faits l'un pour l'autre. Les autres nourrissaient son ego, Sybil le maintenait en contact avec la réalité. *(Rex Features)*

La lecture était le plus grand plaisir de Richard. Il rêvait de posséder mille titres de la collection Everyman. *(Camera Press : photo Tom Blau)*

En 1957, Richard et Sybil achetèrent une maison en Suisse à Céligny et Burton devint un exilé fiscal. *(Camera Press : photo Bob Penn)*

Page de gauche, en haut : Dans le rôle de Jimmy Porter dans *Les corps sauvages*. Mais c'était une erreur de distribution ; il avait l'air trop vieux et trop dégourdi. *(Camera Press)*

En bas : « Je suis, finalement, l'authentique voix de ma patrie torturée, le Pays de Galles. » *(Rex Features)*

Ci-dessus : En Marc Antoine dans *Cléopâtre* : « Tout de bruit et de fureur, et ce qu'il exprime est surtout le triste gâchis d'un grand talent. » *(Camera Press : photo Bob Penn)*

Richard et Sybil avec Kate, leur fille aînée en 1962 : une famille heureuse sur le point de se séparer. Depuis des mois, il était déchiré entre son devoir envers Sybil et sa passion pour Elizabeth Taylor et il hésita pendant des mois. *(John Topham Picture Library)*

Burton et Taylor au début de leur liaison. Richard porte le costume qu'il alla acheter spécialement pour faire connaissance avec l'amie chic d'Elizabeth, Sheran Cazalet. *(Photo Sheran Hornby)*

Burton dans la production d'*Hamlet* de John Gielgud. L'occasion de jouer Shakespeare sans perruque ni collants le séduisait beaucoup. *(Rex Features)*

Elizabeth avec Richard et son père adoptif, Philip Burton en 1964. Elle avait réconcilié les deux hommes et gagné à jamais l'estime de Philip. *(John Topham Picture Library)*

Il fallait décider de couper au moins une heure et demie. Deux jours plus tard, le chirurgien chargé de cette opération était lui-même à l'hôpital, pris d'un malaise et se retrouvant hors du circuit pour deux semaines. Il relevait d'une dépression nerveuse et sa santé était encore fragile. Le jour où il sortit de l'hôpital, sa chambre fut prise par Mess Hart qui venait d'avoir une crise cardiaque et qui ne put reparaître avant la fin des représentations. Et Fritz, le troisième larron, se remettait lui aussi d'une crise cardiaque et n'était pas encore complètement rétabli. Sans metteur en scène, avec un public présent tous les soirs, un plateau de soixante et une personnes, et une comédie musicale à remodeler entièrement, la tension fut trop forte. Alan et Fritz, qui pourtant en avaient vu de toutes les couleurs ensemble depuis dix-huit ans, commencèrent à craquer.

Le spectacle atteignit Broadway par miracle. Les critiques n'y prêtèrent guère attention, le public quitta la salle par douzaines et même, certains soirs, par centaines et *Camelot* semblait condamné à mort.

Noel Coward était dans le public le soir de la première sur la 44ᵉ rue, parmi les autres stars et les célébrités, et c'est lui qu'Alan vit le premier après la chute de rideau. Richard s'amusait souvent dans les salons à imiter ce que disaient certaines personnes du milieu théâtral quand elles vous rencontraient après une première, et il avait souvent contrefait Noel Coward. Selon Richard, il venait vers vous, vous posait la main sur l'épaule et disait « tès, tès » doucement : « mêveilleux, mon chéri, mêveilleux. » Alan rencontra Coward dans l'allée juste devant la porte des coulisses. « Il vint vers moi » dit Lerner, me mit la main sur l'épaule et dit « tès, tès » doucement, « Mêveilleux, mon chéri, mêveilleux. »

Quelques semaines plus tard, Moss Hart était de retour, complètement guéri. Il put voir le spectacle d'un œil neuf. Il proposa quelques modifications et poussa Alan et Fritz à refaire certains passages. Ceux-ci s'exécutèrent.

L'ultime salut vint du « Ed Sullivan show », le programme de variété le plus populaire de la télévision américaine à cette époque. Pour marquer le cinquième anniversaire de *My fair lady,* Ed Sullivan avait décidé de consacrer une heure entière à Lerner et Loewe en leur laissant carte blanche. Ils firent donc venir la moitié des artistes de *Camelot* et consacrèrent l'essentiel du show aux chansons de cette comédie, y compris celle du titre chantée par Burton et « What Do The Simple Folk Do ? » par Julie Andrews. Le lendemain matin, la queue pour la location faisait le tour du théâtre et *Camelot* devenait un énorme succès. Burton, selon un critique, donnait une « interprétation majestueuse » du Roi Arthur. Certes il ne chanta jamais aussi bien que Graham, son frère cadet, mais il avait une belle voix.

Richard s'était vraiment bien comporté dans cette épreuve et encore aujourd'hui, Alan Jay Lerner reconnaît que sans lui le spectacle ne serait jamais arrivé jusqu'à New York. Au lieu de jouer les stars capricieuses, il allait trouver Alan qui, tout en remodelant le texte, remplaçait Moss comme metteur en scène, et lui disait : « Ecoute, chéri, tu ne vas pas avoir le temps de faire répéter les doublures. Je vais le faire à ta place. » Il eut une patience infinie, acceptant que son texte change tous les soirs, gardant le moral et s'efforçant de remonter aussi celui de la troupe.

L'alcool restait cependant son meilleur soutien. Se rappelant tout ce qu'il ingurgitait, Alan raconte : « Quand tout homme normalement constitué se serait écroulé, Richard restait solidement sur ses jambes au milieu de la pièce, récitait Dylan Thomas de A à Z et déclamait tous les rôles de Shakespeare à son répertoire. »

Un médecin de ses amis, découvrant les mêmes capacités chez un autre individu, expliqua plus tard : « Le foie et les reins des Gallois doivent être faits d'un alliage de métaux différent de celui des autres hommes. Comme pour les avions, le métal peut finir par s'user. »

Bien qu'il arrivât souvent au théâtre avec quelques verres dans le nez, Richard ne manqua jamais une représentation. L'alcool avait seulement pour effet de rendre sa voix un peu rauque. Parfois il se présentait sans voix, et Alan lui conseillait de rentrer chez lui. Mais il tenait à assurer le spectacle quand même et il retrouvait toujours sa voix ; au moment où il entrait en scène, elle sonnait aussi bien que s'il revenait de vacances.

Une fois pourtant, un rhume qui dégénéra en laryngite le rendit aphone. Lors d'une matinée à Toronto, il termina le premier acte en murmurant. C'était à ce point de l'intrigue où Arthur avoue connaître l'amour de Lancelot et de Guenièvre, mais décide qu'il les aime trop tous deux pour s'interposer et qu'avec l'aide de Dieu ils surmonteront cette épreuve. Dite dans un murmure, cette scène devint tellement émouvante qu'une vieille dame assise au premier rang ne put s'empêcher d'aller consoler ce pauvre Arthur. Elle lui tendit les bras et commença à escalader la fosse d'orchestre. Le chef la vit heureusement à temps et put la retenir avant qu'elle ne tombe la tête la première sur les premiers violons. Richard la vit arriver mais réussit à contenir son fou rire jusqu'à ce que le rideau tombe. Les spectateurs des premiers rangs furent quelque peu surpris d'entendre ce pauvre Arthur si triste hurler de rire derrière le rideau.

Comme d'habitude, le spectacle terminé, le pauvre et triste Arthur tenait toute la compagnie sous le charme. Comme le joueur de flûte, il les attirait tous autour de lui au bar ou dans sa loge confortablement meublée du Majestic et il les abreuvait d'histoires de son grand-père, des grand-pères des autres, d'Oxford, d'Hollywood, de ses partenaires, des films dans lesquels il avait joué. Et comme toujours, les filles ne résistaient pas à ses avances. Tout le monde le savait, si bien qu'au moment où le chœur chantait : « Je me demande ce que le roi va faire ce soir ? » tous chantaient « Je me demande qui le roi va se faire ce soir ? » Burton adorait ce changement dont il se vanta beaucoup.

Ses exploits étaient tels que Robert Goulet, qui jouait le rôle de Sir Lancelot, le chevalier qui tombe amoureux de la Reine Guenièvre s'éprit d'elle aussi dans la vie réelle mais fut éconduit. Il demanda quelques conseils à Richard qui l'envoya promener. « Pourquoi est-il venu me voir ? », demanda-t-il « Moi aussi je me suis cassé le nez. »

Richard avait un contrat d'un an pour *Camelot,* mais en juillet

1961, un mois avant expiration, il annonça à Alan son intention de reprendre sa liberté. Un des grands producteurs de la Twentieth Century Fox, Walter Wanger, venait de lui proposer 250 000 dollars pour trois mois de tournage à Rome pour incarner Marc Antoine dans cette *Cléopâtre* annoncée à grand renfort de publicité. Il toucherait en plus mille dollars par semaine pour ses frais personnels, et l'on mettrait une villa et du personnel à la disposition de Sybil et des enfants.

Cléopâtre était encore une production maudite. Le tournage, qui aurait dû commencer l'automne précédent au studio de Pinewood, avait été reporté à cause d'Elizabeth Taylor, interprète du rôle-titre et sans cesse malade. On commença à tourner quelques séquences sans elle, mais d'autres problèmes et le mauvais temps retardèrent l'entreprise et après avoir ainsi dépensé deux millions de dollars, on décida de faire une pause. L'année suivante vit la démission du metteur en scène et on fit venir à grands frais Joseph Mankiewicz pour reprendre les choses en main. Peter Finch et Stephen Boyd, respectivement César et Marc Antoine, n'étaient plus disponibles, et il fallut refaire la distribution. On songea alors à Richard pour le rôle d'Antoine. Mais avant même que Mankiewicz pût lui en parler, Elizabeth Taylor se retrouva clouée au lit dans sa chambre du Dorchester pour une pneumonie et on se demanda même pendant huit jours si elle survivrait.

Elisabeth Taylor était une star qui fascinait le public depuis son enfance, dans des films comme *la fidèle Lassie* et *Le grand National*. Anglaise de naissance, son père était un marchand d'œuvres d'art fortuné qui avait émigré aux Etats-Unis au début de la guerre. A vingt-neuf ans, elle était au zénith de sa beauté et s'imposait comme l'une des stars les plus célèbres et les plus adulées du monde cinématographique. Ses mariages et les déclarations publiques qui les accompagnaient (chaque fois c'était pour la vie) contribuaient beaucoup à faire parler d'elle.

A dix-huit ans, elle avait épousé Nicky Hilton, héritier de la célèbre chaîne d'hôtels. « Votre cœur sait bien quand vous rencontrez l'homme qu'il vous faut », avait-elle dit. « Sans aucun doute, c'est avec Nicky que je veux passer ma vie entière. » Huit mois plus tard Elizabeth passa au numéro deux, l'acteur anglais Michael Wilding, deux fois plus âgé qu'elle et alors marié à l'actrice Kay Young. « Je ne veux rien d'autre que sa présence, qu'être sa femme », dit-elle. « J'ai tellement besoin de sa maturité. » Avant de l'abandonner à son tour, Elizabeth eut deux fils de Michael Wilding, Michael et Christopher. En 1957, elle épousait le producteur de film Michael Todd. Il était lui aussi deux fois plus âgé qu'elle. Quand elle le rencontra, il venait de divorcer de Joan Blondel et de se fiancer avec Evelyn Keyes. Ils eurent une petite fille, Liza et quatorze mois plus tard il se tuait dans un accident d'avion. Elle se consola avec son meilleur ami, le chanteur Eddie Fischer, alors marié à Debbie Reynolds.

Tout le monde chérissait Debbie Reynolds et le public d'Elizabeth fut très choqué. On l'aspergea de vitriol, on l'appela la « femme écarlate », la veuve perverse, la briseuse de ménages — bien que celui-ci ne fut que théorique depuis des années — et la pression fut telle qu'il lui fallut bien épouser Eddie. Ils se marièrent le jour même où Debbie Reynolds obtenait le divorce, le 13 mai 1959 et Elizabeth déclara : « Notre lune de miel va durer trente ou quarante ans. »

Ce souhait si romantique ne suffit pas à apaiser le courroux du public, car ce n'était pas le premier. L'hostilité était si forte que les Theater Owners of America qui l'avaient désignée comme « Star de l'année » pour son interprétation de *La chatte sur un toit brûlant,* firent machine arrière et lui retirèrent le prix.

C'est alors qu'elle frôla la mort et tout fut pardonné. Une grippe évolua en pneumonie à staphylocoque et elle dut le salut à l'intervention d'un jeune médecin à l'esprit vif présent à une réception au Dorchester. Il se précipita dans sa suite et lui enfila un mince tuyau de plastique dans la gorge pour lui permettre de respirer avant qu'on ne l'emmène à l'hôpital pour une trachéo-tomie. Au cours de l'opération, elle cessa quatre fois de respirer et l'on communiquait des bulletins de santé tous les quarts d'heure à la foule des journalistes attendant en permanence devant la *London Clinic.* Ses parents arrivèrent d'Amérique en avion pour rester à son chevet, le médecin de la Reine, Lord

Evans et dix autres docteurs s'affairaient ; et quand le drame fut achevé, moins d'une semaine plus tard, le Docteur Carl Goldman expliqua à la presse que « sur cent cas de pneumonie comme celle contractée par Miss Taylor, on en guérissait rarement deux. »

Son public avait tout pardonné. Lettres, télégrammes et fleurs arrivaient en masse. On parlait encore d'elle plus qu'auparavant. Comme pour marquer officiellement son retour en grâce, on lui donna un Oscar pour son rôle dans *La Vénus au vison* dès sa sortie de l'hôpital.

La Twentieth Century Fox, qui avait songé à remplacer Elizabeth, comprit soudain qu'elle avait en main un atout supplémentaire, et qu'il valait mieux retarder encore le tournage. Elle payait Elizabeth plus qu'aucune actrice ne l'avait jamais été dans l'histoire du cinéma : un million de dollars pour soixante-quatre jours de tournage, plus trois mille dollars par semaine pour ses frais et d'autres avantages en nature : appartements, villas à Rome et Rolls Royce pour la conduire au studio.

La production finissait par dépasser de beaucoup ce qui avait été prévu. Libérer Mankiewicz de ses engagements avait coûté trois millions de dollars et la Twentieth Century Fox avait dû payer cinquante mille dollars pour que Burton abandonne *Camelot*. En septembre, tout était néanmoins en route et on demanda à Richard de rejoindre Rome à la fin du mois.

Il partit donc pour Rome avec Sybil, les enfants, Ifor et Gwen. Ils s'installèrent tous dans une villa de la voie Appienne et l'année s'acheva sans que Richard ait eu quoi que ce soit à faire. Le metteur en scène filmait le début du film avec Elizabeth Taylor et Rex Harrison qui jouait Jules César. Richard n'avait qu'à sortir de temps à autre de derrière une colonne. En dix-neuf semaines, il passa cinq jours sur le plateau et quand on eut vraiment besoin de lui, on était déjà en janvier. Or, selon les termes de son contrat, Richard entrait dans une période de très lucratives heures supplémentaires.

Burton s'ennuya beaucoup et se sentit frustré pendant ces semaines d'inactivité. Mais, avec Sybil, ils avaient des amis à Rome et il ne manqua pas de partenaires pour boire : Roddy

McDowell, qui avait le rôle d'Octave, et qui jouait avec lui dans *Camelot* l'année précédente, Rachel Roberts, amie du temps de Stratford qui tomba amoureuse de Rex Harrison pendant le tournage et l'épousa, Katlin, la veuve de Dylan Thomas et Stanley Baker, à Rome pour tourner *Eve,* avec Jeanne Moreau.

Joseph Losey avait très peur que Richard ne courre après Jeanne Moreau et ne mette son film en péril. Il avait supplié Stanley Baker de le tenir éloigné d'elle. Mais Losey se trompait de femme. Ils étaient un jour en train de prendre le thé juste en face des studios avec toute une bande quand Richard les quitta pour aller voir Elizabeth Taylor tourner sa scène de nu. Il revint tel un possédé, délirant sur sa beauté, et tout le monde savait qu'en un rien de temps il la mettrait dans son lit.

Et bientôt, le monde entier sut que c'était arrivé. Richard fit une erreur fondamentale. Il n'était encore jamais venu à Rome et il n'avait jamais vu les « paparazzi » — ces photographes de presse indépendants qui traquent les stars dans leur vie privée et grossissent à la loupe leurs faits et gestes. Il n'avait jamais été très discret sur ses aventures et il ne cacha pas davantage celle-ci.

Il fit encore une autre erreur. Elizabeth Taylor, malgré tous ses mariages, avait un code de morale personnelle très strict. Elle avait toujours été fière de ne pas courir les aventures dans un métier où cela était si fréquent. En un mot, elle épousait les hommes qu'elle prenait pour amants, quelle que soit leur situation conjugale. Richard Burton ne faisait pas exception à la règle.

Richard pensa pouvoir s'arranger. Ses amis lui dirent qu'il était en terrain inconnu, que rien ne se passait comme d'habitude, mais il n'en tint pas compte. Il affirmait qu'il avait déjà eu des aventures et qu'il s'en était toujours tiré. Sybil ne le quitterait pas. Qu'y avait-il de différent avec Elizabeth Taylor ?

Mais elle était différente. Pratiquement personne n'a rencontré Elizabeth Taylor sans être pris au charme. Que ce charme émane de la femme elle-même ou du magnétisme de ce qu'elle représente — un tel éclat et une telle célébrité, ou un mélange des deux — elle a des admirateurs de tous âges et des deux sexes. S'il leur arrive de condamner son comportement, ils ne l'en adorent pas moins.

Ce mélange attira aussi Richard. Depuis qu'il était adulte, il mettait sa virilité à l'épreuve, démontrant qu'il pouvait avoir toutes les femmes qu'il voulait, à n'importe quel prix, en prenant tous les risques, comme poussé par une sorte de frénésie. Elizabeth était la récompense suprême : la femme la plus belle du monde, la plus célèbre et la plus désirée. Et lui, Richard Burton, fils d'un mineur gallois de Pontrhydyfen, pouvait l'avoir.

Richard lui avait été présenté comme l'Acteur Shakespearien, le nouvel Olivier, le fougueux gallois à la belle voix, féru de poésie, et dont la réputation d'excellent amant n'était plus à faire. L'homme avec qui tout le monde voulait être. Son mariage avec Eddie Fischer avait été une erreur. Elle s'était inclinée devant l'opinion publique mais cherchait une porte de sortie, une note de romantisme dans sa vie. Il était évident que Richard de son côté était disposé à tout : il l'était d'ailleurs toujours. Elizabeth décida qu'elle l'aurait — la balle était dans son camp pour la première fois — et on lui avait bien rarement refusé ce qu'elle voulait.

Sybil fut au courant de ce qui se passait bien avant que la nouvelle ne soit publique, mais elle ne dit rien, comme pour toutes ses aventures, et garda sa tristesse pour elle-même. Il grimpait dans le lit à côté d'elle au petit matin, parfois trop ivre pour retirer ses vêtements. Une nuit, il se coucha avec une cigarette allumée et s'endormit en la gardant à la main. Sybil s'éveilla plus tard et vit la chambre pleine de fumée car la literie se consumait à petit feu. Elle essaya de réveiller Richard mais il dormait trop profondément. Elle traversa alors la villa en courant pour alerter Ifor et le reste de la maisonnée, et avec ce dernier, elle mit Richard en sécurité dans le jardin. Dans cette atmosphère de drame, ils s'aperçurent soudain que personne n'avait sorti Jessica qui dormait au dernier étage. Sybil se rua dans la maison enfumée et sauva la petite fille à temps.

Jessica avait deux ans. Elle était ravissante mais ne parlait pas encore et cela tourmentait Sybil de plus en plus. Elle avait commencé par dire à tout le monde que c'était normal, que beaucoup d'enfants parlaient très tard. Puis elle avait tenu ses amis éloignés de l'enfant; comme par hasard, Jessica n'était jamais là quand ils venaient. Elle en était maintenant arrivée au stade où elle devait affronter le fait que quelque chose n'allait pas chez sa plus jeune fille.

Au début février Richard et Elizabeth dînaient ensemble sans se cacher dans un restaurant appelé « Alfredo ». Les rumeurs qui avaient circulé dans la ville étaient maintenant écrites noir sur blanc à la une des quotidiens du monde entier. Deux jours plus tard, Sybil faisait ses bagages et partait pour New York essayer de trouver un appui auprès de Philip Burton. Richard devait se rendre à Paris pour terminer *Le jour le plus long* et avant de partir il avertit Elizabeth que leur aventure était terminée : Sybil passait en premier.

Elizabeth accueillit fort mal la nouvelle et cette nuit-là on l'emmena d'urgence à l'hôpital : elle avait pris une trop forte dose de somnifères. Pour la première fois, Richard eut la sensation de perdre pied; et quand Philip Burton envoya à son ancien pupille un câble de New York pour lui dire sa profonde désapprobation, Richard prit son téléphone et dit à son aîné, sans mâcher ses mots, de se mêler de ses affaires. Ce fut le début d'une brouille qui dura plus de deux ans.

D'autres liens se brisèrent à cette époque. Il y eut beaucoup d'allées et venues dans les semaines suivantes. Sybil revint quelque temps. Eddie Fischer partit, puis réapparut pour donner une grande réception à l' « Hosteria de l'Orso » pour les trente ans d'Elizabeth. Puis il s'en alla à nouveau et entra à l'hôpital pour se reposer. Emlyn Williams prit l'avion pour Rome et tenta de raisonner Richard. Mais, dans la voiture qui les ramenait de l'aéroport, Richard se tourna vers lui et lui dit très calmement : « Dwi am briodi'r eneth'ma (je vais épouser cette fille). » Stanley Baker essaya à son tour de lui faire entendre raison. Et Ifor le supplia d'arrêter avant qu'il ne soit trop tard. Les démentis en tous genres se succédaient dans la presse. Eddie Fischer déclara aux journalistes que les rumeurs sur la rupture de son mariage étaient sans fondement et il téléphona de New York à Elizabeth en présence de la presse pour qu'elle le confirme elle-même. Elle refusa.

C'en était trop pour Sybil. Elle rassembla ses affaires, quitta la villa et Rome, emmenant avec elle les enfants et Liliana, la nurse italienne qui s'occupait d'eux.

Ifor montra clairement quel parti il prenait. Les deux frères eurent une dispute si violente sur le comportement de Richard qu'ils en vinrent aux mains. Cet homme doux et tolérant que Richard adorait était épouvanté et il le lui dit. De toutes les critiques, de tous les reproches, de tous les avis venant d'amis, de parents ou de collègues, ce fut la condamnation qui blessa le plus Richard. Ifor refusa de le voir et de lui adresser la parole, et il fallut plus de deux ans pour qu'ils se réconcilient.

Burton se retrouva seul à Rome. Il n'avait pas le choix, même s'il avait voulu rejoindre Sybil et reprendre la vie commune, car il devait être en permanence sur le plateau, tout comme Elizabeth. Leur aventure se poursuivit au grand jour. La presse rapportait fidèlement chaque détail de leur vie quotidienne : ils déjeunaient, ils dînaient, ils allaient à la plage ou dans les night clubs, buvaient du champagne, s'embrassaient, se disputaient.

Rentrée à Londres, Sybil apprit la vérité sur Jessica. Après une série de consultations et de tests, les spécialistes avaient diagnostiqué de l'autisme. L'autisme est une maladie encore mal connue. Les enfants qui en sont atteints ne présentent aucun trouble physique ni intellectuel, mais à la suite d'un traumatisme caché, se murent en eux-mêmes, et ne s'expriment que par la colère. Les cas varient en intensité, mais Jessica, selon eux, était atteinte à cent pour cent ; elle ne parlerait certainement jamais et ne guérirait pas davantage. Elle resterait coupée du monde et très difficile à vivre.

Richard s'effondra en apprenant la nouvelle, et se réfugia, comme d'habitude dans la boisson. Il ne parvenait pas à faire face. Il se sentait coupable, vaguement responsable de ce qui était arrivé. Il avait toujours eu peur de l'hérédité et son instinct le poussait à s'enfuir. Il fut déchiré pendant des mois entre son devoir envers Sybil et son attirance pour Elizabeth, et il hésita longuement.

A la fin juillet, quand le tournage de *Cléopâtre* fut terminé, il partit avec Elizabeth, Rex Harrison et Rachel Roberts passer quelques semaines à Portofino. Puis, ils se séparèrent : Richard retourna auprès de Sybil et des enfants à Céligny et Elizabeth rentra chez elle à Gstaad, à une heure de voiture. Très vite ils recommencèrent à se voir et Sybil décida de s'éloigner et de rentrer à Londres. Elle l'aimait encore et avait eu la force de pardonner le chagrin comme les humiliations, mais maintenant il lui en demandait trop. La presse qui guettait chaque incident, la rendait folle. Si Richard voulait la retrouver, il savait où elle était et elle attendrait qu'il se décide.

En attendant, elle s'efforçait d'oublier. Elle quitta la maison qu'elle avait partagée avec Burton à Squires Mount, laissant les enfants avec Liliana, Ifor et Gwen, et elle s'installa chez des amis. Elle avait des douzaines d'amis et n'était jamais à court d'invitations. Tout le monde l'adorait et se sentait prêt à tout faire pour lui remonter le moral. Elle loua un appartement à Brompton Square et se lança dans une vie mondaine épuisante, dansant la nuit, dormant le jour. Elle était de toutes les premières londoniennes, allait au restaurant et dans les réceptions. On la retrouvait ensuite au « Ad Lib », la boîte de nuit la plus à la mode, où elle dansait jusqu'à l'aube. Elle vécut quelque temps avec l'écrivain Bert Shevalove à Pelham Square, tandis que l'on donnait sa pièce *A funny thing happened on the way to the forum,* et la maison ne désemplissait pas. Les visiteurs se succédaient, la Princesse Margaret et Lord Snowdon, Dirk Bogarde, qui tomba très amoureux d'elle. Des amis plus anciens venaient aussi : Emlyn et Molly Williams, Robert Hardy et sa femme Sally, Frank Hauser, Stanley et Ellen Baker, la chanteuse Alma Cogan — tous ces amis qui l'avaient connue comme membre de l'équipe « Rich et Syb » et qui n'en revenaient pas de ce qui s'était passé.

La gloire londonienne de Sybil fut à son zénith pour son trente-troisième anniversaire. Dirk Bogarde et Alma Cogan organisèrent pour elle une fête d'anniversaire surprise au « Ad

Lib ». C'était la première fois que le club acceptait une réception privée. Ce fut la soirée du siècle, avec une soixantaine de personnalités, parmi les plus brillantes et les plus célèbres de Londres. Ellen Baker n'était pas là. Comme cadeau d'anniversaire, elle avait emmené Kate pendant une semaine, pour que Sybil n'ait plus à s'occuper de boutons à recoudre, d'accompagnement à l'école et de dîners à préparer. Elle emmena Kate dans leur maison du sud de la France, avec ses propres enfants Adam, Martin et Sally qui était la filleule de Richard et Sybil téléphonait tous les jours pour avoir des nouvelles de sa fille.

Pendant ce temps, Richard et Elizabeth étaient rejetés par le public américain. Elizabeth, de retour à la case départ, était aussi impopulaire qu'au moment où elle avait séparé Eddie Fischer et Debbie Reynolds ; Richard la suivait de près. Une femme, membre de la chambre des Représentants suggéra qu'on leur interdît l'entrée au pays. Elle disait que les Américains ont le droit de « repousser ceux qui ne respectent ni le drapeau, ni les gens, en particulier les enfants innocents, ni Dieu, ni nos chères institutions. »

Cependant, c'est la publicité qui fait la célébrité et Richard s'aperçut qu'il prenait plaisir à attirer l'attention avec Elizabeth. Les producteurs ne mirent pas longtemps à voir les avantages de la situation — on pensa même que leur aventure était montée à des fins publicitaires par la Twentieth Century Fox pour qu'on parle de *Cléopâtre* — et en octobre, d'autres producteurs leurs firent des propositions. Il s'agissait d'abord d'un film d'après le roman d'Evelyn Waugh, *The loved one*. Elizabeth exigeait son habituel cachet de 357 000 livres, plus dix pour cent sur les bénéfices et Burton en demandait la moitié, avec le même pourcentage sur les bénéfices. Il s'était de lui-même placé dans une catégorie supérieure, mais ce producteur-là n'avait pas les moyens de payer. La MGM, elle, pouvait se le permettre et Richard et Elizabeth furent tous deux engagés en décembre pour les principaux rôles de *Hotel International* qui devait être tourné au studio d'Elstree. C'était encore une œuvre sans intérêt, l'histoire d'un groupe de gens célèbres bloqués par le brouillard à l'aéroport d'Heathrow, à Londres.

Richard et Elizabeth arrivèrent à Londres par le train. Elizabeth ne voyageaient pas sans bagages. Elle avait ses trois enfants, deux secrétaires et assez de vêtements pour habiller une armée. La presse les attendait à la gare Victoria. Une indescriptible bousculade s'ensuivit et de nombreux photographes furent jetés à terre , leurs appareils subissant le même sort. Les deux vedettes partirent en voiture vers l'hôtel Dorchester. Elizabeth, exilée fiscale comme Richard, ne pouvait rien posséder à Londres. Le Dorchester était donc son point de chute depuis ses dix-neuf ans. Pour respecter les convenances, ils s'installèrent dans des suites séparées, la Terrasse et l'harlequin, donnant sur Hyde Park. La ruse ne trompa personne, mais en 1962, tout comme de nos jours on n'acceptait pas qu'un couple illégitime partage la même chambre d'autant qu'ils étaient mariés l'un et l'autre.

Elizabeth eut beaucoup de mal à se faire accepter, non seulement par le public mais également par les amis de Richard. Personne ne la blâmait pour ce qui s'était passé ; on le connaissait trop bien. On regrettait seulement ce qu'ils avaient fait à Sybil, et l'obligation d'avoir maintenant des liens séparés. Elizabeth s'efforça de se faire accepter, mais aussi d'être ce que Richard attendait d'elle. Elle voulait le garder et savait bien que tous les ponts n'étaient pas encore coupés avec Sybil. Elle alla voir avec lui des matchs de rugby, deux pendant la première semaine londonienne, et but de la bière avec ses copains. Et, comme l'avaient fait tant de ses autres femmes, elle essaya d'apprendre un peu de gallois.

Robert Hardy fut l'un des premiers à qui Richard téléphona. Il voyait beaucoup Sybil.

« Je suis avec une jeune femme, dit Richard, qui est décidée à faire ta connaissance. »

« Qui donc ? » demanda Robert. « Elizabeth Qui ? » Assez impatient, il les invita à dîner chez lui à Chelsea. Au moment de partir, Elizabeth se tourna vers Robert qui la reconduisait à la voiture et dit « Tim, s'il vous plaît, ne me haïssez pas. » C'était, dit-il, impossible de ne pas l'aimer.

Pourtant, Sybil aussi partageait parfois le repas des Hardy.

Elle buvait alors plus que d'habitude. Un certain soir où ils avaient tous bu au-delà de toute mesure, ils lui proposèrent de passer la nuit chez eux, mais elle voulut absolument rentrer. Robert décida de la raccompagner à Hampsead et ils s'entassèrent tous dans la voiture, Sybil, Sally et leur énorme Dalmatien. En remontant Park Lane, ils passèrent devant le Dorchester et Sybil éclata en sanglots, disant : « Regardez, ils sont là, dans cet hôtel, dans leur suite. Sortez-le de là, sanglota-t-elle, sortez-le de là. »

« Tu veux qu'il sorte de là ? » demanda Hardy comme l'aurait fait Burton « Bon, je vais le chercher. » Sur ce, il fit demi-tour, se gara dans un crissement de pneus devant le Dorchester et, le chien sur ses talons, entra dans le hall. Il était presque quatre heures du matin. Les aspirateurs bourdonnaient et le tapis du hall formait un énorme rouleau près du comptoir. Robert se dirigea vers le portier de nuit qui lui demanda ce qu'il pouvait faire pour lui.

« Je veux parler à Richard Burton. Je viens d'arriver d'Amérique. »

« Il ne prend aucun appel » répondit l'homme.

« Dites-lui qui je suis » dit Robert, « et il me parlera. »

L'homme resta intraitable et Robert commença à s'impatienter. Il voulait à tout prix que Richard se montre, sans savoir très bien ce qui se passerait. Le problème fut résolu quand apparut un sous-directeur venu voir ce qui se passait. Robert était prêt au combat, quand il baissa les yeux et vit son chien lever tranquillement la patte sur le tapis roulé. Sans un mot, il enjamba la flaque et reprit la direction de Hampstead.

Robert Hardy n'était pas le seul à tout imaginer pour les réconcilier. Stanley et Ellen étaient persuadés que s'ils pouvaient arranger une rencontre entre Sybil et Richard, celui-ci retrouverait ses esprits. Ils les convainquirent tous deux de venir à l'anniversaire de Stanley. Richard envoya une voiture chercher Sybil à Squires Mount avant de passer le prendre au Dorchester. Il l'attendit dans le hall, et Elizabeth, restée en haut téléphona trois ou quatre fois pendant la soirée. Comme d'habitude, Richard fut drôle et charmant avec Sybil. Elle était superbe, bien que très fatiguée. Au retour, la voiture laissa Richard au Dorchester et ramena Sybil chez elle à Hampstead.

Sybil, pourtant très malheureuse ne voulait absolument pas rendre sa liberté à Richard en demandant le divorce. Si leur mariage devait s'achever, à lui de donner le coup de grâce. Il continuait à tergiverser. Pourtant, vers la fin mars, ils arrangèrent une rencontre en terrain neutre, dans le foyer du Savoy sur le Strand, et Richard dit à Sybil qu'il avait pris sa décision : il choisissait Elizabeth.

Sybil rentra directement chez elle, téléphona à ses meilleurs amis et leur dit : « Je pars demain pour New York. Venez m'aider à faire mes bagages. »

Le lendemain, elle était partie. Elle emmenait Ifor et Gwen avec elle, ainsi que Liliana et les deux petites filles. La rupture était nette, une rupture totale avec le passé : avec son foyer, ses souvenirs et, à quelques exceptions près, avec ses amis. Une nouvelle vie commença en Amérique. Les questions financières furent plus difficiles à régler, mais elle conclut un marché avec Richard : il lui laisserait New York. Le reste du monde était à lui, mais New York lui appartenait. S'il projetait de s'y rendre, il devait la prévenir à l'avance pour lui laisser le temps de partir avant son arrivée.

Sybil devint la coqueluche de New York. Partout où elle allait, on la reconnaissait, on la félicitait. Dans les boutiques, les clients montaient sur des chaises pour mieux la voir. Dans la rue, les gens venaient à elle et lui disaient : « Vous êtes merveilleuse. Je vous admire tellement. » Chez Saks, le grand magasin de la Cinquième avenue, Joan Crawford l'arrêta un jour et lui dit : « Vous êtes intègre. Vous savez ce que ça veut dire, Sybil ? »

« Oui, miss Crawford. »

Elle acheta un appartement dans les tours de l'Eldorado donnant sur Central Park. Son avocat, Aaron Frosh, qui s'occupait aussi des intérêts de Richard et d'Elizabeth, s'installa à l'étage au-dessus tandis que son grand ami Roddy McDowell acheta celui du dessous. Elle était gardée de tous côtés, entourée d'amis pour l'aider à reprendre pied.

L'acteur anglais Edward Woodward, qui jouait à New York, rencontra Sybil lors d'une réception donnée après la première. Il avait tellement peur de faire une gaffe qu'il ne savait plus quoi lui dire. Il commença par s'aventurer en terrain sûr en parlant de la pièce ; il portait un costume très particulier, qu'il dit avoir eu beaucoup de mal à trouver. « Et où l'avez-vous finalement déniché ? » demanda Sybil.

« Chez Burton », dit Woodward, se rendant soudain compte qu'il venait de prononcer le nom qu'il s'était donné tant de mal à éviter et piquant un fard.

« Ce n'est pas grave », dit-elle. « Ça aurait pu être pire. » Vous auriez pu dire « chez Burton, le tailleur ».

De retour à Londres, dès la fin de *Hôtel International*, Richard enchaîna avec un autre film, *Becket* où Peter O'Toole jouait Henry II d'Angleterre et John Gielguld Louis VII de France. Le film était tiré d'une pièce de Jean Anouilh * se déroulant dans l'Angleterre du XIIe siècle et racontant la lutte de l'Eglise et de l'Etat, à travers l'affrontement personnel d'Henry et de l'Archevêque de Canterbury, Thomas Becket. Quand on eut l'idée de faire ce film, on songea d'abord à Laurence Olivier pour le rôle de Becket, mais c'est finalement Burton qui l'obtint. Ce choix était amusant car Burton s'était toujours senti l'égal d'Olivier, bien que celui-ci eût presque vingt ans de plus que lui et fût considéré par la plupart des acteurs de la génération de Richard comme un modèle et non comme un rival.

Presque tout *Becket* fut filmé à Pinewood. Burton et O'Toole travaillaient ensemble pour la première fois et ils se lièrent d'amitié. O'Toole était le fils d'un bottier irlandais. Il avait huit ans de moins que Richard et venait de parvenir au sommet de la gloire avec le rôle-titre de *Lawrence d'Arabie*. Ils avaient beaucoup de choses en commun et notamment une forte propension à boire. Elizabeth aussi buvait sec. Richard se vantait de tenir le coup mieux que n'importe quel homme et c'était vrai. Pour une femme, la capacité d'absorption

* Becket ou l'Honneur de Dieu.

d'Elizabeth était remarquable, fruit d'une longue pratique certes, mais Richard ne renonça jamais à l'améliorer.

Chaque fois qu'on avait besoin de lui sur le plateau, Elizabeth descendait au studio, mais généralement un peu plus tard. Elle n'était guère matinale et rejoignait Richard pour déjeuner, au pub ou au restaurant du village d'Iver, souvent accompagnée de ses enfants. Elle assistait au tournage tout l'après-midi. Ils se comportaient tous deux comme de jeunes amoureux, se complimentant, roucoulant, se taquinant, puis une dispute éclatait soudain. Si Elizabeth n'avait rien à envier à Richard dans le domaine de la boisson, il en était de même dans celui du vocabulaire. Elle tenait des propos à faire rougir un charretier. Elle était faite pour Richard. Il avait toujours été volage et quand il ruait dans les brancards, elle savait parfaitement faire face.

Rencontrer la famille de Richard du Pays de Galles fut l'une de ses plus grandes épreuves. Ifor avait refusé de la voir. Richard était allé à Squires Mount pour tenter de parler à son frère, mais Ifor ne lui avait même pas ouvert la porte, et l'avait laissé hurler par la fente de la boîte à lettres. Le reste de la famille était déçu de ce qui s'était passé, peiné aussi parce qu'ils aimaient tous beaucoup Sybil. Mais Richard ne pouvait guère avoir tort à leurs yeux. Et puis, il amenait dans les Vallées une star encore plus célèbre que lui. Elizabeth s'y prit très bien, s'extasiant sur la région, allant jusqu'à dire qu'elle aimerait avoir une maison. Toute cette famille, avec les maris, les femmes et les enfants, bien que très chaleureuse, était un peu envahissante. Qu'Elizabeth se retrouve avec la famille sur les bras fut la seule chose qui amenât un sourire sur le visage de Sybil dans toute cette affaire. Il y avait tout de même un semblant de justice.

Les Cazalet étaient les amis les plus proches d'Elizabeth en Angleterre. Les Taylor les connaissaient depuis des années et Sheran Cazalet et Elizabeth avaient pratiquement grandi ensemble. Le père de Sheran était Peter Cazalet, l'entraîneur des chevaux de la Reine mère, et le père de sa belle-mère, le romancier P. G. Wodehouse.

Elizabeth emmena Richard dans le Kent un dimanche pour

lui présenter ses amis. Il se montra très comme il faut. Il portait un costume acheté pour l'occasion, expliqua-t-il, car Elizabeth lui avait dit que les Cazalet étaient du genre à porter des costumes, et il n'en avait pas. Il se comporta avec discrétion durant environ dix minutes. En un rien de temps, il avait déchaîné l'hilarité de l'assistance. Il racontait des histoires, imitait l'accent mondain de Sheran, racontait des blagues sur les mineurs gallois, l'histoire du dernier voyage de son grand-père, sans guère reprendre son souffle. A la fin de la journée, il les avait tous conquis.

Le professeur Nevill Coghill était un autre vieil ami à qui Richard présenta Elizabeth. Richard avait continué à correspondre avec son maître, et il brûlait de montrer Oxford à Elizabeth. Ils allèrent déjeuner ensemble et projetèrent de se revoir pour travailler. Le Théâtre d'Oxford essayait à nouveau de trouver de l'argent et par bravade, comme d'habitude, Richard imagina un plan : il y jouerait dans le *Docteur Faust* de Marlowe si Coghill le mettait en scène. Mais ce projet ne devait pas se réaliser tout de suite. Le temps dont Richard disposait chaque année en Angleterre était achevé et il partait faire un autre film pour la MGM au Mexique, avant de jouer *Hamlet* à New York.

Certains amis n'acceptèrent pas Elizabeth aussi facilement. Notamment Ellen Baker. Quand elles se rencontraient, elle se trompait et appelait Elizabeth, Sybil, et feignait ensuite la plus grande confusion. Elizabeth comprenait. « Ecoutez, Ellen, disait-elle ; Ça ne fait rien. Ça arrive à tout le monde. » Et quand Ellen décida finalement qu'il valait mieux qu'elles ne se voient plus, et qu'elle laissa Stanley la voir seul, Elizabeth se montra compréhensive.

Burton avait maintenant confié ses intérêts à un agent Anglais qu'Elizabeth lui avait présenté, John Heyman. Celui-ci avait négocié le premier cachet d'un million de dollars pour Elizabeth. Il avait quitté Vere Barker presque cinq ans auparavant et, peu de temps après, Vere s'était suicidé, ce qui l'avait profondément perturbé. Ils avaient travaillé ensemble fort longtemps, et Vere avait beaucoup fait pour Richard à ses débuts, mais c'était aussi lui qui avait enchaîné Richard avec le contrat de sept ans avec Barryl Zanuck, bien qu'à l'époque Richard eut été ravi.

Cléopâtre sortit au Rivoli à New York en juin 1963 donnant lieu à la première la plus brillante et au plus immense battage que Broadway ait jamais vus. Mais les critiques furent mauvaises. Le film avait coûté quatorze millions de livres. C'était le plus cher de l'histoire. La première européenne eut lieu un mois après, et reçut le même accueil. « Voir enfin cette *Cléopâtre,* écrivit Philip Oakes dans le *Sunday Telegraph,* est comme assister à la naissance d'un éléphant. L'intérêt est plus clinique qu'esthétique. La période de gestation a été aussi longue. Le produit final est gros, coûteux et balourd. Et tout compte fait, je préfère les éléphants. »

Le seul à s'en tirer à peu près intact fut Rex Harrison. Richard Burton, écrivit Oakes, se démène comme un taureau dans un magasin de porcelaine. Malgré la douzaine de films qu'il a tournés, c'est toujours un acteur de théâtre (excellent d'ailleurs). Ici, il traite la caméra en ennemi, comme un voyeur qu'il veut exterminer en braillant. Il n'est que bruit et fureur et il n'exprime que le triste gâchis d'un grand talent. »

C'est pourtant Elizabeth qui eut droit aux critiques les plus brutales. Un journaliste résuma ce que tous les autres suggéraient : « Elle a trop de poids, trop de poitrine, trop d'argent et pas assez de talent », écrivit-il. « Elle ramène le métier d'acteur dix ans en arrière. »

Sheila Graham, très influente à Hollywood, écrivit : « Après avoir vu *Cléopâtre,* je me demande combien de producteurs voudront encore la payer un million de dollars par film. »

Richard resta indifférent. Il était navré pour Elizabeth. Celle-ci était si vexée qu'elle refusa d'aller à la première londonienne, à laquelle il n'assista pas non plus. Il pensait toujours qu'il ne fallait pas s'en faire pour les critiques. Cette fois, à cause de tout ce que le film avait coûté, il était certain qu'on le mettait en pièces de toutes manières, et ça lui était complètement égal.

La presse de *Hôtel International* ne fut pas meilleure quand le film sortit en septembre, mais Richard partait pour le Mexique où il devait toucher encore un demi million de dollars pour douze semaines de tournage. C'était tout ce qui l'intéressait dans le cinéma : l'argent.

Le film était tiré de la pièce de Tennessee Williams *La nuit de l'Iguane*. Burton y jouait le rôle d'un prêtre défroqué après un adultère et devenu guide d'un groupe de touristes dont l'une cherche à le séduire. La séductrice était Sue Lyon. Elle avait dix-sept ans et venait de tourner *Lolita*. L'autre vedette féminine était Ava Gardner. Naturellement, Elizabeth s'arrangea pour qu'il ne restât pas trop longtemps seul avec l'une comme avec l'autre. Elle s'installa dans le joli petit village de Puerto Vallarta, avec deux secrétaires, un cuisinier, un chauffeur, une nurse et ses enfants.

Elizabeth avait maintenant quatre enfants. Les trois premiers étaient nés par césarienne, et on lui avait dit qu'elle ne pourrait plus en avoir. Mariée à Eddy, elle avait cherché à adopter un enfant. L'actrice Maria Schell leur en trouva un, une petite Allemande abandonnée dans un panier de linge, sous-alimentée et avec une hanche malade. Eddie et Elizabeth l'appelèrent comme Maria Schell. Elle avait neuf mois quand on la leur confia et trois mois plus tard, en janvier, au moment où allait commencer le scandale de *Cléopâtre* et où le mariage d'Elizabeth se brisait, elle était légalement adoptée. Maria était alors à l'hôpital de Munich pour une première série d'opérations destinées à guérir sa hanche; maintenant, elle vivait avec Elizabeth et toute la famille l'adorait.

Avant que John Huston ne choisisse cet endroit de la jungle sur la côte montagneuse du Pacifique pour *La nuit de l'iguane*, Puerto Vallarta était un petit port de pêche tranquille, sans téléphone, relié seulement au monde extérieur par un vol quotidien vers Mexico, à quatre cents kilomètres. La plus grande partie du film fut tournée à une dizaine de kilomètres, dans la jungle, sur une péninsule sauvage nommée Mismaloya et que l'on n'atteignait que par bateau. Acteurs et techniciens travaillaient dans une chaleur intense, luttant contre les insectes qui les pîquaient et jouant avec des perroquets qui criaient au-dessus de leur tête. Le travail fini, ils se baignaient dans la mer

comme dans un bain chaud, bien qu'elle fut pleine de barracu-
das, puis ils restaient allongés sur les plages de sable doux.
Richard et Elizabeth tombèrent amoureux de cet endroit et y
achetèrent une maison.

Pendant ce temps, les avocats mettaient au point les détails de
leurs divorces respectifs. Elizabeth eut du mal à trouver un
accord financier avec Eddie Fischer. On assista à un échange
d'insultes qui fit la une des journaux. Richard, quant à lui, alla
droit au but. Sans être présente, Sybil obtint un divorce au
Mexique auprès d'un juge de Puerto Vallarta. Motifs : abandon
du domicile conjugal par son mari et cruauté mentale. Elle
déclara qu'on l'avait souvent vu « en compagnie d'autres
femmes ». On ne mentionna pas le nom d'Elizabeth. Le divorce
fut accordé et Richard donna à sa femme tout ce qu'il possédait,
à l'exception de la maison de Céligny, ainsi qu'une allocation
annuelle de 50 000 livres. C'était le prix du sang. Il achetait sa
liberté. Il savait qu'il avait traité Sybil de manière indigne et
qu'il n'assumait pas ses responsabilités face à Jessica, dont Sybil
demeurait prisonnière avec Kate.

Richard payait cher sa folie. Sa femme acceptait un accord,
mais l'argent ne libérait pas aussi facilement sa conscience.

5

Une âme à vendre

En 1963 Richard et Elizabeth passèrent Noël dans leur demeure de Puerto Vallarta. *La nuit de l'Iguane* terminé, les équipes du film étaient parties et le joli petit village, jadis paisible, avait retrouvé une vie aussi normale que possible avec deux superstars dans ses murs.

La maison était pleine d'enfants. Le frère d'Elizabeth, Howard les avaient rejoints avec sa femme et leurs cinq rejetons, ce qui en faisait neuf en tout. Ils passaient leurs journées allongés au soleil, nageant, lisant, mangeant bien et buvant sec. Richard s'était mis à boire beaucoup, commençant la journée à 10 h 30 avec un Bloody Mary. L'année précédente avait été un cauchemar et il savait qu'il profitait d'une accalmie avant la tempête. Dans leur retraite mexicaine ils étaient loin des attaques de la presse et des critiques du public ; et Richard craignait le retour dans la fosse aux lions.

Il avait accepté de jouer dans *Hamlet* l'été suivant avec John Gielgud pendant qu'il tournait *Becket*. C'était d'ailleurs lui qui en avait eu l'idée. Gielgud était le premier Hamlet qu'il avait vu, à Oxford en 1943, et il avait été très impressionné par son interprétation. Plus tard, au cours des répétitions, il dit à John que dans le monologue « Etre ou ne pas être », quand il en arriva à « Lorsqu'on s'est échappé du combat de la vie » Gielgud faisait un geste de la main si majestueux que l'ami avec qui il était cessa de boire immédiatement.

Gielgud voulait depuis longtemps monter *Hamlet* non seulement en costumes contemporains, mais comme s'il s'agissait d'une répétition, en tenue de ville, sans décors. L'idée plaisait à Richard. Quelle belle occasion de jouer Shakespeare sans perruque ni collants ! Le projet fut vendu à l'un des producteurs les plus en vue de Broadway, Alexandre Cohen. La production était destinée à New York, mais pour ne pas exciter la curiosité en répétant sur place, ils décidèrent de se mettre au travail à Toronto où aurait lieu la première, avant de passer par Boston et d'arriver à Broadway.

En janvier, donc, Richard, Elizabeth, les secrétaires et les gardes du corps se transportèrent au King-Edward Sheraton de Toronto, deux jours avant le reste de la troupe. Ils avaient fait escale à Los Angeles, où la foule les avait assaillis à l'aéroport. Environ deux cents photographes se pressaient sur la piste, et quelques centaines d'adolescents en folie les attendaient dehors : les filles se bousculaient et se battaient en hurlant pour essayer de toucher le manteau d'Elizabeth. Dans la bousculade, l'une d'elles fut jetée à terre.

En pareilles circonstances, Richard avait tendance à perdre son calme. Il insultait la foule et en venait aux mains avec les reporters et les photographes. Ses soirées passées au Taibach Youth Club, avec l'unique paire de gants de boxe, l'avaient gardé en bonne forme, même s'il ne visait plus aussi bien. A l'aéroport ce jour-là, son premier direct du droit manqua l'homme qui lui mettait un micro devant la figure et atteignit un agent de police quelque peu surpris.

Craignant un accueil semblable à Toronto, ils décidèrent d'arriver à l'avance. L'idée se révéla excellente, car une fois de plus, le jour où tout le monde était attendu, le hall de l'hôtel était bondé de photographes et d'adolescents hystériques cherchant à les apercevoir. Ils faisaient toujours la Une des journaux, car le divorce d'Elizabeth traînait en longueur. On racontait qu'Eddie Fischer réclamait un million de dollars ; qu'Eddie Fischer démentait avoir demandé un million de dollars ; qu'Eddie Fischer traitait Elizabeth de menteuse ; que Richard Burton disait qu'Elizabeth n'était pas une menteuse ;

qu'Eddie Fischer disait que Richard Burton méritait l'Oscar de l'insolence.

C'est en mars seulement qu'un accord intervint et que le divorce fut prononcé, comme pour celui de Sybil à Puerto Vallarta, pour « abandon ». Mais Richard risquait de perdre le droit de travailler aux Etats-Unis, ce qui aurait annulé la production d'*Hamlet* et menacé sérieusement ses sources de revenus. Il n'avait presque plus rien et le cachet de cette production lui était indispensable.

Burton était reparti à zéro. Il déclara plus tard avoir donné 500 000 livres au moment de son divorce, et ce qui n'était pas revenu à Sybil avait été distribué à des œuvres.

« Je ne savais pas très bien ce que je faisais », dit-il à Barry Norman, « et je ne le sais toujours pas. J'avais seulement besoin de me purifier ».

« Je n'étais pas très populaire à cette époque. Après tout, il y avait Elizabeth et les enfants, les nurses, les secrétaires... Il fallait entretenir tout ce monde. Elizabeth n'était visiblement pas fauchée, mais je me sentais tenu de les entretenir, même si je n'en avais pas les moyens. En matière d'argent, je n'avais que des espoirs. »

Pendant quelque temps, le sort de toute la troupe fut en suspens. Un membre du Congrès, Michael Feigham, voulait absolument que le Departement d'Etat annule le visa de non émigrant de Richard, en raison de son union scandaleuse avec Elizabeth.

Un matin, en arrivant à la répétition, Burton vit qu'un membre anonyme de la troupe avait épinglé sur le tableau de service un éditorial du *Washington Post*. Tout y était dit :

RUMEURS PUBLIQUES :

Michael A. Feigham, de l'Ohio, membre du Congrès, est fortement convaincu que le Département d'Etat devrait montrer son respect des convenances en supprimant le visa accordé à M. Richard Burton, l'acteur britannique. A juste titre, M. Feigham fait remarquer toute la publicité qui a entouré les relations de M. Burton avec Miss Elizabeth Taylor. On peut mesurer le profond dégoût moral du peuple américain pour toute cette histoire au nombre et à la précision des détails trouvés dans la presse. Le Département d'Etat annonce qu'il va réexaminer le cas.

M. Feigham et le Département ont cependant négligé la menace la plus grave pesant sur notre morale. Si M. Feigham pense que cette publicité a été nuisible, que dira-t-il de cette pièce absolument répugnante que M. Burton se propose de présenter à New York en avril ? Ignoble de scandale et de passion, elle concerne un jeune homme dont la mère est coupable d'inceste et dont l'oncle, politicien, a conquis le pouvoir en empoisonnant son rival. Sa fiancée se suicide. Le script multiplie les mauvaises astuces. Il y a un duel au dernier acte ; cette pratique vicieuse est heureusement illégale chez nous, quelle que soit la législation au Royaume de Danemark dont on connaît bien les coutumes sanglantes et sauvages. La pièce s'achève avec quatre autres meurtres. Le ton général est celui d'une violence débridée et d'un pessimisme pernicieux.

Pis encore, l'ouvrage exprime des idées politiques entièrement étrangères à notre démocratie américaine. Après réflexion, M. Feigham et le Département d'Etat vont sans nul doute voir qu'il vaut mieux laisser M. Burton avec ses problèmes et se pencher plutôt sur le cas de l'auteur. »

On annonçait une semaine plus tard que Richard conservait son visa. Le Département n'avait trouvé aucune raison de le lui refuser et les répétitions continuèrent.

Plus on approchait de la première, plus Richard était nerveux. Il n'avait pas joué Shakespeare depuis dix ans et retrouvait le public pour la première fois depuis huit ans. Il avait du mal à mémoriser son texte et, malgré son mépris des critiques, il craignait de refaire les erreurs qui lui avaient été reprochées dans la production de l'*Old Vic*. Il se tracassait pour sa voix et pour sa diction : cette tendance à dire les vers platement, leur enlevant ainsi toute musique et toute poésie. Il ne possédait pas de vraie technique vocale ni scénique. L'effet qu'il produisait sur les planches était le résultat de son instinct et plus on attendait de lui, plus il s'interrogeait sur son talent.

Il s'aperçut qu'il ressemblait beaucoup au prince du Danemark. Il le dit à Gielgud : « Un jour je suis hilare et plein d'humour, plutôt grossier et excité, et le lendemain complètement abattu. Je crois qu'Hamlet est comme cela lui aussi. »

« Oui », dit Sir John, « il s'en veut de sa propre bêtise, puis il est complètement abattu et tout lui est égal. Il cherche alors à comprendre ce qui peut présenter un intérêt : " Dois-je me tuer pour me débarrasser de ce problème ? " Et à la fin du monologue, il décide de continuer à vivre malgré tous les revers de l'existence — les craintes, les doutes et les souffrances. »

Elizabeth aidait beaucoup Richard dans ses moments de crainte et de doute. Elle ne vint qu'à une répétition ou deux car elle ne pouvait quitter son hôtel sans que la foule l'assaille, mais il en parlait avec elle continuellement, et il répétait la moitié de la nuit dans leur suite. En fait, c'était de Philip dont il avait réellement besoin. C'était la première fois qu'il montait sur une scène sans que son Maître le guidât depuis les coulisses. Mais ils ne se parlaient plus depuis Rome et le début de ce que Richard appelait « le scandale » ; il était bien trop orgueilleux pour téléphoner et appeler à l'aide.

Elizabeth l'était moins. Elle prit son courage à deux mains et téléphona à Philip Burton chez lui à New York. Elle lui expliqua combien Richard avait besoin de lui. Viendrait-il ?

Philip se comporta de manière irréprochable. Il mourait d'envie de sauter dans le premier avion pour Toronto et d'aider Richard, de renouer avec lui, mais il avait beaucoup vu Sybil depuis qu'elle était arrivée à New York et il ne voulait rien faire qui pût la contrarier. Sybil, cependant, fut aussi magnanime que lui. Pendant toutes les années qu'elle passa auprès de Richard et même après leur divorce, elle ne dit jamais rien de déplaisant sur lui, même à ses amis les plus proches. Elle ne le blâma jamais et, qui plus est, elle ne donna jamais à leurs enfants une image de lui déplorable.

Philip prit donc l'avion pour Toronto et arriva un dimanche, trois jours après la première. Les retrouvailles furent sans histoire, sans grands discours, excuses ou sentiments. Ils se mirent très vite au travail. Richard avait eu des critiques mitigées, mais dans l'ensemble, la production était descendue en flammes. Philip assista ce jour-là à la matinée, puis se rendit à l'hôtel pour faire la connaissance d'Elizabeth. Il fit quelques commentaires à son élève sur son interprétation qu'il trouvait toujours aussi magique, bien qu'il n'aimât pas beaucoup la production. Mais c'était un puriste et voir *Hamlet* en pantalon noir et chandail, une montre au poignet, ne correspondait pas à l'idée qu'il se faisait de Shakespeare.

Philip ne resta pas longtemps. Il avait décidé d'adopter la nationalité américaine. Il venait d'ouvrir un cours d'art dramatique à New York, « l'Académie musicale et dramatique américaine », et devait rentrer pour prêter serment. Il quitta Toronto rasséréné et soulagé, tout comme Richard, de cette réconciliation.

Si Elizabeth n'avait assisté qu'à une ou deux répétitions, quand la pièce fut à l'affiche, elle ne manqua pas une seule représentation. Elle se rendait tous les soirs au théâtre avec Richard — le O'Keefe Center où il avait joué *Camelot* quatre ans auparavant — et elle l'aidait ainsi que d'autres acteurs, à se maquiller, avant de regarder le spectacle depuis les coulisses. Elle s'intégra quasiment à la compagnie, se liant d'amitié avec les acteurs comme avec les techniciens. Le soir de son anniversaire, le 27 février, ils lui offrirent un énorme gâteau décoré de fleurs et portant l'inscription : « A notre mascotte et cheftaine — Joyeux anniversaire — la Compagnie. » Elizabeth, en pantalon et pull-over noirs, courut vers la table où se trouvaient les accessoires et revint avec l'épée d'Hamlet. « C'est le moment, quand il est en prières », dit-elle, imitant à la perfection le Hamlet de Burton, « et je vais en profiter. » Elle fit tournoyer l'épée au-dessus de sa tête et frappa le gâteau, le coupant net en deux.

Deux semaines et demie plus tard, le dimanche 15 mars, Elizabeth et Richard louaient un avion et partaient se marier à Montréal. Ils avaient d'abord songé à convoler à New York, mais ils n'étaient pas certains que leur divorce mexicain fût

valable aux Etats-Unis. Ce n'était pas facile non plus à Toronto
où il fallait obtenir l'autorisation du Secrétaire de la Province
d'Ontario; celui-ci n'aurait pas manqué de vérifier si leurs
divorces étaient validés en Suisse, leur résidence légale; or les
divorces mexicains n'étaient pas reconnus dans ce pays. En
revanche, Montréal, située dans la province de Québec était
régie par des lois différentes et ils purent se marier sans licence.

La cérémonie fut simple. Un pasteur Unitarien la célébra
dans leur suite du Ritz-Carlton, en présence d'une dizaine de
personnes dont le témoin, Bob Wilson. C'était un Noir
américain qu'Elizabeth connaissait depuis des années. Sa femme
était l'habilleuse d'Elizabeth, et après sa mort subite, Elizabeth
avait trouvé du travail à Bob. Il devint l'habilleur de Richard et
son bras droit et resta plus ou moins avec lui toute sa vie.

Ils passèrent la nuit à Montréal et rentrèrent en avion le
lendemain à Toronto pour la représentation du soir. Ils
trouvèrent la loge de Richard pleine de cadeaux offerts par la
troupe : une batterie de cuisine complète — marmites, casse-
roles, un hachoir pour les oignons et deux rouleaux à pâtisserie.
Ce soir-là, à la fin de la représentation, Richard fit venir
Elizabeth et présenta sa femme au public « pour la première fois
sur une scène ». Puis citant ce que dit Hamlet à Ophélie dans la
scène du couvent, il dit : « Plus jamais de mariage. »

Quand la pièce avait débuté à Toronto, Elizabeth était dans la
salle et avait fait sensation. Richard remarqua que sa présence
avait prolongé le spectacle de dix-huit minutes; le public
applaudissait et hurlait, la regardant plus que la pièce. Hamlet
jouait les deuxièmes couteaux.

D'ailleurs, tant que dura leur union, Richard eut toujours
cette impression d'être en retrait par rapport à Elizabeth; il s'en
accommoda pendant des années, mais ce n'était pas le rôle que
son enfance dans les Vallées l'avait préparé à tenir et cela le
gênait. Malgré ses efforts pour n'être « que sa femme », au
moins en privé, ce n'était pas non plus le rôle pour lequel
Elizabeth était faite, en tout cas pas celui que le public voulait lui
voir tenir.

Leur arrivée pour la première à Boston fut encore plus

traumatisante. Toute la compagnie voyagea ensemble et trois mille personnes les attendaient à l'aéroport de Logan. La foule rompit les barrières et se précipita sur les pistes. Il fallut une heure pour la maîtriser et permettre à l'avion de rouler vers un hangar où toute la troupe fut embarquée dans des Limousines. La police les escorta jusqu'à l'hôtel, mais là aussi plus de mille personnes les attendaient. A leur entrée dans le hall, la foule se précipita vers eux. On tira les cheveux de Richard, on déchira sa chemise, mais Elizabeth affronta l'assaut de plein fouet. Elle fut entraînée à travers le hall, poussée, tirée, secouée et se retrouva coincée le nez contre un mur. Richard, fou de rage, mit cinq minutes pour la secourir.

Pour éviter d'autres manifestations le soir de la première, on plaça des policiers devant le théâtre pour contenir la foule. Ceux-ci mirent un tel zèle, que John Gielgud essayant de passer par l'entrée des artistes pour parler aux acteurs fut intercepté et prié de circuler. « Mais je suis le metteur en scène », protesta-t-il. « Désolé, mon vieux », dit l'agent de police. « Personne n'entre par cette porte. » En désespoir de cause, Sir John rentra à l'hôtel et écrivit au régisseur pour demander une répétition. C'était apparemment le seul moyen qui lui restait pour parler aux acteurs !

Le soir de la première à New York, personne n'eut le droit d'approcher sans montrer un billet. Une centaine d'agents de police montaient la garde devant le Lunt-Fontanne Theater. Dix agents à cheval les secondaient. On n'avait jamais vu une foule pareille. Elle remplissait totalement la 48e rue, débordant sur Broadway à une extrémité et sur la huitième Avenue à l'autre. Le théâtre était rempli de personnalités plus célèbres et plus brillants les unes que les autres. Burton était d'une nervosité rarement atteinte. La somptueuse réception donnée ensuite par Alex Cohen au soixante-sixième étage du Rockefeller Center fut encore plus éprouvante. Richard et Elizabeth devaient affronter la société new-yorkaise pour la première fois depuis le fracas causé par leur aventure.

A l'entrée de la Rainbow Room, plus de six cents personnes, les noms les plus illustres du théâtre, des finances et de la haute société les attendaient ; Richard se tourna vers Elizabeth et lui dit : « Laissons tomber toute cette foutaise ! » Il joua le petit Gallois effronté, rôle qu'il endossait toujours dans les situations délicates et la glace fut rompue.

Son Hamlet fut bien reçu dans l'ensemble. Il eut six rappels ce soir-là et la plupart des journaux firent son éloge, critiquant toutefois la production. *Newsweek* fut le plus dithyrambique de tous, écrivant sur Burton :

> « Son rythme est excellent, ses possibilités expressives immenses ; il est tout à fait à la hauteur de cette passion et de ce désespoir. Mais ce qui place son interprétation plus haut qu'aucune autre est son approche des passages les plus connus. Par instants il s'attaque à une tirade ou à une scène dont on croyait l'image figée à jamais et il n'hésite pas à lui communiquer une vie nouvelle.
>
> Il a de l'humour quand on attend de la solennité, de l'intériorité là où l'on verrait de l'agressivité... Toute son interprétation est subjuguante. C'est la révélation de ce que peut être Shakespeare, un monument élevé à l'art dramatique et la nouvelle base sur laquelle notre imagination peut secouer sa torpeur. »

Pourtant, dans le *New York Herald Tribune,* Walter Kerre se montra déçu :

> « Richard Burton est l'un des acteurs les mieux armés à l'heure actuelle... Il révèle au grand jour non seulement l'étendue de ses propres ressources... mais aussi les innombrables qualités qu'exige *Hamlet*. Toutes sauf une. M. Burton est dépourvu de vrais sentiments... L'absence de chaleur authentique — de cette chaleur qui inspire vraiment la fureur d'un monologue et évite de le déclamer platement — coupe en deux son interprétation et peut-être même la production. Il a l'esprit, l'intelligence nécessaires... Mais quand l'intellect ne suffit plus, quand la passion doit exploser et le dépasser, M. Burton ne fait

rien d'autre qu'observer un point d'orgue et changer de vitesse : plus vite, toujours plus vite... »

M. Kerre avait bien défini non seulement l'Hamlet de Burton, mais Burton lui-même. Richard manquait effectivement de sentiment. Il avait de l'émotion et de la sentimentalité certes à revendre, et il s'en servait à volonté, mais il restait à la surface de sa sensibilité.

John Gielgud était intimement convaincu que Richard avait tort d'avoir choisi *Hamlet* pour sa rentrée. Il pensait que *Macbeth* ou *Coriolan* lui auraient mieux convenu. La pièce se jouait néanmoins à bureau fermé et on prolongea les représentations jusqu'en août — ce qui fit dix-huit semaines au total. *Hamlet* n'avait jamais été joué si longtemps à New York ni autant rapporté.

Tant que dura le spectacle, la police dut contenir des hordes de fans qui s'amassaient tous les soirs devant le Lunt-Fontanne Theater, guettant les allées et venues des Burton. Richard demanda à Elizabeth de ne plus venir au théâtre pour tenter de les éloigner, mais ils venaient quand même par milliers. Un soir, Alan Jay Lerner vint assister au spectacle et en arrivant dans les coulisses, quelqu'un lui demanda un autographe : « Vous êtes un ami de Richard Burton ? », lui demanda l'admiratrice déchaînée. « Oui », répondit Lerner, très amusé. Et il signa : « Un ami de Richard Burton. »

Richard avait horreur de cela : il détestait qu'on s'en prenne à sa liberté ; il était exaspéré de ne pouvoir traverser la rue pour prendre un verre dans un bar après le spectacle. En revanche, Elizabeth semblait prendre un réel plaisir à se frayer un chemin au milieu de ses fans.

L'un de ceux qui vint le voir après le spectacle fut Spyros Skouras, président de la Twentieth Century Fox. « Mon cher Richard », dit-il, lui tendant les bras, « vous avez toujours été mon acteur préféré. »

« Dans ce cas », dit Richard, « pourquoi me faites-vous tant de procès ? »

Elisabeth et lui en avaient un certain nombre à cause de *Cléopâtre*. La Twentieh Century Fox leur réclamait cinquante millions de dollars de dommages et intérêts, prétextant que leur conduite avait porté préjudice au film. Dans un autre procès, quatre grands propriétaires de salles poursuivaient la Twentieth Century Fox, Richard et Elizabeth, leur réclamant six millions de dollars. Selon eux leur conduite constituait une insulte au bon goût et à la morale et faisait du film un produit de mauvaise qualité. Richard trouvait tout cela plutôt comique, et faisait remarquer que si la Fox gagnait contre lui, elle devait perdre, face aux propriétaires de cinéma ; si le film avait déjà coûté quarante millions de dollars, il ne voyait pas comment il lui avait fait perdre de la valeur.

Pour le moment, Elizabeth se contentait d'être Madame Burton. Malgré l'impact de son image publique, elle était très introvertie et très timide dans la vie privée et Richard lui donnait confiance en elle, l'obligeait à sortir d'elle-même. Elle l'idolâtrait. Elle aimait s'asseoir à ses pieds pour l'écouter, ne se lassant jamais de ses histoires, riant toujours au bon moment. Mais ils avaient peu de choses en commun, excepté la poésie, qu'elle aimait beaucoup, le sexe et un sens de l'humour sans grande finesse. Ils avaient vécu dans des milieux différents ; leurs expériences, leurs amis, leurs goûts et même leurs carrières divergeaient. En fait, Elizabeth vivait sur une autre planète. Elle avait toujours été une star aussi loin que remontaient ses souvenirs. Elle avait l'habitude de faire ce qu'elle voulait, sachant que si elle était en retard pour un film ou un avion (et elle l'était toujours) parfois de deux ou trois heures, tout s'arrangerait et qu'on l'aimerait quand même.

Pendant ce temps, la première Mme Burton, après avoir abandonné sa carrière pour Richard et s'être satisfaite de jouer les femmes au foyer pendant treize ans, se découvrait un talent et une vie autonomes. Pendant les derniers mois qu'elle avait passés à Londres, elle avait pris goût aux clubs et elle hantait régulièrement le Strollers Club à New York, où jouait un groupe satyrique, The Establishment. Sybil se lia avec l'un de ses membres, Jeremy Geidt et ils transformèrent tous deux les étages du club en théâtre, fondèrent The Establishment Theater Company et, sous leur double direction, produisirent des succès comme *The Knack* et *The ginger man*.

Sybil prenait de plus en plus d'assurance. Quelques mois plus tard, quand The Establishment quitta la ville, Sybil reprit le bail du Strollers Club, invita ses riches amis du spectacle à y placer de l'argent et en fit une discothèque qu'elle appela « Arthur's ». Ce fut très vite le night-club le plus à la mode et le plus célèbre de New York. Richard et Elizabeth mouraient d'envie d'y aller, mais c'était le seul endroit de la ville où ils ne pourraient jamais mettre les pieds.

Ils tentaient désespérément de gagner l'amitié de Sybil, mais elle ne voulait pas leur adresser la parole. Ils communiquaient par l'intermédiaire d'Aaron Frosh et quand Richard voulait voir Kate ou Jessica, Sybil les emmenait chez Aaron où Richard allait les chercher. Kate lui donnait beaucoup de joie, mais chaque rencontre avec sa cadette le perturbait profondément. Plus elle grandissait, plus le fait de ne jamais voir la moindre expression sur son joli petit visage, la moindre réaction, la moindre marque d'affection était bouleversant.

Pour Sybil, passer ses journées et ses nuits avec son enfant sans jamais un sourire, ni le moindre geste marquant leur parenté était très traumatisant. Jessica devenait aussi de plus en plus difficile à maîtriser. Sybil essayait de l'emmener chez des amis pour rencontrer d'autres enfants, d'aller au restaurant ou au cinéma avec elle pour lui faire mener une vie aussi normale que possible, mais Jessica faisait presque toujours un esclandre, debout sur une chaise et criant, ou cassant tout ce qu'elle avait à portée de la main. Plus elle devenait grande et forte, plus il était difficile de la retenir. Sybil faisait face avec courage, et Kate se comportait en adulte avec sa petite sœur, mais au prix de quel choc émotionnel ! On conseilla à Sybil pour le bien de tous, y compris de Jessica, de l'envoyer dans une institution pour enfants autistiques à Long Island. Un personnel spécialement entraîné et capable de faire face s'occuperait d'elle. Sybil pourrait naturellement la voir quand elle voudrait.

Pendant les quatre mois qu'il passa à New York, Richard se

raccommoda avec deux autres amis qui s'étaient éloignés après sa séparation d'avec Sybil. Emlyn Williams, qui jouait à New York dans *The deputy,* reçut un soir un coup de téléphone d'Elizabeth. Elle avait une nouvelle fois pris l'initiative, l'invitant à venir prendre un verre. Comme Philip Burton, Emlyn était ravi de ce geste. Emmenant Molly avec lui, ils franchirent les portes de la suite si bien gardée des Burton au Regency Hotel sur Park Avenue, Richard les embrassa tous deux et tout fut oublié. Maintenant que Richard et Elizabeth étaient mariés et que l'aventure durait, Emlyn trouvait plus sensé d'accepter la situation.

C'est également le mariage de Richard avec Elizabeth qui poussa Ifor à accepter la situation et à se réconcilier avec son frère. Sybil s'était installée à New York, mais Ifor et Gwen étaient rentrés à Londres, et restaient en étroit contact avec elle. Son mariage avec Richard était bel et bien terminé et rester à couteaux tirés avec lui ne pouvait rien apporter à personne. Ainsi, quand Richard tenta un rapprochement, à son grand soulagement, Ifor ne se fit pas prier et ils retrouvèrent vite leur ancienne intimité.

Ses relations avec Philip Burton redevinrent elles aussi complètement normales. Ils le virent souvent pendant leur séjour à New York. Il avait acquis la nationalité américaine et son cours d'art dramatique marchait bien, même si les fonds manquaient. Pour l'aider, Elizabeth eut cette idée : elle donnerait avec Richard un récital de poésies le dimanche soir, jour de relâche, et ils feraient payer le billet cent dollars aux gens célèbres qui viendraient les écouter.

C'était la toute première fois qu'ils allaient travailler ensemble devant un public et Elizabeth, qui n'était jamais montée sur les planches, était très anxieuse et désireuse de bien faire. Philip les fit répéter tous deux et il trouva qu'Elizabeth comprenait très vite. Elle n'était pas payée pour ce travail, mais elle était là nuit et jour. Pendant plusieurs semaines, elle se perfectionna. Richard, lui, pensait comme toujours, qu'avec sa voix, il n'avait qu'à paraître et dire les mots. Philip Burton reconnaît volontiers qu'Elizabeth fut la meilleure. Richard lui-même fut étonné. « Je ne croyais pas qu'elle serait aussi bonne », dit-il à la fin de la soirée. « Je n'ai encore jamais eu pareille ovation. »

Richard avait sans cesse besoin de quelqu'un pour le stimuler. Sybil le savait depuis ses débuts à l'Old Vic, mais plus il devenait célèbre et gagnait d'argent, moins les metteurs en scène avec lesquels il travaillait semblaient s'en rendre compte, surtout dans les films. Dans *Hamlet*, Gielgud l'avait bien pris en main, mais quand le rideau tomba sur la 136e représentation, Richard fila à Hollywood, impatient de refaire fortune sans trop de mal.

Il commença à la fin de l'été un nouveau film avec Elizabeth *Le chevalier des sables*. C'en était fini de la femme au foyer. Parmi plusieurs propositions, ils avaient choisi celle-là malgré les restrictions imposées sur le script ; en effet la MGM acceptait de tourner hors d'Amérique pour les arranger. Cette année-là, Richard ne pouvait plus gagner d'argent aux Etats-Unis sans payer d'impôts. Toute l'équipe se rendit donc à Paris et la plus grande partie du film, située sur une plage de Californie, fut tournée dans un studio français.

C'était encore un film de seconde catégorie, mais les Burton étaient si populaires que *Le chevalier des sables* rapporta beaucoup d'argent. En revanche la réputation de Richard comme acteur n'y gagna rien. Dans le *Sunday Telegraph,* Margaret Hinxman loua Elizabeth pour avoir tiré le meilleur parti d'un aussi mauvais script :

> « Dans le cinéma commercial, c'est ce qu'un acteur peut tirer de presque rien, et pas ce qu'il fait d'un grand rôle, qui fait la différence entre les vrais pros et les dilettantes peu sûrs.
> Par contraste, Richard Burton joue comme si cela n'avait ni queue ni tête, mauvaise habitude remontant à l'époque où il interprétait *La Mousson* comme s'il ne pleuvait nulle part ailleurs. »

Il s'en moquait bien. Elizabeth avait un cachet d'un million de dollars, Richard d'un demi million, plus quelques milliers de dollars pour ses frais personnels.

Il leur en fallait plusieurs milliers pour vivre. Elizabeth avait toujours été très dépensière. Ce n'était pas une femme d'affaires. A cette époque, elle gagnait plus qu'aucune autre actrice au monde, mais elle n'avait jamais d'argent. Ce fut un choc pour Richard de découvrir qu'elle ignorait le mot « économie ». Elle dépensait sans compter en vêtements et en alcool, mais l'essentiel de sa fortune disparaissait en salaires. Elle avait deux secrétaires, un photographe, un coiffeur, un maître d'hôtel, un maquilleur, un chauffeur, un précepteur pour les aînés de ses enfants, une gouvernante et une nurse. Elle avait aussi un garde du corps, pas tant pour sa propre sécurité que par crainte qu'on enlève un de ses enfants. S'ajoutaient naturellement à cela les frais de séjour à l'hôtel pour tout le monde, et elle descendait toujours dans les palaces.

Richard adopta ce style de vie. Ils avaient en commun une partie de ce personnel, mais en plus de Bob Wilson, il avait maintenant deux secrétaires particulières. Quand ils se rendirent à Dublin au début de l'année suivante pour le nouveau film de Richard, il leur fallut quatre suites au Gresham, trois chambres simples et une double pour héberger tout ce monde.

« Si vous n'avez pas quelqu'un pour répondre au téléphone et ouvrir le courrier », dit Richard à Barry Norman pour se justifier « ça ne vaut pas la peine de vivre ». Il est vrai qu'ils étaient submergés de courrier partout où ils allaient et que le téléphone n'arrêtait guère de sonner. S'il voulait disposer d'un peu de temps pour lui, par exemple pour écrire, il lui fallait effectivement quelqu'un pour filtrer les appels et lire les lettres. Mais ainsi il se rendait peu à peu inaccessible à ses amis ; il se coupait de la vie réelle et du monde extérieur.

Richard aimait écrire, et quand il était en rage contre le métier d'acteur, il disait souvent qu'il préférerait gagner sa vie en écrivant. Il emportait partout avec lui une petite machine à écrire portative et la mettait bien en évidence sur la table de sa suite, généralement avec une feuille de papier vierge, attendant l'inspiration. Depuis ses quatorze ans, il tenait plus ou moins son journal, écrivait parfois des poèmes, et en faisait la lecture à ses amis. A l'occasion, il rédigeait des articles commandés par des magazines, y compris *Christmas Story* relatant ses souvenirs d'enfance au Pays de Galles et *Meeting Mrs Jenkins* qui furent tous deux publiés. Mais il entretenait surtout une importante correspondance. Il n'aimait pas beaucoup le téléphone et préférait écrire. Il adorait les mots et leur musique. Son style était plutôt fleuri, parfois prétentieux, avec des superlatifs et des expressions chaleureuses, souvent hâtif; l'orthographe et la synthaxe étaient fort approximatives.

Il téléphonait tout de même pour des cas urgents. Un soir de juin 1965, les Bakers étaient en pleine réception, quand Richard les appela. Il venait d'apprendre que Sybil, à trente-six ans, allait se remarier, et il était fou de rage.

Sybil avait engagé un excellent groupe, « The wild Ones », pour jouer dans son club « Arthur's ». Elle était tombée amoureuse de son leader, Jordan Christopher. Jordan, un macédonien de l'Ohio, avait douze ans de moins qu'elle, et la rendait bien plus heureuse qu'elle ne l'avait été depuis des années. Richard n'aurait donc plus à verser de pension alimentaire. Il disposerait de 50 000 dollars de plus par an. Et pourtant, au téléphone, il était complètement hystérique.

« Tu dois l'empêcher de faire ça », hurlait-il, « va la trouver, Stan, et empêche-la d'épouser ce type. Je t'en prie, il ne faut pas qu'elle se marie ». Stanley et Ellen mirent du temps à le calmer et à lui faire comprendre que Sybil pouvait désormais faire ce qu'elle voulait de sa vie.

Le film qui conduisit les Burton à Dublin, puis à Londres et en Bavière était *L'espion qui venait du froid,* d'après un roman d'espionnage de John Le Carré, sorte de réponse du premier James Bond qui venait de sortir. Burton jouait le rôle d'un espion minable et sans illusions nommé Alec Leamas, un personnage dont le corps continue à vivre alors que l'esprit agonise; un malade dégoûté de lui-même. Richard déclara que ce rôle lui convenait très bien. Sur le plateau, il battit un jour ce qu'il appelait son étonnant record personnel. « Je devais descendre un grand whisky », dit-il en racontant la scène au journaliste Peter Evans. « C'était la dernière séquence de la journée. On a fait 47 prises. Tu te rends compte, coco, 47 whiskies. »

Que ce soit ou non grâce à l'alcool, pour la première fois au cinéma, Burton fit l'unanimité auprès de la critique. Dans le *Daily Express*, Leonard Moskey écrivit : « Son interprétation fait oublier tous les mauvais rôles qu'il a joués, tous les bons rôles qu'il a gâchés, et toutes les incartades commises à l'écran et ailleurs.

S'il ne gagne pas un Oscar pour ce rôle cette année, il n'y a plus à Hollywood ni justice ni jugement. » Il n'y avait hélas plus de jugement à Hollywood.

L'autre vedette du film était Claire Bloom. Il ne l'avait plus revue depuis qu'il vivait avec Elizabeth et elle s'aperçut vite qu'elle appartenait au passé. Lors de leur première rencontre hors tournage, Richard l'ignora avec une telle grossièreté qu'elle ne le lui pardonna jamais. Richard pouvait être très désagréable, surtout quand il avait bu. Il lui arrivait d'être violent lorsqu'il était ivre et plusieurs de ses femmes reçurent des coups au cours de disputes.

Un soir, Richard avait tellement bu qu'il tomba dans les escaliers en quittant un restaurant. Il était avec Elizabeth et Stanley Baker. Elle avait bu autant que lui et fut prise d'un fou rire. Richard, furieux, lui arracha brutalement sa perruque (elle en portait souvent). Rentrés à la maison, Richard lui dit d'aller se coucher. Elle refusa, disant qu'elle voulait rester prendre un verre avec Stanley et il partit fou de rage. Les larmes aux yeux, elle se confia à Stanley, lui avouant combien elle aimait Richard et le mal qu'elle avait eu à vaincre la résistance de son entourage, car on lui en voulait de ce qu'elle avait fait à Sybil. Elle en était consciente, mais elle l'aimait.

A jeun, Richard était un autre homme, aimable, gentil et extrêmement généreux.

Cette année-là, en avril, Richard et Elizabeth fondèrent leur propre compagnie de production. En tournant *L'espion*, Richard mettait au point leur premier film. Ce serait *L'attaque du train postal,* d'après l'authentique hold-up qui s'était produit dans le Buckhinghamshire deux ans auparavant. Ce projet l'excitait beaucoup, et encore plus la perspective de se trouver des deux côtés de la caméra. La mise en scène serait de Sam

Wanaker et Burton jouerait le chef du gang, son premier rôle de criminel.

« C'est étrange », confia-t-il au journaliste Duff Hart-Davis, « je sors d'une famille galloise très modeste. Mon père était mineur, je suis le douzième de treize enfants. Je suis trapu, pas très grand, j'ai les jambes arquées ; difficile d'être plus gallois ! Pourtant, je n'ai guère joué que des princes ou des rois, comme Hamlet ou Alexandre le Grand. Vivement que je retourne à un rôle d'ouvrier ! »

Le sujet l'impressionnait aussi beaucoup. « A l'époque, je me rappelle avoir été très fier que nous, les Anglais, nous ayons réalisé le plus grand hold-up de tous les temps et je n'ai jamais rencontré personne qui pense autrement. »

Le projet devait prendre forme en novembre, mais Richard et Elizabeth avaient un contrat à honorer à Hollywood auparavant. Richard buvait toujours beaucoup. Interpréter une fois encore le rôle d'un homme qui boit n'arrangeait rien. Après Alec Leamas dans *L'espion,* il incarnait George, dans le film tiré de la pièce d'Edward Albee, *Qui a peur de Virginia Woolf ?* Cette histoire est en quelque sorte la radioscopie d'un mariage, des relations entre deux êtres qui se détruisent, au travers d'un dialogue fait d'invectives. Le conflit prend la forme d'un jeu où chacun met à jour les faiblesses de son partenaire et frappe fort. George est un médiocre professeur d'histoire, raté, entre deux âges. Sa femme, Martha, grosse, perverse, autoritaire, est la fille du recteur de l'Université et malgré son influence, il n'a pu devenir chef de son département. Elle n'a pas réussi à avoir d'enfants. Un terrain idéal pour se détruire, et en se massacrant mutuellement, ils entraînent avec eux un jeune couple innocent qu'ils ont invité à prendre un verre.

Elizabeth incarnait Martha. On lui avait proposé le rôle avant que le producteur Ernest Lehman ne songe à engager Burton. C'est elle qui pensa à Richard et sut le convaincre d'accepter. Elle n'eut guère de mal. Il touchait maintenant plus de sept cent mille dollars par film, sans compter tous les défraiements qu'il savait exiger grâce à Elizabeth.

Ils s'installèrent dans une immense villa d'Hollywood derrière le Beverly Hills Hôtel. Elle était somptueusement meublée, avec un personnel nombreux, un grand escalier tournant et une vue fabuleuse.

Robert Hardy était à Londres, et il projetait de faire l'adaptation cinématographique d'un livre sur Guillaume le Conquérant, *The golden warrior*. Il n'avait jamais fait ce genre de travail, mais il avait l'autorisation de l'auteur et pensait que Burton serait un Guillaume idéal. Il l'appela de Londres pour lui dire qu'il souhaitait lui montrer ce qu'il avait élaboré. Richard l'invita immédiatement à venir passer quelques jours à Hollywood. Il invitait sans cesse des parents et des amis, quel que soit le point du globe où il se trouvait. Il adorait avoir plein de monde autour de lui.

« Je ne peux pas venir », répondit Robert, qui à cette époque avait peu de moyens.

« Ne t'inquiète pas de cela », dit Richard. « Dis-moi quel jour tu veux venir et tu trouveras un billet à Heathrow *. » Et ce fut le cas.

Richard et Elizabeth travaillaient alors beaucoup, apprenant leur texte, se couchant tôt, mais en ayant ingurgité une grande quantité de vodka.

Avant de rencontrer Elizabeth, Richard ne buvait que de la bière. De son côté, Elizabeth s'adonnait à l'alcool et elle abandonna vite la bière adoptée pour lui faire plaisir, retournant aux boissons qu'elle aimait vraiment : la vodka et le vin. Richard l'accompagna.

Le tournage n'en finissait plus, et bien que cela représentât un pont d'or, leur participation au film *L'attaque du train postal*, devenait impossible ; ils en furent très déçus. Pour tout arranger, leur vie commençait à ressembler à la pièce d'Albee. Leurs amis les avaient prévenus que ce serait une erreur de tourner ce film ensemble. Aucun mariage, si bon soit-il, ne pouvait résister à la haine contenue dans ce texte. Il leur était bien difficile de rentrer chez eux, de partager une bouteille de vodka

* Aéroport de Londres (N.d.T.).

et de jouer au ménage parfait après s'être agressés toute la journée sur le plateau.

Il y eut des compensations. *Virginia Woolf* leur rapporta beaucoup d'argent à sa sortie et Elizabeth obtint un Oscar à Hollywood. Burton reçut un prix de l'Académie du film britannique pour ses rôles dans *Virginia Woolf* et dans *L'espion qui venait du froid*.

Richard aimait plus que tout raconter ses histoires d'Oxford. Il parlait de ce qu'il faisait alors, disait qu'il abandonnerait un jour le métier d'acteur, deviendrait professeur et y finirait ses jours. C'était un rêve permanent, comme celui de devenir écrivain, ou de justifier ses mauvais films en disant qu'il les tournait pour gagner assez d'argent afin d'en réaliser de meilleurs avec *Hamlet* et *Coriolan* ; ou encore qu'un jour il jouerait *Le Roi Lear*.

« Je suis pratiquement obligé de jouer Lear », dit-il un jour. « Après tout, ma voix est aussi noire que les souffrances de ma patrie, le Pays de Galles, et je dois jouer Lear parce qu'il est le seul Gallois assez intéressant pour avoir inspiré Shakespeare. Quand Lear se déchaîne, quand il ne se contient plus, il est totalement gallois. Ce n'est pas le cas d'Hamlet. Hamlet est anglais, mais Lear est gallois. »

En février 1966, Richard revint effectivement à Oxford pour jouer dans cette production tant attendue de *Docteur Faust* promise à Nevill Coghill plus de deux ans auparavant. C'était un spectacle de l'OUDS et, Elizabeth devait y tenir le rôle muet d'Hélène de Troie. Il avait accepté de jouer gratuitement pour que l'argent aille au University Theatre Appeal Fund★.

Au fil des ans, on avait plusieurs fois demandé à Richard de l'argent pour aider différents secteurs de l'Université. Comme pour toutes les grandes stars, une bonne partie de son courrier concernait chaque jour des demandes d'aide, mais Richard était surtout concerné par ce qui touchait Oxford. Il se sentait redevable pour le temps passé là-bas, qui lui inspirait une

★ Fonds d'aide du théâtre universitaire.

nostalgie de plus en plus grande avec les années. Il avait une idée très romantique de l'endroit : Oxford était sa vraie demeure. Sa patrie intellectuelle et spirituelle, et il s'en était tenu éloigné trop longtemps.

Quand les Burton arrivèrent à Oxford et s'installèrent au Randolph Hotel, le reste de la distribution répétait depuis des semaines. On avait beaucoup parlé du projet à la radio et à la télévision et même les étudiants les plus blasés étaient très excités à l'idée de faire la connaissance de ce couple célèbre. Quitter leur café instantané servi dans une tasse ébréchée près du petit radiateur électrique de leur chambre au collège, pour se retrouver dans une suite du plus grand hôtel de ville avec Elizabeth Taylor vous demandant « que puis-je vous offrir à boire ? » et la voir ensuite vous servir elle-même, voilà une expérience que bien peu d'entre eux oublieraient.

Ils furent tous deux extrêmement cordiaux avec les étudiants, donnant des réceptions pour eux et les emmenant faire des sorties. Elizabeth semblait très impressionnée par l'endroit et par tous ces « cerveaux » qui l'entouraient. Richard y gagnait d'abord un public nouveau pour ses histoires et il se montra fin et spirituel, divertissant tout le monde.

Il était en apparence l'âme et l'élément moteur de l'entreprise, mais certains étudiants virent bien qu'il était dangereux, que le trouver sur son chemin était plein de risques. Il leur parut distrait, comme dans l'attente de quelque chose, ennuyé, mais non pas par ce qui se passait autour de lui : on aurait dit qu'il souffrait d'un ennui intériorisé, d'un désespoir métaphysique.

Et pourtant il semblait bien profiter de son séjour à Oxford. Il emmena Elizabeth boire dans tous les pubs du coin, quadrillant la campagne dans leur Rolls Royce. Il participait à tout ce qu'on voulait. Il ne jouait pas à la grande star, il prenait plaisir à discuter avec les étudiants, et on parlait de le nommer membre honoraire de l'un des collèges.

Professionnellement, ce fut une déception. Il avait beaucoup parlé de son amour pour *Faust,* de la profonde connaissance qu'il en avait. Il attendait de jouer le Docteur depuis vingt ans. Pourtant, quand il monta sur scène pour la première répétition, on voyait bien qu'il n'était pas prêt, qu'il ne s'était même pas donné la peine d'apprendre le texte. De plus, il répétait presque à mi-voix, ce qui rendait le travail de ses partenaires aussi fatiguant qu'énervant. Il attendit la première pour se mettre à jouer un peu, bien qu'il ne sût toujours pas le texte. La pièce changeait tous les soirs : il inversait des vers, oubliait des fragments, et un soir il sauta une tirade entière supprimant l'entrée d'un autre acteur : ce personnage que Marlowe avait imaginé ne put jamais trouver le moyen de paraître.

Elizabeth avait deux entrées et pendant qu'elle était en scène, son habilleuse l'attendait en coulisse avec une vodka en équilibre sur un coussin.

La production fut condamnée par huit journaux nationaux sur dix. En conclusion de son article dans le *Sunday Telegraph*. Alan Brien écrivit : « On nous a même privés du plaisir d'entendre les passages d'anthologie déclamés avec une éloquence classique. J'ai comparé il y a longtemps l'élocution de Monsieur Burton à l'Old Vic à celle d'un ordinateur, trop parfaitement modulée pour être vraie. Ce débit si aisé s'interrompt maintenant au milieu de presque toutes les phrases, comme s'il dictait un texte à une secrétaire connaissant mal la sténo. »

Indifférents, Richard et Elizabeth partirent pour Rome avec l'idée d'utiliser leur argent pour en faire un film dont le bénéfice irait aussi au projet d'atelier théâtral. Cette semaine à Oxford avait déjà rapporté 3 000 livres : mais le manque à gagner était beaucoup plus élevé que cela. Restés sans rémunération pendant trois semaines (deux pour répéter, une pour jouer), on estima qu'ils avaient perdu environ 700 000 livres.

La direction du Randolph était un peu désorientée par ce passage de deux superstars sous son toit, mais l'un dans l'autre, tout avait bien marché, et Nevill Coghill était enchanté du résultat : « Avec l'argent... je peux maintenant monter un centre d'art dramatique expérimental à Oxford. Un bâtiment spécial pour les expositions, les spectacles, la musique de chambre, une bibliothèque et un restaurant. » Quant aux critiques, il en dit ceci : « Que pouvez-vous attendre d'un cochon sinon un grognement ? »

Burton pensait avoir un rapport particulier avec *Faust*. Il avait trouvé les deux derniers rôles qu'il avait joués au cinéma, Alex Leamas et George, trop proches de lui pour son plaisir, mais il s'agissait ici d'une relation plus fondamentale. « *Faust* est la seule pièce que je n'ai pas à travailler », disait-il à ses amis. « Je suis Faust. »

Le Docteur Faust est un homme qui vend son âme au Diable contre le savoir et la puissance, mais qui oubliant ces dignes aspirations, est entraîné vers des futilités et mû par un désir enfantin de se faire valoir. Méphisto profite de ses faiblesses ; il l'aveugle de mille illusions, détourne son attention par des apparitions et des présents clinquants, et l'effraye de terreurs soudaines pour l'empêcher de penser à Dieu et de se repentir pour échapper à leur pacte. Faust est subjugué par son propre orgueil et gâche les richesses contre lesquelles il a vendu son âme. Son ultime folie est de faire apparaître l'image d'Hélène de Troie, la plus belle femme de l'histoire, pour s'en faire aimer. Après cela, il s'estime perdu, car malgré son remords, il n'est plus temps de se repentir. Faust est alors sous l'emprise du désespoir le plus intense. L'heure sonne et il est damné.

Après avoir rencontré sa propre Hélène de Troie à Rome et juré qu'il ne reviendrait plus jamais dans cette ville, Richard était de nouveau installé avec Elizabeth dans une luxueuse villa de la Via Appia, aussi bien gardée que Fort Knox★. Quand on lui demandait ce qu'étaient devenues ses bonnes résolutions, il répondait : « Avec l'âge, je suppose que nous avons oublié. » Le plus important était de produire son premier film, *La mégère apprivoisée,* de Shakespeare. Il en serait la vedette dans une mise en scène de Franco Zeffirelli. C'était encore l'histoire, bien que plus courante, du combat conjugal et de la guerre des sexes. Elizabeth tenait le rôle de Katherine, la mégère au caractère ingouvernable, enfant capricieuse au corps de femme ; Richard jouait Petruchio, celui qui apprivoise la mégère, « car je suis né pour t'apprivoiser, Kate, et transformer le chat sauvage que tu es en une Kate semblable aux bonnes Kate domestiques. »

★ Abri contenant les réserves d'or des Etats-Unis *(N.d.T.)*

Après *La mégère apprivoisée,* qui était le premier film dans lequel Richard ait engagé son propre argent — bien que la Columbia y ait aussi collaboré pour une bonne somme — il resta à Rome avec Elizabeth pour faire *Docteur Faust,* qu'ils financèrent entièrement eux-mêmes. Ce fut aussi le premier film que Richard mit en scène. Il n'avait d'ailleurs plus fait de mises en scène depuis le RAF Babbacombe et sa production de *Youth at the helm* en 1944. Ce fut aussi la dernière ; l'expérience se révéla épuisante. Il travailla avec Nevill Coghill et les mêmes étudiants. La première eut lieu à Oxford l'automne suivant, comme il convenait. Les critiques ne furent pas plus tendres que pour la production scénique, et le film n'eut guère de succès commercial.

En revanche *La mégère apprivoisée* fut une réussite bien que Richard eût acheté lui-même cent-cinquante sièges pour la première londonienne. C'était à l'occasion de la Royal Film Performance à l'Odeon de Leicester Square. Elle rapporta 36 000 livres au Fond Bénévole du Cinéma et de la Télévision, et Richard invita toutes ses relations à passer le week-end à Londres pour y assister. Il réserva quatorze chambres doubles au Dorchester et le soir précédant la première, il donna une réception qui dura jusqu'à l'aube. Une autre réception eut également lieu le lendemain. Leur suite était pleine de joyeux Gallois qui chantaient et vidaient toutes les bouteilles.

La Princesse Margaret était présente à la projection et Richard, encore tout étourdi des excès de la nuit, monta sur scène. « Mon vrai nom, bien sûr », dit-il, « est Jenkins et ma femme s'appelle Lizzie Jenkins. Là-haut, au balcon, est assise Maggie Jones. Quand nous avons envahi le Dorchester, c'était seulement une tentative désespérée pour rivaliser avec les Jones. »

Bien sûr, c'était une blague, mais les Burton avaient accédé à leur propre noblesse. Ils étaient la famille royale du cinéma. Ils obtenaient des cachets énormes pour chaque film, des pourcentages sur les bénéfices, des multitudes d'autres avantages, choisissant leur metteur en scène. Leurs contrats étaient un embrouillamini de particularités et de clauses spéciales. Une fois au travail sur le plateau, ils étaient tous deux extrêmement professionnels — dans la limite des clauses spéciales — mais ailleurs, leur vie appartenait à la légende.

C'était la légende d'Elizabeth, faite d'éclat et de fantaisie, et Richard, l'homme le plus influençable comme Sybil le savait si bien, s'était empressé d'y participer. Il avait toujours eu envie d'argent, mais Elizabeth lui donna l'envie d'être une star, lui communiqua le désir d'avoir la plus grande suite dans les meilleurs hôtels et la meilleure table dans les plus célèbres restaurants. Entourés d'une cohorte d'assistants et de secrétaires qui tenaient le monde à distance, Richard se laissait peu à peu étouffer.

6

Un Ego de trop

A la fin de 1967, Burton avait ajouté à sa renommée deux films insignifiants de plus, malgré la qualité de leurs auteurs : *Les comédiens,* d'après le roman polémique de Graham Greene sur la dictature en Haïti, et *Boom,* adapté par Tennessee Williams de sa pièce *The milk train doesn't stop here anymore.* Richard et Elizabeth jouaient tous deux dans chacun de ces films. Ils avaient décidé de convaincre les producteurs ou les metteurs en scène qui prenaient contact avec l'un d'eux pour un film, d'engager également l'autre, ce qui avait parfois de fâcheux résultats sur la distribution, comme cela se voyait particulièrement bien dans *Boom.*

On tourna d'abord *Les Comédiens* au Dahomey, en Afrique occidentale. C'était un petit Etat que la célébrité des Burton n'avait pas encore atteint. L'une des histoires préférées de Richard concernait cette soirée où il était parti s'amuser avec quelques garçons. « Quand il se fit tard, Elizabeth demanda à Gaston, notre chauffeur, de téléphoner dans différents endroits pour savoir où j'étais. Il appela un hôtel et me demanda. »

« Qui ? »

« Burton », dit-il. « Richard Burton. »

« Est-ce qu'il est noir ou blanc ? »

Richard partait souvent « tirer des bordées », comme il disait, et il fallait ensuite le récupérer dans quelque bar. Un jour, en Sardaigne, pendant le tournage de *Boom,* il disparut une

145

soirée entière. Elizabeth devait le retrouver à l'hôtel après avoir quitté le plateau dans l'après-midi, et à huit heures et demie, il n'avait toujours pas paru. Les enlèvements étaient courants en Sardaigne à cette époque et Elizabeth était folle d'inquiétude. Elle ne savait à qui s'adresser. On avait prévenu la police, téléphoné à tous les hôpitaux, mais il n'était nulle part. La police le retrouva finalement vers dix heures du soir devant un bar dans le centre d'Alghero, debout sur une table, déclamant du Shakespeare à un public d'Italiens médusés, et promettant un verre à tout ceux qui pourraient lui dire dans quelle pièce se trouvaient les tirades qu'il récitait. Bob Wilson, debout par terre près de lui, essayait désespérément de le faire descendre.

C'est avec Burton qu'on prit d'abord contact pour *Les comédiens* et c'est lui qui proposa qu'on engage aussi Elizabeth. Pour *Boom* ce fut l'inverse. C'est à Elizabeth qu'on offrit le film en premier. Joseph Losey, le metteur en scène, le producteur Norman Spike Priggen et Tennessee Williams, descendirent tous en avion à Portofino pour discuter du script avec elle. Les Burton avaient loué un yacht pour passer une semaine de vacances et ils devaient tous se retrouver à Santa Margherita le jour de leur retour. Mais les Burton ne rentrèrent pas. Une semaine entière s'écoula, tout le monde attendait : les trois hommes, l'homme qui avait loué le yacht et ceux qui l'avaient retenu pour la semaine en cours. Les Burton apparurent enfin. Elizabeth était tombée amoureuse de l'*Odysseia,* et Richard avait décidé de lui offrir ce yacht. Ils étaient navrés d'avoir gêné tout le monde, « Mais vous savez ce que c'est quand Elizabeth veut quelque chose », expliqua Richard.

Ce yacht de 279 tonneaux avait une histoire intéressante. Il avait été construit soixante et un ans auparavant par un Anglais excentrique pour y abriter l'orgue qu'il voulait emmener en mer dans la tempête ; c'était pour lui l'atmosphère idéale pour jouer du Bach. Ce bateau avait aussi servi de patrouilleur en Méditerranée pendant les deux guerres mondiales. Ces dernières années, ce palace flottant aux six suites, servait de bateau de location. Richard le paya 75 000 livres, y mit un équipage de neuf marins et le laissa presque tout de suite à Gênes pour qu'on le remette en état et qu'on lui donne son nouveau nom : *Kalizma,* d'après le nom de trois de leurs filles : Kate, Liza et Maria.

On fit monter à bord Joseph Losey et « Spike » Priggen. Ceux-ci trouvèrent Richard sur le pont arrière où un bar était installé dans une cloison.

« Vous avez la fille qu'il faut », dit Richard en parlant d'Elizabeth. « Vous ne pouviez faire de meilleur choix. » Puis, il fouilla dans un monceau de livres et de scripts empilés sur le bar et trouva ce qu'il cherchait. Il brandit un chèque qu'il jeta à Spike. « C'est pour vous donner une idée. C'est l'un des chèques de ses bénéfices sur *Virginia Woolf.* » Il s'élevait à plus de deux millions de dollars.

Elizabeth devait jouer le rôle d'une veuve maintes fois mariée, fabuleusement riche, qui vieillit et se meurt toute seule sur une île. Sa solitude est troublée par l'arrivée d'un jeune et bel étranger qui se débrouille toujours pour apparaître juste avant que les riches veuves ne partent dans l'autre monde. On pensait à James Fox pour jouer le jeune et bel étranger. Elizabeth dit qu'elle voulait Richard pour partenaire. A quarante-deux ans, Richard était beaucoup plus âgé que le personnage ne devait l'être. Elizabeth fut intraitable et Losey, le producteur ainsi que le distributeur finirent par accepter.

Ainsi, le cirque Burton-Taylor, sur le nouveau yacht partit passer l'été en Sardaigne. Les plus âgés des enfants étaient en pension en Angleterre, mais ils vinrent en avion passer les vacances d'été, ce qui multipliait les risques d'enlèvement. Avoir Richard et Elizabeth ensemble dans le film coûtait déjà très cher en assurances, et si l'un des enfants était enlevé, les parents arrêteraient sûrement de travailler ; tout le film serait alors en péril. Les enfants étaient donc protégés par des gardes armés, et provoquaient une panique générale dès qu'ils s'éloignaient seuls, comme les garçons le faisaient souvent.

La production avait encore d'autres problèmes d'assurances. Elizabeth refusait de porter des bijoux factices. John Heyman et Spike, qui co-produisaient le film avec la société de Heyman n'avaient pas d'autre solution que de trouver des bijoux

véritables. Ils parvinrent à persuader Bulgari, le célèbre bijoutier romain, de leur prêter pour deux millions de bijoux que l'on
mit dans un coffre spécial envoyé de Rome et surveillé vingt-
quatre heures sur vingt-quatre par un garde armé.

Ce qu'Elizabeth voulait, généralement elle l'obtenait, quels
qu'en soient le prix ou les difficultés. Dans l'une des scènes
jouées par Burton, il était interviewé par un journaliste sur le
bateau qui le conduisait dans l'île. Elizabeth les persuada
d'engager son frère Howard qu'elle avait invité pour les
vacances avec sa famille. Spike fit remarquer qu'il n'était pas
acteur, mais spécialiste en biologie marine. « D'accord, mais
c'est un Taylor et il a des yeux magnifiques », dit-elle. On
pouvait à la place faire venir un acteur de Rome. Le marché
accepté, on discuta de son cachet. Elizabeth calcula ce qu'un
acteur aurait coûté, avec le voyage en avion, et proposa un
chiffre. Spike accepta. Elle dit alors : « Ah, mais c'est un
Taylor, et ça va vous faire une énorme publicité. Il faut
doubler. » Elle partit déjeuner. « Spike », dit-elle en revenant,
« j'ai réfléchi. Il lui faut mille dollars. » Ils étaient partis de 150.

Il n'y avait aucun doute sur l'identité de celui qui portait la
culotte. Spike alla demander à Burton s'il voulait bien tourner
un plan à 5 h 30 du matin parce qu'il fallait la lumière de l'aube.
Burton, toujours conciliant quand il avait bu un verre ou deux,
accepta. Un peu plus tard, Elizabeth se présenta : « Il paraît que
vous essayez de faire venir Richard à 5 h 30. Je ne suis pas
d'accord, chéri », dit-elle, et l'affaire fut classée.

Ils buvaient tous deux beaucoup et se disputaient souvent en
public. Un soir, Elizabeth dit à Richard d'aller se coucher parce
qu'il était soûl. Ils commencèrent à discuter ferme. Ils discutaient souvent pour savoir qui pouvait boire le plus. Elizabeth
finit par aller dans sa chambre et le laissa sur la terrasse avec
leurs invités. Leur chambre se trouvait deux étages au-dessus et
quelques instants plus tard, Elizabeth apparut au balcon dans un
négligé très cinématographique et lui demanda une fois encore
de venir se coucher. Et la dispute qu'ils avaient eu sur la terrasse
reprit, à portée d'oreille de toute la baie.

L'alcool n'avait aucun effet visible sur Elizabeth. Elle commençait avec des Bloody Marys dès le lever, et c'était parfois à huit heures et demie selon les exigences du film. Son maquilleur, Frank Larne, les lui préparait avec du poivre et du sel apportés spécialement des Etats-Unis par avion, quel que soit le pays où elle se trouvait. « Il fait les meilleurs Bloody Marys du monde », disait-elle. A midi, elle passait au whisky Jack Daniels.

Le premier jour du tournage en Sardaigne, elle était très nerveuse et prit trois grands Bloody Marys avant d'arriver sur le plateau. Dans la première scène, elle devait rester allongée en buvant et en dictant du courrier à son secrétaire. Joseph Losey lui demanda ce qu'elle voulait, suggérant d'employer du Ginger ale proche du whisky par la couleur.

« Non chéri, il est midi », dit-elle en regardant sa montre, « du Jack Daniels. » On lui apporta donc un whisky. Il fallut sept prises pour arriver à une image satisfaisante, et chaque fois, Elizabeth descendit un grand verre de Jack Daniels.

A la fin de la matinée, elle demanda à quelle heure il lui fallait venir sur le plateau le lendemain.

« Ne vous inquiétez pas de cela maintenant », dit Spike, « on aura tout le temps d'en parler en terminant cet après-midi. »

« Mais je viens de parler avec la responsable du montage », dit Elizabeth, « et elle m'a dit que l'on avait déjà tourné trois minutes de film aujourd'hui. Je ne tourne jamais plus de deux minutes et demie par jour. C'est certainement indiqué dans mon contrat. »

Mais ce détail manquait à son contrat et ce fut une bataille perdue pour elle.

Burton manqua tout simplement le premier jour de tournage. Ils devaient se rendre dans un petit port au bout de l'île pour la scène avec le journaliste. Les équipes étaient en place, tout le monde était prêt à partir, mais toujours pas de Richard. Il était à son hôtel, hors d'état de travailler. Elizabeth finit par envoyer un message pour l'excuser, disant qu'il faudrait se passer de lui ce jour-là. Il serait là le lendemain.

Après *Boom*, Burton joua un petit rôle dans *Candy*, film avec Marlon Brando tourné à Rome. Le ménage se transporta ensuite à Londres. Richard devait jouer dans *Quand les aigles attaquent* d'Alistair Maclean avec Clint Eastwood, film qui lui assurait un million de dollars, plus un pourcentage sur les recettes, avec les défraiements habituels. Elizabeth, quant à elle devait tourner *Cérémonie secrète*. Pendant ce séjour, leur train de vie allait être encore plus élevé que d'habitude. Elizabeth avait tenu à emmener leurs chiens avec eux — deux pékinois — mais à cause des lois anglaises infligeant une quarantaine aux animaux, ils ne purent atterrir sur le sol britannique. On réparait *Kalizma* en cales sèches, et les Burton louèrent donc un yacht de 191 tonneaux, le *Beatrice and Bolivia,* à 1 000 livres par semaine, afin d'y laisser les chiens ; le bateau resta à l'ancre à Tower Pier sur la Tamise.

Ils tournaient tous deux à Elstree : Richard aux studios de la MGM, Elizabeth à ceux de l'ABC (maintenant EMI), à huit cent mètres l'un de l'autre. Mais ce n'était pas une coïncidence. Lorsqu'ils faisaient des films différents, ils exigeaient de les faire au même endroit pour pouvoir déjeuner ensemble. Cela aussi faisait partie de leur contrat.

Cérémonie secrète ne débuta que plusieurs semaines après que Burton ait commencé *Quand les aigles attaquent,* si bien qu'Elizabeth venait déjeuner de Londres en voiture. Robert Hardy se joignait aussi à eux, deux ou trois fois par semaine, car il travaillait tout près, aux studios de l'ABC.

« Veux-tu un rôle dans mon film ? », demanda un jour Richard sachant que Robert avait presque fini son tournage. « Pat Wymark est malade. Tu peux prendre son rôle. Ça te tente ? »

« Non, je ne peux pas », dit Robert. « Je pars en vacances — cinq semaines en Grèce — je l'ai promis à Sally ; ça fait un siècle que nous ne sommes pas partis. »

Richard changea de tactique : « Prends l'avion », dit-il.

« Oui, nous y allons en avion », dit Robert. « Nous prenons l'avion jusqu'à Athènes, puis nous louons une voiture. »

« Ne fais pas l'idiot », dit Richard, « je veux parler de mon avion. J'ai un jet. J'ai six jets. » Il expliqua qu'il était actionnaire d'une société qui travaillait à partir de la Suisse. Robert hésitait.

« Allons, fais ce qu'il te dit », dit Elizabeth. « Allez Rich, prends le téléphone ; tu vas oublier si tu ne le fais pas tout de suite. »

On approcha un téléphone à leur table et trois jours plus tard Robert et Sally étaient assis dans le salon d'accueil des VIP à Heathrow, attendant leur jet privé pour Athènes.

La société de location de jets en Suisse n'était que l'une des nombreuses affaires que Richard et Elizabeth avaient entreprises ensemble. Ils avaient aussi lancé toute une série d'opérations financières et donné beaucoup d'argent à des particuliers qui leur semblaient mériter une aide d'une manière ou d'une autre, comme la modéliste américaine Vicky Teil (qui épousa le maquilleur de Richard, Ron Berkley), et qu'ils aidèrent à ouvrir une boutique à Paris. L'une de leurs aventures financières concerna la Harlech Television, consortium d'hommes d'affaires et d'acteurs, parmi lesquels on comptait Lord Harlech et Stanley Baker, qui reprit aux anciens propriétaires, TWW, la franchise pour le Pays de Galles et l'ouest de l'Angleterre. Les Burton garantirent 25 000 livres pendant deux ans et Richard devint directeur non exécutif. Ce n'était pas un homme d'affaires très passionné, et bien que l'aventure démarra favorablement en mai, par une ouverture rendue encore plus sensationnelle par la dernière acquisition d'Elizabeth, le diamant Krupp, étincelant sous les flashes, elle s'acheva prématurément.

Son sens de l'investissement n'était pas totalement infaillible. Quand il rencontra Frank Hauser dix ans après avoir mis de l'argent dans l'Oxford Playhouse, il lui dit : « Vous savez, quand je vous ai donné cet argent, j'étais plein aux as, j'avais d'excellents conseillers financiers et j'ai investi dans beaucoup de secteurs. Ils ont tous fait faillite. Le Playhouse est la seule entreprise qui fonctionne encore ! » Tous les ans, le prêt de 2 000 livres pris en charge pas Richard Burton arrivait pour la réunion générale de la Playhouse, et bien que Richard continuât à donner des milliers de livres à Oxford de diverses manières, il n'oublia jamais sa dette.

Les diamants et autres bijoux que Richard achetait à sa femme étaient en partie acquis comme investissement, de même que les œuvres d'art et les livres qui constituaient sa vaste bibliothèque en Suisse. Seuls les livres lui procuraient quelque plaisir. Dès qu'elle avait eu de l'argent, Elizabeth avait toujours acheté des tableaux. Son père, marchand d'œuvres d'art la conseillait. Dans sa très enviable collection elle avait un Monet, un Degas et un Modigliani. La plupart de ces tableaux étaient confiés à un musée de Genève, car il était trop coûteux de les assurer ailleurs ; mais c'était là encore un sujet de discorde entre eux. Comme le dit Richard à Duff Hart-Davis, « L'ennui c'est que je ne comprends rien à l'art. J'ai essayé cent fois, mais je ne peux toujours pas voir la différence entre un Rembrandt et un Picasso. Elizabeth a dernièrement acheté un Van Gogh pour environ 100 000 livres. Je lui ai dit : " 100 000 livres pour soixante centimètres de long sur trente de large ? Seigneur Dieu " ! »

Il n'hésitait pourtant pas à dépenser des sommes astronomiques, pour des diamants. Le diamant Krupp de 33 carats coûta 125 000 livres. Pour le trente-septième anniversaire d'Elizabeth, il dépensa 15 000 livres pour la fameuse Peregrina, la perle offerte à Marie Tudor par le Roi Philippe II d'Espagne. Il acquit aussi pour un million de dollars le fameux diamant Cartier de près de 70 carats.

Le jour du mariage de Sheran Cazalet, Elizabeth portait le diamant Krupp, que Richard appelait « le glaçon ». La Princesse Margaret était aussi invitée et elle dit à Elizabeth qu'elle trouvait cet objet le plus vulgaire qu'elle ait jamais vu.

« Vous voulez l'essayer ? » proposa Elizabeth

« Volontiers », répondit la Princesse.

La passion d'Elizabeth pour les bijoux amusait Richard. Il racontait souvent qu'il se réveillait parfois à six heures du matin et trouvait Elizabeth debout devant la fenêtre. « Je joue avec mes diamants », expliquait-elle.

Il lui arrivait aussi de voir l'immoralité de la chose. Et pas seulement pour les bijoux : Elizabeth achetait avec passion et, voyant parfois ses dernières acquisitions, un corsage ou une paire de chaussures de plus, il disait. « Cent vingt dollars. C'est ce que gagnait mon père en quatorze semaines de travail dans les années trente. »

Sheran épousa Simon Hornby, membre de l'immense chaîne de librairies W. H. Smith. Son père et son grand-père avaient participé à la création de l'entreprise. Ce fut un mariage mondain, qui eut lieu à Fairlawne, la ravissante maison des Cazalet près de Tonbridge dans le Kent. Les Rolls Royce étaient garées deux par deux dans l'allée et la liste des invités ressemblait à une page du bottin mondain, commençant par sa Majesté la Reine mère Elizabeth, et ainsi de suite. Richard ne portait jamais de costume, et il n'avait pas de jaquette à se mettre. Il voulut en louer une, mais n'y parvint pas. Pour la seconde fois, il dut s'acheter un vêtement spécialement pour aller chez les amis d'Elizabeth.

Les deux couples s'entendaient extrêmement bien. Richard adorait parler de livres et Sheran écoutait toujours ses histoires avec enthousiasme. Ainsi, Richard et Elizabeth ne venaient jamais à Londres sans dîner avec les Hornby ou sans passer un week-end avec eux. Ils leur rendaient l'hospitalité à Rome, dans le midi de la France, partout où ils louaient une villa et peu après leur mariage, Sheran et Simon passèrent des vacances dans leur maison de Puerto Vallarta. Ils partirent en voyage de noces au Portugal et à Venise et devaient faire escale à l'aéroport de Londres entre les deux, car il n'y avait pas de vol direct entre ces pays. Le jour précédent, ils eurent un coup de téléphone surprise dans leur chambre d'hôtel au Portugal. C'était Jim Benton, le secrétaire de Richard.

« On m'a dit qu'il ne faut pas vous confier aux transports publics », annonça-t-il. « Nous envoyons le jet vous chercher. »

Ils n'envoyèrent pas seulement le jet ; une Rolls Royce les attendait à Heathrow pour les conduire à bord du *Kalizma* ancré sur la Tamise. Le jour suivant on les ramena à l'aéroport pour qu'ils s'envolent vers Venise.

Seules deux personnes connaissaient les détails de leur voyage et Richard ayant par hasard rencontré l'une d'entre elles, il avait immédiatement songé à envoyer son jet.

Les Burton avaient maintenant deux maisons à Puerto Vallarta. La première, Casa Kimberley, s'était révélée trop petite pour abriter tout le monde. Ils en avaient donc construit une deuxième de l'autre côté de la route, La Maison Neuve. Elles avaient l'une comme l'autre une vue fantastique sur le golfe de Vallarta et toutes deux étaient luxueusement et confortablement meublées par Jill Melford, le décorateur londonien qui décorait toutes leurs demeures.

L'une des maisons était à Elizabeth et l'autre à Richard et ils construisirent un pont pour les relier. Ce pont allait de la piscine d'Elizabeth au premier étage de Richard où il s'installait tous les matins pour travailler devant sa machine à écrire. C'était la réplique exacte du Pont des Soupirs à Venise. La route qui passait dessous était très secondaire et il n'y circulait guère de véhicule d'un week-end sur l'autre, mais si jamais un camion se présentait, le pont était si bas qu'il devait être déchargé pour arriver à passer.

Puerto Vallarta avait dramatiquement changé depuis que les Burton y avaient élu domicile. Le petit port de pêche mexicain poussiéreux était devenu une ville touristique fréquentée dont Richard était l'un des notables. On le traitait comme un maire, on parlait de son passage dans la RAF comme du « Seigneur » de Docking et ses exploits de buveurs étaient célèbres chez les autochtones qu'il invitait souvent à dîner. Il adorait cet endroit et suggérait qu'on y tourne ses films.

Quand les aigles attaquent fut descendu par la critique à cause de sa violence excessive et gratuite. « Il vaut mieux en rire », écrivit Eric Shorter dans le *Daily Telegraph,* « en regrettant que tant d'action, au sens propre du mot, soit dépourvue de force dramatique, d'esprit et d'intensité ». Plusieurs autres projets furent envisagés après, et l'un de ceux pour lesquels il suggéra Puerto Vallarta fut *L'homme de nulle part.* Il n'en résulta finalement rien. Après beaucoup de travail préparatoire, notamment le choix par Richard de Sam Osteen comme metteur en scène — il avait travaillé avec lui pour *Virginia Woolf* — il décida que le script ne lui plaisait pas. Et comme le producteur avait du mal à trouver des fonds, on abandonna le projet.

Puis ce fut *L'escalier.* Le film était tiré de la pièce de Charles Dyer : deux homosexuels tristes et vieux vivent ensemble comme mari et femme — encore l'analyse d'un ménage difficile —; un film où tout est dans le dialogue. Burton incarnait Harry, un coiffeur, la femme du couple, et Rex Harrison était Charlie, convoqué par la police au cours de la pièce pour répondre de quelque attentat à la pudeur.

Ce film était un choix curieux. Burton était farouchement anti-homosexuel. Il parlait de certaines personnes en disant « Mon ami homosexuel » — et un grand nombre de ses amis l'étaient. « C'est arrivé », disait-il, « avant qu'il se décide à devenir normal et à se marier », ou : « Bien sûr, il était alors homosexuel, avant de changer et de se marier. » Ses amis trouvaient ces allusions constantes inutiles et gênantes, comme s'il essayait d'effacer un incident quelconque, de son passé, ou de refouler une tendance homosexuelle. Il dit un jour qu'il pensait que la plupart des acteurs étaient des homosexuels latents et « l'oubliaient dans la boisson ».

Situé dans une boutique de coiffeur à Londres, *L'escalier* fut en fait tourné à Paris, pour éviter de nouveaux problèmes fiscaux à Richard. Il avait terminé son temps légal en Grande-Bretagne pour l'année. Pour les mêmes raisons, le nouveau film d'Elizabeth *Las Vegas, un couple,* dut aussi être tourné à Paris, bien qu'il se passât à Las Vegas.

Richard alla signer le contrat de *L'escalier* à New York. Comme Kate était alors avec lui et retournait à cette occasion chez sa mère. Richard proposa d'emmener aussi Sally Baker la fille de Stanley, qui était sa filleule, pour qu'elle puisse voir Sybil.

Sally était handicapée. Ce n'était un secret pour personne et les Baker ne cherchaient aucunement à le cacher. Elle assumait très bien ce handicap. Elle était jolie et très intelligente, et Stanley et Ellen étaient extrêmement fiers de leur fille. Ils voulaient seulement qu'elle ait toutes les chances de mener une vie normale sans être exposée à une publicité indésirable. Ils y étaient parvenus pendant quinze ans, et quand Richard suggéra de l'emmener avec lui, Ellen et Stanley ne furent guère rassurés. Cependant, Elizabeth, hospitalisée, n'était pas du voyage. Il n'y aurait sans doute pas trop de publicité et

Richard devait confier les deux jeunes filles à Aaron dès son arrivée.

Au dernier moment, Elizabeth décida de venir, ce qui impliquait la présence d'une infirmière et les empêchait de voyager en avion. Ils retinrent des suites sur le *Queen Elizabeth*. Stanley ne connaissait que trop bien ses amis. Il eut un tête-à-tête avec Richard chez eux à Epsom et lui fit promettre de laisser Sally dans l'ombre. « Ecoute, Richard », dit-il, « emmener Kate et Sally en avion et les laisser là-bas est une chose, mais faire le voyage en bateau avec Elizabeth sur une chaise roulante avec une infirmière en est une autre. Promets-moi — car Sally n'y est pas habituée — qu'il n'y aura ni interviews ni rien de ce genre ».

« C'est promis, c'est promis », dit Richard. « Je ne te ferais pas ça. » Et, non sans appréhensions, ils la laissèrent partir.

Sur ce, les Baker allèrent passer les vacances dans leur appartement de Cannes. Il était convenu que Richard emmenerait Sally à Paris quand il aurait fini ce qu'il avait à faire à New York, et que Stanley l'y reprendrait pour rejoindre en voiture le reste de la famille.

Un matin, Ellen descendit acheter du lait et des journaux. Elle fut horrifiée de voir une pile de quotidiens français avec une photo de Richard, Elizabeth et Sally descendant les Champs-Elysées, à la Une, avec ce titre : « La jeune fille mystérieuse avec un seul bras et une seule jambe. » Elle lut la suite.

« C'est ma filleule », expliquait Richard Burton. « Je l'emmène en Russie. C'est elle qui m'est le plus cher après Elizabeth. C'est la petite fille d'un mineur unijambiste. Elle s'appelle Sally. Le plus grand spécialiste du monde se trouve en Russie et, même si c'est le dernier acte de mon existence, je vais l'emmener consulter là-bas. »

Complètement bouleversée, Ellen remonta dans sa voiture et fit le tour de la ville pour acheter tous les journaux qu'elle rapporta à Stanley. Il fut catastrophé. Il prit tout de suite son téléphone et appela Richard à Paris. Ce fut leur plus cuisante dispute en vingt ans d'amitié. Ellen reconnut finalement que c'était de leur faute. Ils connaissaient Richard, qu'attendaient-ils d'autre? Mais Stanley ne lui pardonna pas : Richard avait promis, il avait juré de ne pas donner d'interviews. Leur amitié s'en trouva entachée.

Sally n'avait pas du tout passé ses vacances avec Sybil; en un mois, elle n'était restée que quatre jours avec elle. Elle avait passé tout son temps avec Richard et Elizabeth dans leur suite du Regency Hôtel et dans les night-clubs. Elle n'était pas allée à Central Park, ni au Zoo ni au Metropolitan Museum. Elle avait seulement vu *Autant en emporte le vent* avec une femme de chambre, et elle avait acheté chez Saks 144 paires de collants avec la carte de crédit d'Elizabeth, manquant de se faire arrêter car on la soupçonnait de l'avoir volée.

Elizabeth s'était comportée comme la marraine des contes de fées envers Sally, et bien que ces vacances n'eussent pas été celles que les parents souhaitaient pour leur fille de quinze ans, Sally avait passé quatre semaines merveilleuses et inoubliables et elle était tombée complètement amoureuse d'Elizabeth.

Ce fut pour Burton l'un des coups les plus durs qu'il reçut vers la fin des années soixante. Stanley avait été pour lui un frère durant les hauts et les bas de sa carrière, dans ses mariages, ses aventures. Ils s'étaient soûlés, avaient bravé l'opinion ensemble et Richard était troublé et légèrement étonné qu'il ne l'approuve plus.

Un autre incident l'ébranla vers la fin de 1968. Depuis qu'il avait épousé Elizabeth, Richard n'avait guère résidé dans sa maison de Céligny, puisqu'il habitait chez Elizabeth à Gstaad quand ils venaient en Suisse. Il décida brusquement un jour d'emmener Kate voir « Le Pays de Galles » et de rapporter à Sybil les livres qu'il ne lui avait pas rendus après le divorce. Elizabeth n'était pas disponible et il prit donc le jet avec Kate et Ifor pour Genève. Deux heures plus tard ils étaient à Céligny. C'était l'heure du déjeuner et Ifor proposa d'aller ouvrir la maison et allumer le chauffage pendant que Richard et Kate commanderaient le repas au buffet de la gare. Il reviendrait ensuite les retrouver.

Richard et Kate l'attendirent, mais il mit plus de temps que prévu et ils déjeunèrent et prirent leur café. Ifor ne revenait toujours pas. Ils allèrent donc le chercher à la maison. Ils le trouvèrent gisant dans la neige depuis deux heures, le dos brisé. Richard avait fait placer une grille anti-neige sur la porte d'entrée et la couche de neige l'avait cachée. En cherchant à atteindre la clé cachée dans le linteau, Ifor s'était pris le pied dans cette grille et était tombé.

Il était vivant, mais dans un état grave. On le transporta très vite dans le service d'urgence de l'hôpital de Genève. Gwen et Elizabeth arrivèrent immédiatement en avion. Dès qu'il fut possible de le transporter, ils le ramenèrent en avion à Stoke Mandeville, hôpital spécialisé dans les blessures de la colonne vertébrale, dans le Buckinghamshire. Ifor resta paralysé sans pouvoir faire un mouvement jusqu'à la fin de ses jours. Il n'avait que soixante-cinq ans et supportait si mal son état qu'il suppliait parfois qu'on le laisse mourir.

Burton s'effondra. Il se mit à boire de plus en plus, incapable d'affronter ce drame. La vie semblait s'écrouler autour de lui. C'était la seconde personne de sa famille qui se trouvait maintenant dans une institution et il était aussi pénible pour lui d'aller les voir l'une que l'autre. Il pouvait au moins parler avec Ifor, mais Jessica ne montrait toujours pas le moindre signe d'intérêt, ni d'éveil et il finit par ne plus aller la voir.

Ifor se trouvant hors d'action, quelqu'un d'autre se joignit à eux et prit sa place. C'était le fils d'Emlyn, Brook Williams qui vénérait Richard, son parrain, depuis son plus jeune âge. Il était acteur, mais buvait aussi beaucoup, et il avait du mal à trouver du travail. Richard le prit sous sa protection. C'était un bon interlocuteur et Richard appréciait sa compagnie. Brook se joignit donc à la grande équipe Burton-Taylor, et devint le pense-bête de Richard, son compagnon de beuverie et son homme à tout faire. Dans presque tous les films que Richard fit ensuite, on trouvait un rôle pour Brook.

Burton ne tourna qu'un film en 1969, *Anne des mille jours* de Maxwell Anderson, dont il avait parlé avec Hal Wallis, le producteur de *Becket,* cinq ans auparavant. Ils tournèrent à Shepperton, et Richard, Elizabeth, Brook et le reste de la tribu habitèrent le Dorchester, descendant tous les jours dans la Rolls Royce prévue dans le contrat.

C'est un film qu'il prit plaisir à faire. Outre la poésie et Shakespeare, Richard lisait surtout des livres d'histoire, et de manière très approfondie, reprenant plusieurs fois le même livre. Il chérissait particulièrement Churchill et connaissait ses écrits dans le moindre détail. Il lisait rarement des romans et les journaux ne l'intéressaient que pour les pages sportives. Il apprenait les nouvelles à la radio qu'il écoutait sans cesse. Partout dans le monde, il mettait le BBC World Service.

Dans *Anne des mille jours,* il interprétait Henry VIII, ce Tudor tant de fois marié, obsédé par l'incapacité de ses femmes à lui donner un fils. C'était un personnage que Richard admirait énormément. « Malgré tous ses péchés, je le trouve très séduisant », dit-il à la journaliste Margaret Hinxman. « Quel courage ! On a du mal aujourd'hui à évaluer l'énormité de ce qu'il a fait, en se coupant non seulement lui-même, mais tout son pays de l'Eglise, à une époque où l'on croyait à l'enfer et à la damnation. »

Son épouse à l'écran, Anne Boylen, décapitée au bout de mille jours, était interprétée par la belle actrice franco-canadienne Geneviève Bujold qui avait vingt-six ans. Burton s'éprit plus que passagèrement de sa jeune partenaire, ce qui n'améliora pas ses relations avec son épouse, dans la vie. Elizabeth ne se comportait pas comme Sybil face à l'infidélité — physique ou platonique. Elle n'avait pas l'intention de fermer les yeux sur quoi que ce soit. Elle devenait folle de jalousie si elle le surprenait seulement en train de regarder une autre femme. Il était d'ailleurs encore plus possessif à son égard. Toute offense, réelle ou imaginaire le mettait dans une rage disproportionnée. Mais la trame de leur mariage commençait à s'user.

Burton parlait de prendre sa retraite dans deux ans. Elizabeth annonça qu'il s'arrêtait pendant un an. Il dit qu'il en avait assez de jouer. Parlant avec Barry Norman de ses contemporains, Olivier, Gielgud, Richardson, Scofield, il dit :

« Ils aiment jouer. Pour moi, c'est différent. La plupart du temps, ça m'ennuie.

J'ai passé l'an dernier quelques mois au Mexique, les premières vacances que je prenais depuis quinze ans, et j'ai soudain compris combien il était merveilleux de ne rien faire.

Maintenant, je voudrais seulement jouer deux pièces, *Le diable et le bon Dieu* et *Le Roi Lear* et disparaître ensuite aux yeux du public. »

Ces réflexions ne concernaient pas seulement le théâtre. La vie devenait trop monotone. Il voulait s'entourer d'intellectuels brillants, qui puissent partager son enthousiasme pour la littérature et lui apporter des idées nouvelles. Dans la situation actuelle, il était étouffé par un entourage constitué essentiellement de délateurs patentés, sevrés de stimulant intellectuel, et obsédés par cette idée fondamentale, que se déguiser et réciter les vers d'un autre n'était pas un travail d'homme. Et il savait pourtant qu'il n'avait pas la force de faire autrement.

On lui proposait tout le temps de travailler au National Theatre que dirigeait alors Sir Laurence Olivier. Il aurait pu y jouer *Macbeth* ou *Lear* ou la pièce de Sartre. Il passait très souvent le week-end chez les Olivier à Brighton et après une, deux bouteilles de whisky — que Olivier supportait mieux que Burton — ils organisaient son avenir au théâtre. La femme d'Olivier, Joan Plowright, disait souvent avant son arrivée : « Je t'en prie Larry, tu ne vas pas encore offrir à Richard la direction du National Theatre ! » Ils faisaient des projets excitants, imaginaient de grandes productions, mais Richard n'était jamais vraiment tenté. Il parlait beaucoup, mais il savait très bien ce que cela lui coûterait en impôts. L'argent n'était pourtant qu'un aspect du problème.

Il avait presque quarante-cinq ans. Depuis un quart de siècle, les gens voyaient en lui un deuxième Laurence Olivier, le plus grand acteur de l'époque, et il avait une peur colossale de ne pas être à la hauteur de cette prédiction. Caché derrière de mauvais scripts et un grand écran, il repoussait ainsi toute occasion de faire ses preuves. Il prenait l'argent, s'enfuyait, et les critiques

Jouant le rôle d'Alex Leamas dans *L'espion qui venait du froid*. « Son interprétation fait pardonner tous les mauvais rôles qu'il a joués, tous les bons rôles qu'il a gâchés et toutes ses incartades à l'écran ou dans la vie. » *(Camera Press : photo Bob Penn)*

Partageant l'affiche du *Chevalier des sables* avec Elizabeth Taylor. Leur couple commençait déjà à se défaire. *(Popperfoto)*

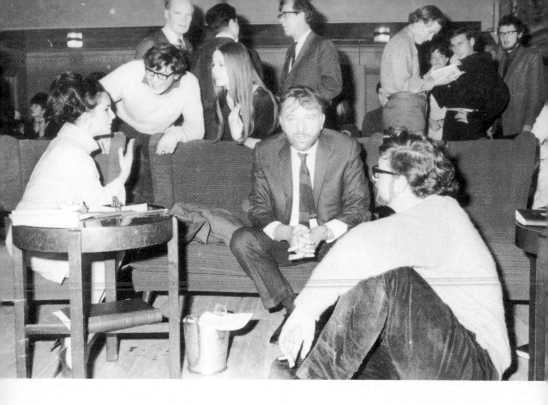

L'un des intérêts permanents de Richard concernait Oxford. L'université était pour lui sa vraie patrie, son alma mater spirituelle et intellectuelle. Il abandonnerait un jour le spectacle et deviendrait enseignant. C'était encore un rêve. Ci-dessus : Son premier retour en 1966 pour jouer *Docteur Faust* dans une production de l'OUDS. Il recevait souvent les membres de la distribution avec Elizabeth : les étudiants étaient un auditoire idéal pour les histoires de Richard *(Syndication International)*. Ci-dessous : en 1972, il se rapprocha encore de son rêve universitaire. Francis Warner s'employa à le faire nommer Membre Honoraire de St Peter's College. *(Photo Oxford Mail & Times)*

Avec Elizabeth jouant Hélène de Troie dans *Docteur Faust...* premier et dernier film qu'il mit en scène, à Rome en 1967. *(Photo Bob Penn)*

« *Faust* est la seule pièce que je n'aie pas à travailler. Je suis Faust. » *(John Topham Picture Library)*

Ci-dessus : *Kalizma,* 279 tonneaux, baptisé d'après Kate, Liza et Maria. « Vous savez ce que c'est quand Elizabeth veut quelque chose. » *(Photo Sheran Hornby)*

Ci-dessous : Elizabeth, Richard et le fils de John Heyman, David, à bord du yacht pendant le tournage de *Boom* en Sardaigne, en 1967. *(Photo Sheran Hornby)*

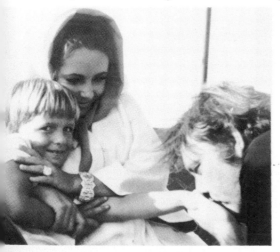

Quand il ne lisait pas de la poésie ou Shakespeare, il lisait avec passion des livres d'histoire. *(Rex Features)*

« Ma femme s'appelle Lizzie Jenkins. » *(Photo Sheran Hornby)*

lint Eastwood et Ringo
arr à bord du *Kalizma*
narré sur la Tamise pen-
nt *Quand les aigles atta-
ent.* *(Photo Sheran
ornby)*

Sir John Gielgud, autre pas-
sager du yacht. *(Photo Sheran
Hornby)*

n jour, Richard aban-
onnerait tout et devien-
rait écrivain. Une
achine à écrire portative
oyageait partout avec lui.
Photo Sheran Hornby)

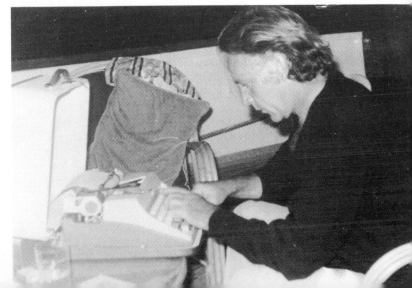

Le mariage de Sheran Cazalet avec Simon Hornby, le 15 juin 1968. La liste des invités était comme une page du bottin mondain. Pour la deuxième fois, Richard avait acheté un costume en l'honneur de l'amie d'enfance d'Elizabeth.

Ils arrivent à l'église avec Noel Coward. *(Express Newspapers)*

Sheran, Richard et la Princesse Margaret. « Maintenant, que ce soit bien clair. Ma sœur, qui était la Princesse Elizabeth est maintenant la Reine. Ma mère est la Reine Mère Elizabeth. Et moi, je suis la Princesse Margaret. Compris ? » *(Photo Patrick Lichfield)*

Ci-dessus : Casa Kimberley à Puerto Vallarta, au Mexique, avec une vue à couper le souffle sur le Pacifique. *(Photo Sheran Hornby)*

À droite : la nouvelle maison où Richard s'installa avec sa machine à écrire pour travailler chaque matin. *(Photo Sheran Hornby)*

Richard et Elizabeth dans un bar de Puerto Vallarta. Burton semblait souvent lointain, comme s'il était toujours dans l'attente de quelque chose, ennuyé, mais pas seulement par ce qui se passait autour de lui sur le moment : on aurait dit qu'il avait un ennui intérieur, un désespoir métaphysique. *(Popperfoto)*

Burton et Rex Harrison en coup[le]
homosexuel dans *L'escalier*, en 196[9].
Le choix de ce film était étrange c[ar]
Burton était farouchement an[ti]
homosexuel. *(Camera Press : ph[oto]
Terry O'Neil)*

A la première de *L'Escalier* ; Sim[on]
Hornby examine la dernière acqui[si]
tion d'Elizabeth. Sa passion pour [les]
bijoux amusait Richard. *(PIC Pho[to]
Limited)*

étaient facilement éludées ; il suffisait de les rejeter sur l'intrigue, le metteur en scène, la distribution, les autres acteurs. Sur une scène, avec un script de Shakespeare, il était seul, et comme tant d'autres acteurs qui avaient moins à perdre que lui, il avait peur. Plus il restait à l'écart, plus il se cachait derrière la pellicule, plus il était difficile de remonter sur scène.

La crainte de la scène n'était pas non plus le seul problème. La morgue galloise de Richard, son exhibitionnisme effréné, sa désinvolture, tout cela cachait un sentiment d'insécurité profondément enraciné. Son ego avait besoin d'une attention permanente et Elizabeth n'était pas femme à y pourvoir. Son propre ego avait aussi besoin d'attention. Elle aimait l'idée de faire son nid auprès de Richard et d'être attentive à ses besoins, et elle éprouvait réellement de l'amour pour lui. Elle faisait ce qu'elle pouvait, mais Richard n'était ni facile à vivre, ni facile à comprendre et elle trouvait tout cela très éprouvant.

Il y avait un autre problème insoluble. Elizabeth était une plus grande star que Richard : elle gagnait davantage d'argent, elle attirait plus de public, et elle était aussi beaucoup plus célèbre. Peu importait qu'ils aient vivement souhaité l'un et l'autre qu'il en fût autrement, Richard ne pouvait rivaliser avec elle. Elle était la princesse, il n'était que le prince consort ; et cela mettait en danger son fragile équilibre.

Il temporisait en dépensant de l'argent pour elle, en achetant des bijoux célèbres et fabuleux qui apportaient leur renommée. Le monde entier savait qu'il les lui avait donnés, il en savait même le prix, et quand elle les portait en public, ils brillaient comme un label, comme pour dire qu'Elizabeth Taylor appartenait à Richard. Celui-ci avait alors ajouté à sa collection un énorme diamant en poire de 475 500 livres, exposé par Cartier, et pour 125 000 livres de pièces plus modestes comme cadeau de réconciliation après une dispute. Après quatre ans de mariage, le trésor d'Elizabeth s'élevait à 4 500 000 livres. Mais l'insécurité de Richard était trop profonde pour être compensée par des millions de livres et dans sa vie, il avait finalement toujours choisi la fuite devant les problèmes qu'il ne pouvait résoudre. Et fuir pour lui, c'était boire.

Quand *Anne des mille jours* fut terminé, les Burton se retirèrent à Puerto Vallarta, où ils passèrent la majeure partie de l'année 1970, menant une existence relativement discrète, et ne se montrant même pas pour la première en février. La petite Liza, âgée de douze ans les remplaça et elle emmena avec elle la directrice de Heathfield, pensionnat d'Ascot dans le Berkshire. Michael Wilding, fils aîné d'Elizabeth, âgé maintenant de dix-sept ans, allait à Millfield, école du Sommerset. Son frère Christopher, de deux ans son cadet, avait d'abord été à Millfield lui aussi, mais continuait sa scolarité à Hawaï où vivaient Howard, le frère d'Elizabeth et sa famille. Même là, il ne réussissait pas très bien.

Les enfants étaient l'un des liens qui unissaient Richard et Elizabeth. Il les aimait énormément, bien qu'il ne fût pas très affectueux et ne sût jamais les serrer dans ses bras avec tendresse. Il jouait le rôle d'un pater familias, concerné par leur éducation, leur comportement et leur bien-être. C'était Elizabeth qui les affrontait, les distrayait, les gâtait et en tirait le plus d'amusement.

Richard posa un ultimatum à Christopher. Il était temps qu'il se mette au travail : ou bien il irait dans un pensionnat sérieux en Grande-Bretagne, ou bien il travaillerait à la maison avec un précepteur. Christopher choisit la deuxième solution et Richard écrivit à Nevill Coghill pour qu'il l'aide à trouver un précepteur. Coghill lui recommanda un jeune homme nommé John David Morley, qui se rendit à Casa Kimberley en février et prit pour élèves Christopher et son cousin, Christopher Taylor.

Peu avant les Oscar le mois suivant, Richard cessa de boire. C'était la première fois qu'il passait une journée entière sans boire, depuis qu'il s'était mis à la bière au « Jug and Bottle » de Taibac pendant son adolescence. Sans alcool, c'était un autre homme. Il avait meilleure figure, ses pensées étaient plus claires, il s'intéressait à ce qui se passait autour de lui, et il répétait moins souvent les mêmes histoires. Il était aussi beaucoup moins violent. Son caractère emporté et ses accès de colère qui éclataient à tout moment, étaient alors plus pondérés. C'était un grand soulagement pour toute la maisonnée, les enfants en premier, car ils détestaient se trouver là quand il était soûl.

La cérémonie des Oscar se déroulait à Los Angeles et Richard avait été nominé pour son rôle dans *Anne des mille jours.* C'était la sixième fois qu'il était nominé et la sixième fois qu'il n'obtenait rien. La récompense fut attribuée à John Wayne. Richard fut déçu, mais ne jalousa pas le prix de la star légendaire d'Hollywood. Il imitait les autres acteurs, il se moquait d'eux, il racontait des histoires sur eux, mais sa largesse d'esprit n'était pas courante dans un univers aussi compétitif.

Quand vint l'été, il était toujours sobre. Il tournait alors un film dans le désert mexicain, *Le cinquième commando,* qui ne lui prit que vingt jours de travail, car il était fait d'un amalgame de nouvelles prises de vues avec des extraits d'un autre film de guerre. Son cachet était moins élevé que d'habitude, mais il s'orientait vers un autre mode de rémunération. A partir du film suivant, il conclut un accord selon lequel il ne touchait rien pour le tournage, sauf les défraiements, mais recevait un gros pourcentage sur les bénéfices à la sortie du film.

Il s'agissait de *Le prix d'un alibi,* un film policier anglais fait pour l'EMI anglaise, et qui le ramena à point nommé à Londres pour être décoré par la Reine de l'Ordre de l'Empire Britannique à l'occasion de son quarante-cinquième anniversaire en novembre. On récompensait ainsi ses services rendus à l'art théâtral et, en jaquette et chapeau haut-de-forme, Richard emmena Elizabeth et sa sœur Cecilia, très fière, à Buckingham Palace avec lui.

Elizabeth et Richard furent de retour à leur base du Dorchester pour l'automne. Il buvait de nouveau, car il n'avait décidé d'arrêter que pour six mois et il rattrapait le temps perdu. Il renoua aussi avec beaucoup d'amis qu'il n'avait pas vu depuis longtemps, Robert Hardy fut l'un de ceux à qui il téléphona pour l'inviter à une réception à l'hôtel. Robert était déjà venu à ces réceptions au Dorchester et il refusa. « J'adorerais venir te voir », dit-il, « si tu trouves un moment où nous puissions être peu nombreux. J'ai peur d'être vaincu par le gigantisme de l'entreprise ».

« D'acccord », dit Richard. « Viens déjeuner vendredi, quand il n'y aura que nous et les enfants. »

Ils en décidèrent ainsi et Robert arriva au Dorchester pour y trouver cent cinquante personnes dans la suite des Burton et la plus grosse montagne de caviar qu'il ait vue de sa vie : elle avait près d'un mètre cinquante de haut. La montagne diminua au même rythme que le nombre des invités, jusqu'à ce qu'il n'en reste que six, assis à bavarder.

« Bon, ça va comme ça », dit Richard sautant sur ses pieds vers quatre heures du matin. « Vous pouvez partir, je vais baiser ma femme. » Quelque peu étonnés, ses amis battirent en retraite.

Le lendemain, Robert écrivit un mot à son ami, lui disant combien il avait été ravi de le voir, et le remerciant d'avoir pu rester bavarder un peu. « Mais arriver à te voir aujourd'hui, écrivit-il, c'est comme affronter le protocole d'une de ces petites cours allemandes du XVIIIᵉ siècle. »

Le lendemain matin arrivait un télégramme de Richard : « Supprime " petite ". Rich. »

Richard ne put jamais abandonner l'espoir de retourner à l'Old Vic, de devenir professeur ou écrivain, ni aucun autre rêve. Intellectuellement, il pleurait sur son âme perdue, mais physiquement il jouissait chaque minute d'être Richard Burton, la star de cinéma. Il adorait la fortune, les égards et la fréquentation des personnes royales.

Par l'intermédiaire de Sheran et de divers autres amis, Richard et Elizabeth rencontrèrent plusieurs fois la Princesse Margaret. Richard était transporté par cette amitié et elle l'aimait bien aussi. Une fois, elle l'entendit parler d'elle par erreur comme de la Princesse Elizabeth.

« Maintenant, que ce soit bien clair », dit-elle. « Ma sœur, qui était la Princesse Elizabeth est maintenant la Reine. Ma mère est la Reine mère Elizabeth. Et moi je suis la Princesse Margaret. Compris ? »

Une autre fois, alors qu'il était en sa compagnie et passablement ivre, il lui suggéra de raconter à Robert Hardy une histoire qu'elle connaissait : « As-tu déjà entendu l'accent gallois de la

Princesse Margaret ? » demanda-t-il. Robert dit que non. « Racontez votre histoire à Tim, dit-il avec insistance. Allez. »
La Princesse Margaret hésitait.

« Racontez votre histoire à Tim », rugit-il, tapant des poings sur la table. Des cavaliers surgis de nulle part invitèrent discrètement la Princesse à danser, mais elle ne bougea pas et finit par raconter son histoire, d'une voix très douce.

Après deux années relativement inactives, il travailla beaucoup en 1971. Il fit d'abord une version filmée de *Au bois lacté* au Pays de Galles. Burton eut juste le temps d'y faire une apparition avant que ne s'achève son temps légal en Grande-Bretagne. Il était de retour dans son élément, jouant la Première voix, et travaillant avec son vieux copain de beuverie, Peter O'Toole, qui jouait le rôle du Capitaine Cat.

> Capitaine Cat, capitaine aveugle à la retraite, endormi sur sa couchette de nacre, son bateau dans une bouteille, dans la cabine impeccable de Schooner House, rêve...
>
> Capitaine Cat, la fenêtre grande ouverte sur le soleil et les vagues rases où il voguait jadis dans ses yeux étaient bleus et brillants, somnole et voyage. Boucle d'oreille et roulis. « J'aime Rosie Probert » tatoué sur le ventre, il braille parmi les bouteilles cassées dans le bar des docks enfumé, il erre avec sa bande de joyeux drilles dans les ports où l'on s'amuse et il se tord et il flotte avec les noyés et les morts défigurés. Il pleure et dort en voguant.

En mai, Richard était de retour au Mexique avec Elizabeth pour faire sans doute son plus mauvais film, *Hammersmith is out*. C'était une comédie noire, l'histoire d'un fou nommé Hammersmith, échappé d'un asile pour criminels et qui sème la terreur à travers les Etats-Unis en devenant toujours plus riche et plus puissant. Burton incarnait Hammersmith et Elizabeth jouait le rôle d'une serveuse blonde qui part à sa poursuite avec son amant. Le metteur en scène était Peter Ustinov. Avant de commencer le tournage, Elizabeth et Richard, sans se concerter, prirent Ustinov à part pour l'avertir des problèmes qu'il risquait d'avoir avec l'autre. Malgré ce départ difficile, ils s'entendirent bien avec lui, comme avec la plupart de leurs metteurs en scène. Quand ils eurent fini de tourner, ils échangèrent des cadeaux. Ustinov donna une petite bague et une paire de menottes à Richard. Ils lui donnèrent en retour un tableau du peintre mexicain Rufino Tamayo, que Richard présenta comme sans grande valeur. Plusieurs semaines après, Ustinov s'aperçut en voyant le certificat de douanes que le tableau valait en fait dix fois ce que Richard lui avait laissé croire.

D'un mauvais film au Mexique, Richard passa immédiatement à une autre catastrophe en Yougoslavie. Il jouait le rôle du président Tito pendant la guerre. Le film, *La cinquième offensive,* était patronnée par le gouvernement yougoslave. On prit contact directement avec Burton qui téléphona à John Heyman pour lui demander de négocier le contrat. Il n'avait même pas pris la peine de lire le script trouvant que Tito était un grand homme. Il ferait donc le film. Richard et Elizabeth rendirent visite à Tito. La réputation de Richard sombrait et heureusement pour lui, les Yougoslaves se trouvèrent à court d'argent et le film resta en attente quelques années.

Il s'attaqua ensuite à Léon Trotsky. Le film racontait son assassinat en 1940, œuvre d'un staliniste qui parvint jusqu'à sa cachette au Mexique et le tua avec un piolet. Burton accepta à nouveau le rôle sans avoir lu le script. Mais cette fois, il travaillait avec des amis, Joseph Losey et Spike Priggen; il avait pour partenaires Alain Delon et Romy Schneider.

Au Mexique, la production était politiquement sur la corde raide. Il fallut obtenir une autorisation du Président et la censure était tous les jours sur le plateau pour juger chaque scène. Seules les vues qui ne pouvaient pas être prises ailleurs furent donc tournées là-bas. On filma le reste à Rome, où l'on construisit la reproduction exacte de la villa de Trotsky au Mexique.

Quand Richard rejoignit l'équipe à Rome, il ne buvait plus. Spike avait été prévenu par Gaston, son chauffeur qui les avait suivis en Sardaigne et faisait partie de la tribu. « C'est incroyable », dit-il, « vous allez trouver Richard très changé. Il n'est plus le même. »

« Qu'est-ce qu'il a de changé ? »

« Il fait très attention à tout », expliqua Gaston, « il est très hésitant. Il emporte son script dans la Rolls et il le regarde en allant au studio le matin. » Il n'avait encore jamais fait cela.

. De fait, c'était un acteur totalement différent qui jouait Trotsky. Burton n'était pas aussi bon quand il ne buvait pas. Il est trop tendu, il bougeait gauchement et parlait avec hésitation. Le personnage avait de longues tirades, mais en temps normal Richard les auraient maîtrisées. Sans alcool, il devait les diviser et les dire en plusieurs fois.

Les Burton habitaient le Grand Hôtel à Rome. Un soir, Spike reçut un coup de téléphone d'Elizabeth. « C'est juste pour vous avertir, Spikey, » dit-elle, « vous savez que Richard ne travaille pas aujourd'hui ; je crois bien qu'il ne travaillera pas demain non plus. »

« Pourquoi ça ? » demanda Spike ;

« Rentrez au Grand Hôtel, allez au bar et voyez vous-même ! »

Spike se rendit tout de suite au bar de l'hôtel, petite pièce joliment décorée, et il y trouva Burton et Peter O'Toole, soûls comme des bourriques, allongés par terre, s'embrassant affectueusement et chantant « Happy Birthday to you ». Ils étaient là depuis le déjeuner et sans l'intervention de Spike y seraient certainement restés toute la nuit.

Richard était furieux, et il fallut le porter jusqu'à sa suite, tandis qu'il insultait tout le monde. Il était tellement ivre que Spike craignit qu'il ne puisse tourner le lendemain. Et pourtant, le matin suivant, il joua et travailla mieux qu'il ne l'avait jamais fait pendant tout le tournage.

L'assassinat de Trotsky eut de mauvaises critiques, mais comme d'habitude, Burton était deux ou trois films plus loin au moment de sa sortie et il s'en moquait bien. Vint ensuite *Barbe bleue,* tourné à Budapest avec un essaim de jolies femmes dont Raquel Welch et Nathalie Delon. Elles suscitèrent l'intérêt de

Richard comme à l'accoutumée, et en particulier une actrice nommée Dora Zakablukova, qui tournait avec lui une scène de nu. Ce n'était pas pour plaire à Elizabeth. « Il y avait là une personne qui mettait trop de passion dans certaines scènes », se rappela-t-elle. « Et elle était plus ou moins nue. Je lui ai donné une paire de claques pour la peine. Quant à Richard, je ne sais plus combien d'assiettes je lui ai cassées sur la tête. »

Le tournage coïncidait avec le quarantième anniversaire d'Elizabeth et une fête colossale fut organisée à l'Hôtel Intercontinental où ils séjournaient. On invita des amis, des parents et des collègues du monde entier, pour tout un week-end de festivités. Rien que ceux venus d'Angleterre et du pays de Galles remplissaient un Vicount. Ils n'avaient qu'à se présenter à l'aéroport et tout le reste était organisé pour eux, billets et visas compris, par Marjorie Lee, chef des relations publiques du Dorchester. Elle connaissait Elizabeth depuis qu'elle descendait à l'hôtel et elles s'étaient toutes deux liées d'amitié.

Si on avait lancé une bombe sur Budapest ce week-end-là, une grande partie des noms les plus célèbres du monde du spectacle aurait disparu d'un seul coup : parmi les invités, il y avait la princesse Grace de Monaco, Michael Caine, Victor Spinetti, Joseph Losey, Ringo Starr, Raquel Welch, Suzannah York, Frankie Howard, Emlyn Williams. Le poète Stephen Spender fut invité aussi, tout comme Nevill Coghill. Côté famille Howerd, le frère d'Elizabeth et sa femme Mara, quatre de leurs enfants, et tous les frères et sœurs de Richard sauf Ifor et Gwen, étaient là.

Tout le monde arriva dans la capitale hongroise le vendredi après-midi et la première réception eut lieu le soir même, un cocktail dans la suite des Burton. L'anniversaire d'Elizabeth tombait le samedi et ils investirent les caves de l'hôtel pour une fête somptueuse qui dura presque toute la nuit. Elizabeth portait le cadeau de Richard, un énorme collier de diamants jaunes, venant du Taj-Mahal et ayant appartenu à un prince indien. Le dimanche, il y eut un déjeuner dans la grande salle à manger et le soir, les invités se rendirent au night club dans les étages. Un orchestre était venu spécialement par avion de Paris.

Tout le week-end se passa en démonstrations ostentatoires de richesse et d'égoïsme, que certains jugèrent déplacées et cruelles dans le contexte politique de la Hongrie. On entendit très clairement Alan Williams, le fils aîné d'Emlyn exprimer sa désapprobation, devant la pauvreté qui régnait dans le pays. La presse reprit ses propos, au grand embarras d'Emlyn. Pour éviter d'autres critiques, Richard promit qu'il donnerrait autant d'argent que celui dépensé pour le diamant d'Elizabeth à une institution charitable pour enfants en Angleterre et une somme égale à celle dépensée, pour les réceptions à l'UNICEF.

Depuis qu'il avait distribué ce qui lui restait d'argent après son divorce à des œuvres, il avait continué à donner des sommes importantes pour diverses causes, souvent de manière très discrète. Il paya les études de nombreux enfants, celles de David par exemple, fils de l'acteur décédé Michael Rennie. Donner de l'argent était en fait le seul moyen pour lui de concilier son mode de vie capitaliste et ses idées socialistes. C'était aussi par pure gentillesse et pour aider des gens moins favorisés. Mais Richard avait tendance à donner sans savoir très bien à qui, ni combien. Il était si généreux avec tous ceux qui s'adressaient à lui que Aaron Frosh dut prendre le relais contrôlant de très près tout ce qui sortait. Parfois l'argent promis n'arrivait pas.

En rentrant de Budapest, Burton se rapprocha encore de son rêve universitaire. Bien des années auparavant, quand il était à l'Old Vic, il avait été intéressé par une production de *Docteur Faust* donné à l'Irving Theatre de St Martin's Lane. Le metteur en scène, Francis Warner, avait dix-sept ans et personne dans la troupe n'en avait plus de dix-neuf. Richard vit le spectacle plusieurs fois et se lia d'amitié avec Warner. Ce dernier devint poète et dramaturge, puis professeur titulaire d'une chaire de littérature anglaise à St Peter's college à Oxford.

Les membres de la troupe cherchaient depuis quelque temps le moyen de faire revenir Richard à l'Université, et quand Francis suggéra de le nommer professeur honoraire de St Peter's, Richard sauta sur l'occasion. Il prit cela très au sérieux et commença à chercher une maison avec Elizabeth. Ils en trouvèrent une à la campagne, près de Woodstock, qu'ils pensèrent pouvoir acheter et où Elizabeth pourrait avoir des chevaux. Mais ils en restèrent là. Ils avaient trop de films à faire et organiser des cours avec l'emploi du temps de Burton était impossible. Il passa une semaine à Oxford, séjournant avec Elizabeth chez Hornby à Pusey, mais il ne vint plus que rarement par la suite.

Les deux ou trois cours qu'il donna furent néanmoins très bons. Il prenait une pièce comme *Hamlet,* par exemple, et parlait des diverses manières de l'aborder, de déclamer les tirades, expliquant leur intensité, leur signification. Les étudiants le trouvaient fascinant. Le rêve de Burton de devenir professeur s'accrut encore avec cette expérience, mais il n'aurait jamais pu l'assumer. Si parler avec les étudiants était pour lui une seconde nature, le travail administratif et les horaires étaient des obligations qu'il n'aurait pu respecter longtemps, et dont il n'aurait jamais voulu se charger.

Ce qu'il aimait c'était s'entourer de gens qui lisent. Il téléphonait souvent à Francis de manière impromptue, parfois à cinquante ou soixante kilomètres de Londres pour lui dire « Qu'est-ce que tu fais aujourd'hui ? Si on sortait ? » Il faisait alors tout le trajet en voiture jusqu'à Oxford et ils partaient faire le tour des pubs du Gloucestershire en discutant de littérature anglaise.

Les frères et sœurs Jenkins s'étaient à peine remis de leur virée de trois jours à Budapest qu'Ifor mourut. La nouvelle bouleversa Richard. Il aimait tendrement son frère aîné et sa mort causa un vide qu'il ne put jamais combler. Il s'effondra et passa des jours à tenter d'oublier en buvant.

Elizabeth prit le relais et fit front à sa place. Elle organisa les funérailles et répondit même à tous les amis qui avaient envoyé des lettres de condoléances. Elle oublia momentanément leurs problèmes conjugaux et l'aida à surmonter le passage le plus traumatisant de sa vie.

Leurs problèmes conjugaux étaient trop graves pour demeurer longtemps dans l'oubli et un nouveau film où ils jouaient encore une fois un mari et une femme qui se disputaient, leur porta un coup fatal. Ils se sentaient tous deux depuis quelque temps obligés de travailler pour la Harlech Television, et avaient annoncé l'année précédente qu'ils feraient plusieurs films pour cette société. Après quelques hésitations, un changement d'auteur et de lieu (d'Angleterre à l'Europe continentale, toujours à cause des impôts), il en résulta deux films sur la rupture d'un mariage vue par chaque partenaire : *Divorce his* et *Divorce hers**.

Ces titres leur convenaient bien. On parlait de longs festins où l'on buvait beaucoup, des Burton qui arrivaient en retard et quittaient le plateau à l'avance, de scandales publiques, d'histoires rabâchées sur l'époque de l'Old Vic et d'accès de colère de l'acteur principal. Tout s'acheva peu avant l'anniversaire de Richard en novembre. La production donna une réception en son honneur et Elizabeth lui offrit une édition originale des œuvres de Goethe.

Au début de l'année suivante, Richard tourna à Rome un film de Carlo Ponti, *Massacre à Rome,* inspiré de l'histoire vraie d'un groupe d'otages tués en représailles pendant la Deuxième Guerre mondiale. Puis en mai, les rôles changèrent pour la première fois depuis qu'ils se connaissaient. Elizabeth travaillait et c'est lui qui venait la rejoindre pour déjeuner. Cela l'irrita, car il sentait son ego agressé et tout lui devint insupportable. Comme toujours, il noya sa tristesse dans l'alcool. Le film s'appelait *Noces de cendre* et plutôt que de regarder en face les vraies causes de sa rancœur, il s'en prit au film. Il avait pour sujet la vie de gens riches, de la Jet Society, et il prétendit que ça le choquait, que c'étaient des personnages épouvantables et qu'Elizabeth n'aurait jamais dû accepter de jouer là-dedans. Si elle avait joué Lady Macbeth, ça n'aurait posé aucun problème, dit-il.

Il y eut alors de sévères affrontements, qui furent rapportés dans les journaux. L'une de ces histoires commença devant une discothèque d'Hollywood. Elizabeth alla passer la nuit chez une amie. Elle arriva le lendemain au Beverly Hills Hotel, se dirigea vers Richard qui était au Polo Lounge Bar, lui donna un coup de

---

* Titre français : *Divorce.*

poing sur le nez et but un verre avec lui. On parla aussi d'une dispute quand Elizabeth partit pour Beverly Hills à deux reprises rencontrer Peter Lawford, tandis que Richard restait à New York attendre Maria qui avait alors douze ans et qui arrivait d'Europe. La presse sentait le drame et ne comptait pas lâcher prise.

Le 3 juillet 1973, ce fut la fin. Elizabeth annonça au monde que Richard et elle s'étaient séparés. « Je suis certaine qu'une séparation pendant quelque temps ne peut être qu'excellente et constructive », déclara-t-elle de sa suite au Regency Hotel à New York. « Nous nous sommes peut-être trop aimés ; je n'aurais jamais cru cela possible. Mais nous sommes restés toujours si près l'un de l'autre, ne nous séparant que pour des questions vitales, que cela a fini par nous empêcher de communiquer.

« J'espère de tout mon cœur que cette séparation finira par nous ramener là où nous devons être, l'un près de l'autre. »

Elle retournait en Californie, dit-elle, voir sa mère et quelques vrais amis. « Souhaitez-nous bonne chance, je vous en prie, pendant cette période si difficile. »

Pendant ce temps, Burton était chez Aaron Frosh à Long Island. Le lendemain il sortit pour affronter les reporters et les photographes qui campaient sur le pas de la porte. Les propos d'Elizabeth avaient été fidèlement rapportés dans tous les journaux ; ils faisaient souvent la Une et même parfois l'objet d'un éditorial ; le monde attendait la version du mari.

A l'évidence, Burton avait bu quand il accueillit tous ces gens et il était mal à l'aise. Il donna néanmoins une représentation très stricte : « Notre amour et notre dévotion mutuelles ne sont pas en question », dit-il, « Je ne considère même pas qu'Elizabeth et moi soyons séparés. Nous sommes seulement éloignés par nos intérêts privés et professionnels. J'ai même sur moi le passeport d'Elizabeth. Est-ce que cela ressemble à une séparation ? »

Elizabeth alla bien en Californie voir sa mère qui avait été malade, ce qui avait beaucoup troublé Elizabeth ces dernières semaines. Elle s'inquiétait aussi pour son fils aîné. Michael s'était marié trois ans plus tôt, à dix-sept ans, quand les Burton étaient à Londres et il avait maintenant des problèmes. Il vivait dans une communauté dans les montagnes galloises, avait été arrêté par la police car il fumait de l'herbe, sa « mère spirituelle » était enceinte et sa femme l'avait quitté, emmenant avec elle leur bébé, le premier petit-enfant d'Elizabeth.

Pendant ce temps, Richard arrêta de boire, mais pas pour longtemps, et il fut plus ou moins lucide pendant tout l'été. Trois semaines après leur séparation, ils se rencontrèrent brièvement à Rome. Burton finissait le film sur Tito, qui était soudain revenu à la vie deux ans après, tandis qu'Elizabeth était là pour *The driver's seat*. Ils passèrent une semaine seuls dans la villa solidement gardée de Carlo Ponti et Sophia Loren à Marina ; mais, bien que Richard affirmât que tout allait très bien entre eux, ce n'était pas le cas.

Une semaine plus tard, ils demandaient à Aaron de remplir les papiers nécessaires à un divorce en Suisse ; mais il n'était pas si facile pour eux de se détacher l'un de l'autre, ni financièrement ni émotionnellement. Quatre mois plus tard, ils tentaient une nouvelle réconciliation : Elizabeth venait de subir une opération (l'ablation d'un kyste de l'ovaire) à Los Angeles, et Richard se précipita à son chevet. Ils prirent l'avion pour passer Noël à Gstaad dans un élan d'amour et d'union. Mais en avril 1974 ils étaient chacun à un bout du monde et le divorce suivait son cours. On parlait de « différence impossible à concilier ».

Dix ans après, le mariage le plus célèbre, le plus commenté, le plus tempétueux et le plus romantique s'achevait.

7

Nouveau départ

Le mariage n'existait plus, mais l'attachement affectif de Richard et d'Elizabeth subsista. Aucun d'eux n'était tombé amoureux de quelqu'un d'autre et rien ne rendait donc la séparation bien nette, comme lors du divorce avec Sybil. Ils restaient liés de manière inextricable et inexplicable. Comme le dit Richard lui-même : « Nous sommes une même chair, un même être. »

Ils étaient aussi liés financièrement. Bien que certaines de leurs possessions communes fussent divisées lors du divorce, d'autres ne pouvaient l'être. Il y avait aussi le problème des enfants. Burton n'avait pas de lien de parenté avec les enfants d'Elizabeth, mais il leur avait servi de père pendant treize ans. Le vrai père des garçons, Michael Wilding, devenu agent artistique, était bien vivant, mais pour les deux filles, c'était Richard leur père. Il avait officiellement adopté Maria, qui avait maintenant treize ans, et quand le divorce fut prononcé dans la station de ski de Saanen, près de Gstaad, Elizabeth demanda spécialement que Richard obtienne le droit de visite.

Pendant leur ultime tentative de réconciliation, Richard avait bu plus que jamais. Il tournait alors *L'homme du clan* avec Lee Marvin, célèbre buveur lui-même, à Oroville, dans le nord de la Californie. Il était question du Ku-Klux Klan. Richard buvait abondamment du matin au soir. Et personne ne savait jamais dans quel lit il échouerait la nuit. Il consommait quotidiennement deux ou trois bouteilles de vodka, et cela depuis presque six mois. Un jour, Elizabeth partit de manière inattendue. On avança diverses raisons, mais comme un membre de l'équipe du film le fit remarquer : « L'alcool, les filles et le mauvais temps ont eu raison d'elle. » C'était très proche de la vérité.

Dès que le film fut achevé, on emmena Richard à l'Hôpital St John de Santa Monica, établissement spécialisé, où on le mit face à la réalité : s'il continuait à boire de telles quantités, il ne lui resterait que deux semaines à vivre. Les médecins qui l'examinèrent craignaient de ne pouvoir le sauver. « Je n'ai pas peur de la mort », dit Richard, « mais je trouve drôle que vous me croyiez si facile à éliminer. N'oubliez pas que je viens d'une famille de mineurs gallois et que je n'ai que quarante-huit ans. Mon père était le plus grand buveur de la vallée ; il a vécu jusqu'à quatre-vingt-trois ans et il est mort d'une attaque, pas d'excès de boisson. »

Il eut beau crâner, leur diagnostic lui fit très peur. On le sevra peu à peu d'alcool dans les semaines qui suivirent, mais ce fut un processus douloureux et pénible, et quand il arriva à son terme, il jura qu'il ne boirait plus.

Environ un an plus tard, il décrivit ses impressions à David Lewin, et Burton était si célèbre que le *Sunday Mirror,* journal national, en fit sa Une :

> « Au bout de quatre jours, on m'interdit complètement la boisson, et ce fut dur, très dur. Je tremblais tellement qu'il fallait me nourrir avec un tube.
>
> On est censé voir des éléphants roses et des araignées au plafond ou sur les murs quand on est à sec.
>
> Ce ne fut pas le cas. J'ai seulement perdu le sommeil. Je sommeillais pendant quarante minutes et je faisais un cauchemar, toujours le même, qui me réveillait.
>
> Je rêvais de mon frère aîné paralysé par un accident en Suisse en 1968 et qui ne put jamais plus bouger jusqu'à sa mort quatre ans plus tard.
>
> Je voyais Ifor vivant et en pleine forme, dans mes rêves, et avec moi dans ma chambre. »

Après quatre mois d'enfer, Richard partit en convalescence à Puerto Vallarta. Il avait perdu presque vingt kilos et s'il ne buvait que de l'eau minérale, il fumait quand même environ soixante cigarettes par jour. Les médecins l'avaient encouragé à faire de l'exercice pour accélérer son rythme cardiaque, et il était dans une forme étonnante pour quelqu'un n'en ayant pas fait depuis des années. Il avait abandonné le rugby depuis longtemps, parce qu'il trouvait qu'on s'en prenait toujours à lui, pour pouvoir se vanter ensuite d'avoir cogné Richard Burton. Le cricket l'intéressait en spectateur et ses seuls passe-temps ressemblant à de l'exercice étaient quelques longueurs de piscines, du ping-pong, du croquet le dimanche après-midi et de la marche. La perte d'un match de ping-pong lui avait coûté un diamant. Il avait parié avec Elizabeth : si elle gagnait, il lui achetait le Krupp. L'exercice ne lui procurait aucun plaisir. Il préférait de beaucoup rester assis à parler, à lire un livre ou à jouer au scrabble.

Pourtant l'avertissement avait fait son chemin, et quand il vint en Angleterre en août pour jouer dans *Brève rencontre,* ce classique de Noel Coward tourné une première fois presque trente ans auparavant avec Trevor Howard et Celia Johnson, Burton se mit à la bicyclette. Il était toujours sobre.

On l'avait choisi en dernière minute pour ce film. Le rôle du docteur qui fait cette brève rencontre avec une mère de famille sur le quai d'une gare devait être tenu par Robert Shaw, mais celui-ci était retenu par un autre film. Sophia Loren, qui jouait la mère de famille, proposa Burton. Ils étaient devenus de bons amis. Elle n'avait pas seulement partagé avec lui l'affiche de *Le voyage* tourné l'année précédente, peu après sa séparation d'avec Elizabeth, mais elle les avait reçus tous les deux à Marina lors de leur première réconciliation.

De *Brève rencontre,* Burton passa directement à un documentaire de quatre-vingt-dix minutes sur Sir Winston Churchill, réalisé à la fois pour les télévisions américaine et anglaise. Sous le titre de *A walk with destiny,* c'était la reconstitution de la carrière de Churchill de 1936 à 1940, d'après ses mémoires.

De son vivant, Churchill avait spécialement demandé que ce soit Richard Burton qui tienne son rôle. Il avait déjà imité sa voix à diverses occasions, y compris pour *The valiant years,* qu'il avait fait pour la télévision en 1960, mais il n'avait jamais paru sous les traits du grand premier ministre des années de guerre.

Ce rôle inquiétait Burton. Il était difficile et lui-même ne serait pas seulement jugé par les critiques, mais également par le public pour qui Churchill était un personnage familier et généralement un héros. Il tint à répéter dans les mêmes vêtements que Churchill, fumant le cigare pour trouver son chemin jusqu'au personnage, ce qu'il n'avait jamais fait avant. C'était même le type de méthode qu'il aurait jadis qualifiée de prétentieuse.

Il était déjà très proche de Churchill, car il connaissait ses écrits de A à Z. L'un des objets qu'il chérissait le plus était un buste de grand homme. Il l'avait même emporté une fois chez les Hornby dans l'Oxfordshire pour qu'on ne le vole pas dans sa maison de Hampstead pendant qu'il était à la campagne. Avant de commencer le travail en août, il était allé prendre le thé chez Lady Churchill avec le producteur Jack le Vien, et cette rencontre avait apparemment beaucoup plu à Richard. Il déjeuna aussi avec le petit-fils de Churchill Winston Churchill, député conservateur, et il semblait imprégné du rôle qu'il devait jouer et de l'admiration qu'il avait pour cet homme.

Pourtant, à la fin novembre, quelques jours avant les premières projections de *A walk with destiny* en Amérique, un article écrit par Burton parut dans le *New York Times,* soulevant la colère des deux côtés de l'Atlantique. Il était titré : « Jouer Churchill c'est le haïr » ; Richard y expliquait pourquoi Winston Churchill était un « monstre », « un soldat de plomb revanchard », que jouer ce rôle lui avait fait « prendre de nouveau conscience qu'il haïssait ce personnage et tous ses semblables. Je les hais férocement. Ils ont toujours encombré les corridors de l'histoire ». Il disait que Sir Winston était avant tout un couard, et il le mettait sur le même pied que Hitler, Staline et Gengis Khan.

Tous ceux qui avaient participé à cette production étaient

stupéfaits. Mais tandis que tout le monde envoyait des télégrammes indignés pour se désolidariser de lui, Burton faisait paraître un autre article dans *TV Guide,* magazine à grande diffusion. Loin de se rétracter, il allait encore plus loin :

> « Il était petit, vigoureux, pugnace, comme un homme du peuple, fou de pouvoir (et au moins un temps doté d'un pouvoir fou), ne craignant rien physiquement ni moralement — par nature et par manque de réceptivité aux sentiments des autres.
>
> Il était intellectuellement limité, élevé de manière superficielle ; entreprenant au-delà de la normale, et d'une constitution physique étonnante. Il buvait méthodiquement toute la journée, sauf quand il dormait, du champagne, du whisky, du porto et vécut plus de quatre-vingt-dix ans. Quand il partit, il laissa au monde qu'il avait si bien servi, un ultime sujet de curiosité : le fonctionnement de son foie. »

Richard était à Rome quand ses amis, ses collègues, ses admirateurs et des inconnus se liguèrent pour le condamner. Shaun Sutton, chef du service théâtral de la BBC qui présenta le documentaire une semaine plus tard, déclara que Burton ne travaillerait plus jamais pour lui. Les lecteurs exprimèrent leur courroux dans les colonnes du courrier du *Times.* Le député conservateur Norman Tebbit déclara : « Ses problèmes conjugaux ont peut-être perturbé sa vision globale de la vie. Il ne faut y voir que les commentaires acerbes, jaloux et ignorant d'un acteur aigri. » Son collègue député Neville Trotter fut moins indulgent : « Je ne crois pas que M. Burton soit une bonne publicité pour la Grande-Bretagne », dit-il. « Sa conduite personnelle laisse beaucoup à désirer. S'il y avait davantage de Churchill et moins de Burton, notre pays s'en porterait mieux. »

Richard ne broncha pas. Il ne donna aucune explication, ne fit aucune excuse. Des lettres et des télégrammes de gens comme Robert Hardy ou Sheran Hornby qui exprimaient leur dégoût, auraient aussi bien pu ne pas être envoyés. Ils ne reçurent jamais de réponse et il n'en fut pas question lors de leurs rencontres ultérieures. Burton était très occupé par une nouvelle aventure, et il s'était remis à boire. Ses déclarations sur tout et rien commençaient à manquer d'intérêt.

Sa dernière passion était la princesse Elizabeth de Yougoslavie, cousine du Duc de Kent, de la Princesse Alexandra et du prince Michael. C'était une amie d'Elizabeth qu'il avait rencontrée à une réception donnée par Lord Harlech. Elle était l'épouse de l'homme d'affaires et banquier Neil Balfour, candidat conservateur au Parlement, et elle avait de lui un fils de quatre ans ainsi que deux filles d'un précédent mariage. Depuis six ans, il voyait souvent, avec Elizabeth, la Princesse et Neil lors de leurs passages à Londres. De retour dans la capitale pour tourner *A walk with destiny,* Richard lui avait téléphoné et trois semaines plus tard elle avait quitté foyer et mari, et déclarait à tout le monde qu'elle passerait le reste de ses jours avec Richard. « Je vais l'épouser », annonça Richard mélodramatiquement. « Je la veux pour femme. Je veux rester avec elle à jamais... Je l'aime, vraiment. Je l'aime tellement, si profondément, que j'en souffre. »

Finalement, ce fut Elizabeth, ou « Ellisheba » comme il la surnommait affectueusement, qui souffrit le plus de cette passion. L'alcool avait encore détruit leurs chances communes, une autre vie gâchée s'ajoutait à la liste de ses destructions.

L'aventure dura moins de six mois. Entre-temps, Burton avait commencé à tourner *Jackpot,* un film réalisé à Nice, avec Charlotte Rampling et James Coburn et qui fit faillite avant d'être terminé. Il incarnait un homme qui tente d'escroquer une compagnie d'assurances en lui soutirant un million de livres. Il simule d'abord un accident qui le rend infirme, puis prétend qu'un miracle l'a guéri. Mais il n'y eut point de miracle pour les financiers. On filma de février jusqu'au début de l'été, et en juillet les trois vedettes attaquaient la production en justice pour recevoir leur dû. La Irwin Trust Compagny Limited devait presque 46 000 livres à Richard.

Burton buvait de manière intermittente, malgré les efforts de la Princesse Elizabeth pour le persuader d'arrêter, et il flirtait avec un modèle noir américain, ancienne bunny girl de *Play Boy*, Jean Bell, qu'il avait rencontrée sur le plateau de *L'homme de clan* le printemps précédent. Elle avait un petit rôle dans *Jackpot* et se trouvait donc aussi à Nice. Un soir, Richard se soûla complètement pendant un dîner donné par le metteur en scène Terence Young, auquel les deux femmes assistaient. Brusquement, il quitta seul le restaurant. Peu après, le chauffeur revint avec un message demandant à Jean de venir le rejoindre, mais elle refusa. Le chauffeur revint pour essayer de la persuader d'aller retrouver Richard. La Princesse Elizabeth y alla finalement à sa place, monta dans la voiture à côté de Burton qui dormit pendant tout le trajet jusqu'à l'hôtel. Après une vive altercation le lendemain matin, elle partit pour Londres.

Après avoir passé quelques jours avec Jean, il fut pris de remords et partit pour Londres afin d'essayer d'arranger les choses avec Elizabeth, mais l'alcool demeurait le problème essentiel. Il faisait de lui un autre homme, destructeur, irrationnel, agressif et imprévisible. Hors du contexte médical de la clinique St John, il semblait incapable d'arrêter de boire. Elizabeth finit par ne plus supporter cette tension. Quatre mois douloureux s'écoulèrent. Son mariage avec Neil Balfour était brisé, mais elle dut reconnaître avec désespoir que l'aventure pour laquelle elle avait tout abandonné, persuadée qu'elle durerait toute sa vie, était finie.

Richard noya son chagrin et retourna dans les bras accueillants de Jean Bell, qui passa presque tout l'été en Suisse avec lui, en compagnie de Troy, son fils de treize ans. Elle s'efforça d'empêcher Richard de boire, et réussit pendant quelque temps. Mais bien qu'elle fût vraiment tombée amoureuse de lui et qu'il dît éprouver les mêmes sentiments, il la laissa en août pour Elizabeth Taylor.

Quelques semaines avant de quitter Richard l'année précédente, Elizabeth avait succombé au charme d'un vendeur de voiture d'occasions de Los Angeles, Henry Wynberg. Quand on lui parlait de la liaison de son ex-épouse, Richard feignait d'ignorer le nom de cet homme. Ces derniers mois, elle tournait en Russie et se lassait d'Henry. Elle appela Burton et ils se parlèrent souvent. Elle finit par venir en Suisse. Ils se retrouvèrent, et après avoir chacun rompu avec leur liaison du moment, annoncèrent au monde entier qu'ils s'aimaient à nouveau.

Burton était fou de joie. Il téléphona à tout le monde, amis et parents, pour annoncer la nouvelle. L'une des premières à l'apprendre fut Sheran Hornby qui était dans le Kent à Fairlawne. Son frère l'appela et lui dit qu'il lui passait Richard. Elle crut à peine ses oreilles quand elle comprit que c'était Richard Burton. Il avait retrouvé sa trace depuis l'hôtel où il résidait en Suisse pour lui dire qu'Elizabeth et lui allaient se remarier.

Ils attendirent pour cela octobre 1975. Ils se trouvaient alors en Afrique du Sud. Ils s'étaient rendus à Johannesbourg le mois précédent pour un tournoi de tennis et Elizabeth était tombée malade. Elle crut un moment qu'elle avait un cancer, et il fallut encore la veiller, mais ce ne fut rien de grave. Dès qu'elle fut remise, ils partirent faire un safari au Botswana et se marièrent dans le village lointain de Kasane, sur les rives du fleuve Chobe. C'était un cadre idyllique. La mariée portait une robe verte ornée de dentelle et de plumes de pintade. Le marié arborait une chemise rouge, des chaussettes rouges et un pantalon blanc. L'homme qui unit le célèbre couple était le commissaire de district local, Ambrose Masalia.

Ils partirent en voyage de noces dans la brousse, mais se fut au tour de Richard de s'aliter. Il attrapa la malaria et on envoya un pharmacien, un américain d'origine chinoise nommé Chem San, pour le soigner. Une fois de plus, le mal était accentué par l'abus d'alcool, et on prévint Richard que s'il ne cessait pas de boire il serait mort dans les six mois. Quand il fut de retour à Londres pour son cinquantième anniversaire, Richard avait de nouveau cessé de boire.

Sur le chemin du retour, ils avaient passé quelque temps à Johannesbourg où Richard avait acheté une bague de 72 diamants à Elizabeth, mais avant de quitter le pays, elle la renvoya au bijoutier, et demanda que les 490 000 livres soient plutôt employées pour jeter les bases d'un hôpital à Kasane. Puis, de sa chambre d'hôtel, Elizabeth avait téléphoné à Marjorie Lee au Dorchester pour lui demander d'organiser une réception pour Richard. Elle passa des heures au téléphone, lui donnant les noms des gens à inviter. Comme d'habitude, l'argent n'entrait pas en ligne de compte. Au cours des années qu'ils passèrent au Dorchester ensemble ou séparément, ni Richard ni Elizabeth ne demandèrent jamais le prix de quoi que ce soit. Mais aucun d'eux ne paya jamais non plus une addition directement. Elles étaient toutes envoyées à leur financier londonien, James Wishart.

On n'épargna aucune dépense pour le cinquantième anniversaire de Richard. La réception eut lieu dans la Salle Orchidée, et toute l'entrée jusqu'à la suite était décorée comme un marché de l'East End, avec des éventaires pleins de ce qu'il aimait le plus, comme du poisson et des frites et du saucisson à la purée de pommes de terre. Richard et Elizabeth furent retardés et ne purent arriver que le matin même de la réception, mais Liza et Maria les avaient précédés et avaient aidé à mettre en place le décor.

Le mariage était malheureusement voué à l'échec. Les amis qui les virent ensemble savaient qu'il ne pouvait pas durer. Ils étaient exactement comme au moment de leur divorce, avec la même personnalité, la même insécurité, le même ego, les mêmes besoins, sans la moindre intention de changer. Ils avaient la naïveté de croire qu'ils seraient préservés par ce magnétisme physique qui les avaient unis la première fois.

Pendant tout le mois de décembre, Richard fit une série de séjours à la Wellington Clinic qui donnait sur le Lord's Cricket Ground au nord de Londres, pour des rechutes de malaria et des problèmes d'alcoolisme. Il partit avec Elizabeth à la fin du mois passer Noël à Gstaad. Il était alors au fond du gouffre. Il avait perdu la santé, sa carrière ne marchait pas et son mariage était un désastre.

Au même moment, à Gstaad, quelqu'un d'autre avait des problèmes matrimoniaux. C'était Susan Hunt. Cette grande jeune femme blonde de vingt-sept ans, sculpturale et d'une étonnante beauté, était mariée depuis dix-huit mois au champion du monde de course automobile James Hunt. Leur mariage était une erreur depuis le début. A 28 ans, James était au sommet de sa carrière ; mondialement connu, beau, bon vivant et pas décidé du tout à se ranger. Suzy n'avait qu'un souhait : bâtir un foyer et avoir des enfants. Le résultat était catastrophique : plus elle essayait de lui plaire, plus il cherchait à se débarrasser d'elle.

Comme Burton, les Hunt avaient fui les impôts et vivaient à Marbella en Espagne mais étaient venus passer Noël avec des amis à Gstaad. James était tout de suite parti pour l'Argentine où se courait le premier Grand Prix de la saison et Susan était restée seule en Suisse. Noël avait été sinistre. James s'entraînait et il ne pouvait ni boire ni sortir, et le moral de Susan était en permanence au plus bas.

Richard apparut alors et l'emporta dans un tourbillon. Ils se rencontrèrent sur les pistes de ski. Richard l'aperçut sans savoir qui elle était. Il envoya Brook se renseigner. Quand James revint d'Afrique du Sud deux semaines plus tard, il apprit que sa femme le quittait pour Richard Burton.

Malgré leur différence d'âge, Richard et Suzy étaient faits l'un pour l'autre, et se donnaient mutuellement ce dont ils avaient besoin. Contrairement à Elizabeth, Susan n'était pas ambitieuse. Elle avait été mannequin, et elle aimait se mêler aux gens célèbres, mais elle ne recherchait ni la célébrité, ni la fortune. Elle était chaleureuse et aimable ; sans être une intellectuelle, elle était très fine. Et puis, elle voulait désespérément avoir des enfants — tout comme Burton — et souhaitait vouer sa vie à un homme. Après treize ans de concurrence avec Elizabeth, Richard n'avait besoin de rien d'autre. Il pouvait, en échange, lui donner l'époux dont elle prendrait soin, la sécurité qu'elle désirait tant et la vie brillante qu'elle aimait.

Ils partirent donc ensemble pour New York où Richard devait commencé les répétitions de la première pièce qu'il jouerait au théâtre depuis *Docteur Faust* à Oxford, dix ans auparavant. Il s'agissait d'*Equus,* ce drame morbide de Peter Shaffer, dans lequel un jeune garçon aveugle six chevaux parce qu'ils l'ont vu faire l'amour et tombe ensuite dans les mains d'un misérable psychiatre de province. La pièce débuta à l'Old Vic de Londres, dans une mise en scène de John Dexter et elle avait connu deux changements de distribution avant d'arriver à Broadway. Anthony Perkins, qui jouait Dysart, le psychiatre, devait quitter le spectacle en février. Comme Burton devait déjà jouer dans la version filmée, Peter Shaffer suggéra qu'il reprenne le rôle sur scène pour les trois derniers mois.

Dysart est un homme sans passion, un caractère sec et ascétique, et John Dexter trouvait que Burton ne convenait pas du tout. Mais puisque le film ne le concernait pas et que la pièce n'avait plus que trois mois à assurer, il accepta la distribution de Shaffer. Pendant toutes les répétitions, il se heurta à Richard pour qu'il contienne sa force et sa passion.

Burton était très anxieux de reparaître sur scène après une si longue période. Le rôle l'inquiétait aussi ; il ne savait si ses cordes vocales seraient à la hauteur, s'il se rappellerait le texte d'un rôle aussi exigeant, avec de longs monologues. Officiellement, il ne buvait plus, mais on voyait Brook lui apporter subrepticement au théâtre des bouteilles dans du papier d'emballage.

Juste une semaine avant que Perkins abandonne le spectacle, John Dexter s'aperçut que Burton ne savait pas du tout son rôle. Aux répétitions, chaque fois qu'il sautait une ligne, il faisait une blague merveilleuse pour le cacher, et il avait si bien mystifié tout le monde que personne ne s'en apercevait vraiment.

« Tu sais que tu commences lundi en huit, vieux ? », demanda-t-il.

« Oui, oui, je sais », répondit Richard.

« Eh bien, je crois qu'il n'y a qu'une chose à faire pour être prêt », dit Dexter qui le connaissait depuis assez longtemps pour le prendre tel qu'il était. « Tu vas commencer le samedi d'avant, devant un public qui ne s'y attend pas. »

« Je ne serai pas prêt samedi », gronda-t-il.

« Tu seras prêt samedi, tu iras en scène et tu le feras. Lundi soir la presse sera là et tu n'auras aucune excuse. Samedi, tu serais acquitté d'un meurtre. »

Richard grommela ; les jours passèrent et les blagues continuèrent. La patience de Dexter s'épuisa. Il l'interpella un jour devant toute la compagnie.

« Richard », dit-il « tu te ridiculises devant tes compatriotes. Tu n'es qu'un pauvre ivrogne paresseux. »

Dexter savait qu'il devait dire cela devant les autres pour que Richard comprenne qu'il était sérieux. S'il lui avait parlé en privé, il n'y aurait prêté aucune attention. Il alla s'expliquer tout de suite après dans sa loge.

« Tu es censé être la tête d'affiche du spectacle, et ce n'est pas le cas. Tes camarades t'adorent, tu n'as pas à te tracasser pour ça, mais c'est le public qu'il faut conquérir. Il ne sait pas apprécier le charme que tu as quand tu ne connais pas ton texte. Alors fais quelque chose. Apprends-le. »

« Mais c'est très difficile », dit Richard. « On pourrait peut-être réécrire...« Non », dit fermement Dexter. « Peter Shaffer n'est pas là, on joue cette pièce depuis des mois, tout le monde devrait apprendre de nouveau. C'est le texte de l'auteur, tu peux le respecter ou non, mais tu n'obtiendras rien d'autre ».

Burton parut à la matinée du samedi. Ce fut une catastrophe. Pendant la première demi-heure, il resta les yeux fixés au sol, et il flancha à plusieurs reprises. On aurait dit qu'il n'était jamais monté sur une scène. Il était comme une épave dans la tempête. Il tremblait, il ne se souvenait plus du texte. Les autres acteurs l'aidaient en disant des choses comme : « Excusez-moi, docteur, je crois devoir vous rappeler que... », le remettant ainsi dans l'action, mais il avait surtout envie de déclarer : « C'est tout ce que j'ai à vous dire » et de les laisser en plan. Cette attitude avait déjà perturbé les étudiants dans *Docteur Faust* au théâtre d'Oxford.

Richard rentra ce soir-là au Plaza et en sortit deux jours plus tard pour la soirée du lundi comme un autre homme. Il savait le texte et il donna une interprétation que la salle acclama debout. La plupart des critiques délirèrent. Walter Kerre écrivit dans le *New York Times* que c'était « ce qu'il avait fait de mieux à ce jour ». Dans le *Daily Telegraph*, John Barber conclut son article par ce qu'il déclara être le plus grand hommage que l'on puisse rendre à un acteur : « Il a rendu une belle pièce encore plus belle. »

Pendant les deux jours où eut lieu cette transformation, Richard était avec Elizabeth Taylor. Elle venait d'arriver de Suisse où l'on avait dit à plusieurs reprises qu'elle sortait avec un publiciste maltais, Peter Darmanin. Quand Richard l'accueillit à l'aéroport, il eut l'audace de lui dire : « Tu as l'air d'une femme amoureuse. » Puis se tournant vers un agent de la sécurité il lui dit : « Vous voulez être son amant de la semaine ? » Ils passèrent la majeure partie du week-end à se disputer, mais quand il quitta l'hôtel pour le théâtre ce lundi-là, ils étaient parvenus à une trêve. Mais leur deuxième mariage avait vécu.

Quand Burton entra dans sa loge, il vit qu'elle avait écrit sur son miroir pour lui porter bonheur : « Chéri, tu es fantastique. » Et l'une des premières choses qu'il fit quand les applaudissements eurent cessé fut de téléphoner à Elizabeth pour lui souhaiter un bon anniversaire. Rien n'avait changé et rien ne changerait jamais. Richard se montra en ville avec Suzy. Elizabeth fut bientôt dans les bras d'un nouveau mari, mais ce ne fut pas le drame final d'une période de leur vie. Ce qui liait Elizabeth et Richard était trop fort pour qu'un divorce le brise. Ils ne tentèrent plus jamais de se marier, mais pendant les huit dernières années de sa vie, ils ne restèrent jamais bien longtemps sans contact.

Burton joua *Equus* pendant trois mois à Broadway, et il en profita pour faire avec John Dexter des projets qui faillirent de peu cette fois lui permettre de réaliser son rêve de jouer *Lear*. John venait d'être nommé directeur résident du Metropolitan Theatre au Lincoln Center de New York. Il était avant cela à l'Old Vic et avait essayé pendant des années de convaincre Richard d'y revenir, mais les structures du National Theatre exigeaient alors que les acteurs signent un contrat de trois ans. Burton était tenté, mais il ne s'était jamais résolu à faire ce sacrifice financier.

Au Met, c'était différent. John et Richard envisagèrent deux pièces que Richard avait envie de monter : *Le diable et le bon Dieu* de Sartre, qu'il se trouva trop vieux maintenant pour jouer ; et *Le Roi Lear*. John voulait donner *Lear* sur un plateau nu, production qui différait des décorations du National Theatre et concentrait l'attention sur le jeu. Il trouvait néanmoins le rôle trop dur pour qu'on le joue huit fois par semaine et il proposa d'alterner avec *Roméo et Juliette*. Peter Firth et Roberta Maxwell, tous deux dans *Equus,* auraient les rôles titre et Burton pourrait jouer Frère Laurence, ce qui était quasiment une soirée libre. Il n'aurait même pas besoin d'un autre costume. Il suffirait de passer une robe sur le sien.

Cette idée plaisait à Richard et ils projetèrent de la mettre en œuvre l'année suivante. L'entreprise excitait aussi beaucoup John Dexter. Ce serait beaucoup de travail, il le savait, mais il pensait que Burton avait encore assez d'ambition pour aller jusqu'au bout et donner l'interprétation que le public attendait depuis plus de vingt ans. Cela ne put malheureusement jamais se réaliser. Alex Cohen pensait que l'Amérique n'était pas encore prête pour un répertoire alterné et ce fut un échec. Richard ne joua jamais *Lear*.

Un mois après la dernière d'*Equus,* Richard apprit que Stanley Baker était mort d'un cancer au poumon. Il fut bouleversé. Quelques semaines avant, il avait téléphoné à son vieil ami pour avoir de ses nouvelles et Stanley avait fait peu de cas de sa maladie. « Pourquoi est-ce que je ne te vois plus ? », demandait toujours Richard. Mais en vérité, Stanley rencontrait les mêmes obstacles que les autres. Depuis des années, Richard était tellement protégé par les gens qu'il employait que ses amis ne pouvaient plus prendre leur téléphone et l'appeler chez lui ou à l'hôtel pour lui parler. Les lettres aussi restaient sans réponse, si bien qu'il n'y avait aucun moyen de garder le contact comme au bon vieux temps. Stanley était très attristé de voir ce que son plus vieil ami était devenu.

Dès que Richard sut la nouvelle, il envoya un télégramme à Ellen, le plus long qu'elle reçut jamais : « Je ne peux plus penser, ni dormir ni parler. Je suis bouleversé. Ne peux plus aligner deux idées. Il faut me pardonner. Je ne sais pas quoi dire. Suis détruit. Mon cœur vole vers tes enfants et toi. Si je peux être utile, si je peux être utile, si je peux être utile. Avec toute mon affection. Richard. » Trois semaines plus tard, il écrivait un hommage à son ami « lamentation pour un Gallois mort », qui parut dans l'*Observer*.

Ce dimanche-là, Ellen était chez elle à Epsom avec ses enfants, quand le photographe Norman Parkinson et sa femme Wendy arrivèrent pour lui demander ce qu'elle pensait de l'article. Ils furent très embarrassés de constater qu'Ellen ne l'avait pas vu, car ses enfants le lui avaient caché. Ils s'éclipsèrent en s'excusant mille fois. Ellen sortit dans le jardin, alla s'asseoir sous l'arbre où une partie des cendres de Stanley avaient été dispersées et, horrifiée, se mit à lire : « Il était courtaud, trapu, le visage comme un poing décidé à recevoir le premier coup mais certainement pas le second, et si par malheur vous vous attaquiez à certains éléments de son intimité comme sa femme ou ses enfants, ou même moi, vous aviez la certitude d'être exterminé... Nous cassions des carreaux, nous saccagions des trains et nous courrions après les mêmes femmes... Et mon Stanley n'aimait pas les pianos. Il s'en servait pour poser les pieds dessus. En réalité, ce cher vieux Stanley n'était pas vraiment cultivé. Il lisait les âmes, pas les livres [Ellen n'avait jamais pu poser un plateau par terre dans leur maison, car les livres de Stanley recouvraient tout], il était dénué de toute poésie, il n'aimait pas beaucoup les gens et le faisait savoir, souvent avec dureté, il détestait perdre, ce qu'il faisait rarement, mais que diable pouvez-vous faire en sortant d'un contexte pareil ? »

» Ces collines basses, ces vallées en pente, ces toits gris, ces puits de mine et cette herbe morte, ces mineurs perclus et ces cages qui descendent sans cesse avec votre père dedans et qui le bousillent et puisque avec un soupir convulsif, il s'était débarrassé de ces puissantes montagnes et parcourait l'Europe, quel diable ou quel homme l'a tué ? »

Elle continua à lire : « ... Et un jour dans un bar de Biarritz, nous avons vu cet incroyable ivrogne américain noyé dans le whisky, aveugle comme un taureau sans yeux, se murmurant à lui-même des idioties. Nous avons essayé de remettre ce malheureux sur ses pieds... et Stanley a dit : " Seigneur, Rich, c'est William Faulkner. " » Stanley n'était jamais allé à Biarritz.

En lisant cela, Ellen entendit dans l'arbre le rire de Stanley. Il disait : « Tu connais Richard dans cet état-là. Il est submergé par les mots. » Elle sourit, rentra et demanda ce qu'il y avait pour déjeuner. Mais tous les amis de Stanley furent ulcérés, et le téléphone sonna toute la journée. Tout le monde voulait savoir ce qu'elle comptait faire. Elle téléphona au rédacteur en chef de l'*Observer*, Donald Trelford, pour savoir comment cet article avait pu sortir. Trelford expliqua que Brook Williams les avait appelés en leur proposant un article écrit par Richard. Dans le passé, dit-il, quand Burton avait écrit pour eux, ils avaient toujours pris soin de tout faire réécrire, mais cet article était arrivé par télex, et quand il avait vu à quel point il était incendiaire, il avait mis huit personnes au travail dessus toute la nuit. « Vous devriez voir ce que nous avons coupé », ajouta-t-il. « Brook avait dit que Richard aimerait faire ça pour son meilleur ami. Je croyais que c'était bénévole, mais j'ai reçu une note de son homme de loi. »

« Déjà ? », dit Ellen.

Deux jours plus tard, Ellen téléphona à Sybil qui avait lu l'article. « Que veux-tu que je te dise, chérie », répondit-elle. « Il est cinglé, il faut le reconnaître. »

Pendant le reste de l'été, Sybil reçut à tour de rôle tous les enfants d'Ellen, pour lui permettre de reprendre pied. Ils étaient bouleversés par la mort de Stanley et très contrariés par cet article. Mais ils pouvaient parler à Sybil, qui les écoutait. Ils revinrent tous chez eux en ayant mieux compris leur père et ses rapports avec Richard.

Entre-temps, Brook avait écrit à Ellen pour lui dire que Richard avait fait cet article pour Sally et qu'il avait l'intention de lui donner tout l'argent qu'il en tirait.

« Parfait », dit Sally, qui avait alors vingt-trois ans. « J'en aurai l'usage. Je vais aller le voir. » Ellen la supplia de n'en rien faire, mais elle était décidée. Richard avait toujours dit que s'il arrivait quelque chose à Stanley, il serait un deuxième père pour elle, mais il n'avait pas pu mieux assumer la douleur de Sally que la sienne.

Il était alors marié à Susan et ils vivaient au Dorchester. Sally eut beaucoup de mal à parvenir jusqu'à lui, mais elle finit par être conduite dans son appartement. Suzy prit l'affaire en main. « Richard, veux-tu faire un chèque pour Sally ? Combien ces articles t'ont-ils rapporté ? » Suzy finit par faire elle-même le chèque.

Richard et Suzy s'étaient mariés en août 1976, dès que leurs divorces respectifs avaient été prononcés. De retour en février, James Hunt était venu à New York rencontrer l'homme qui l'avait supplanté et discuter avec l'un et l'autre. Ils se rencontrèrent deux ou trois fois et le bon sens de Richard l'impressionna. Il fit bien face à la situation et remercia même Hunt de lui laisser Susan.

Ils demandèrent le divorce à Port-au-Prince, capitale d'Haïti, où les étrangers peuvent l'obtenir dans la journée, bien qu'il ne soit pas reconnu partout. Susan fut très honnête, n'exigeant rien. Elle s'était rendue en mai à Marbella pour emporter ses affaires, mais tout ce qu'ils possédaient en commun, y compris la plupart de leurs cadeaux de mariage, restait la propriété de James.

Le divorce de Richard fut assez différent. Elizabeth garda tout — tous les bijoux, tous les tableaux, tous les biens. Certains amis perfides dirent qu'elle l'avait épousé une deuxième fois parce qu'elle n'avait pas eu tous les bijoux lors de leur premier divorce, mais il ne lui en tint pas rigueur. Il ne voulait que les trois mille volumes de leur bibliothèque en Suisse, et un nouveau départ dans la vie.

Il épousa Susan le 21 août. Point de diamants fabuleux : juste des anneaux d'or tout simples échangés à Arlington en Virginie, l'un des trois Etats américains reconnaissant les divorces d'Haïti. La cérémonie dura exactement quatre minutes et fut célébrée par celui qui avait mis fin au célibat de Henri Kissinger deux ans plus tôt, le juge Frances E. Thomas Jr. Richard aimait la consonance galloise de son nom.

Burton tournait alors un film à New York, *L'exorciste II : l'hérétique,* et ils vivaient à l'hôtel Laurent. Quand ils y revinrent, après un voyage de huit cents kilomètres, parmi les télégrammes et les messages qui les attendaient à la réception, il y en avait un d'Elizabeth Taylor qui se trouvait à Vienne où elle tournait *Une petite musique de nuit* : « Je vous souhaite à tous deux longue et heureuse vie. »

Susan et Elizabeth s'étaient rencontrées en Suisse, et elles ne s'aimaient guère. Elles étaient très différentes, avec des qualités et des aspirations opposées. Susan avait un père juriste qui avait travaillé longtemps dans les colonies britanniques et elle avait passé son enfance dans de nombreux pays. Elle était calme et sans ambition et ne ressentait pas le même besoin qu'Elizabeth de rivaliser avec Richard. Elle se contentait de rester près de lui et de l'écouter, riant de ses histoires, appréciant sa poésie. Elle représentait l'auditoire attentif et admiratif dont il rêvait. Elle jouait bien du piano et il aimait l'écouter. Sa vie devint moins agitée.

Le plus grand exploit de Susan fut d'empêcher Richard de boire. Elle prit au sérieux la menace qui pesait sur sa vie. S'ils devaient avoir des enfants, ce qu'ils souhaitaient et sans attendre, elle tenait à s'assurer que leur père serait là pour s'occuper d'eux. Mais la tâche était plus ardue qu'elle ne le pensait. Richard était devenu alcoolique, et l'empêcher de boire était une dure bataille de chaque instant. Elle était pourtant essentielle. S'il prenait une gorgée d'alcool, il perdait immédiatement toute maîtrise.

Ils assistèrent un peu plus tard en février au déjeuner du Savoy pour la remise du prix dramatique de l'*Evening Standard*. Burton remettait le prix du meilleur acteur 1976, récompense qu'il avait lui-même obtenue pour son *Henry V* vingt-cinq ans plus tôt. Au cours du repas, il ne but que de l'eau minérale, mais à la fin, quelqu'un mit devant lui un verre de porto. Richard le but et tout son comportement changea : il devint tout de suite incohérent et complètement ivre. Se rendant soudain compte de ce qui s'était passé, Suzy lui fit subrepticement quitter la table, le ramena au Dorchester où ils séjournaient, et le mit au lit pour le reste de la journée.

Au Savoy, à la même table, se trouvait ce jour-là Bette Hill, veuve de l'ancien champion automobile Graham Hill et que Suzy voyait souvent quand elle était à Londres. Toutes deux

Ci-dessus : la réception pour le quarantième anniversaire d'Elizabeth à Budapest, en février 1972. La famille, les amis et les collègues furent invités des quatre coins du monde, tous frais payés, à passer un week-end de fête. Ci-dessous : Richard avec ses frères et Brook Williams.

Ceux qui venaient des Vallées : les frères et sœurs de Richard avec leurs conjoints à la réception pour l'anniversaire d'Elizabeth. C'est Richard qui a écrit leurs noms.

Richard temporisait en dépensant de l'argent pour Elizabeth. Il lui achetait des bijoux célèbres et fabuleux. Ils brillaient comme une image de marque, comme pour dire qu'Elizabeth Taylor appartenait à Richard Burton. *(Keystone Press)*

Page de droite en haut : Burton ave
Susan et Betty Hill (au centre) à la remis
du prix de l'Evening Standard au Savoy
Malgré leur différence d'âge, Richard e
Susan étaient faits l'un pour l'autre. Per
dant le déjeuner il fit passer une note
Bette, disant « Merci de m'avoir gard
Suzy. » *(Keystone Press)*

En dessous : en Richard Wagner. Burto
avait rassemblé tout un matériel d
recherche et des livres sur le compositeu
« Je suis Wagner », avait-il dit. « Je veu
jouer Wagner. » *(Popperfoto)*

Ci-dessus : Burton en Winston Churchill
avec Robert Hardy dans le rôle de Joa-
chim von Ribbentrop dans *A walk with
destiny*. L'un des biens auxquels Richard
tenait le plus était un buste de Churchill ;
tout le monde fut surpris quand il s'en prit
au héros. *(Photo Robert Hardy)*

La boisson faisait de Richard un autre
homme, le rendant destructeur, irrationnel, agressif et imprévisible. *(Rex Features)*

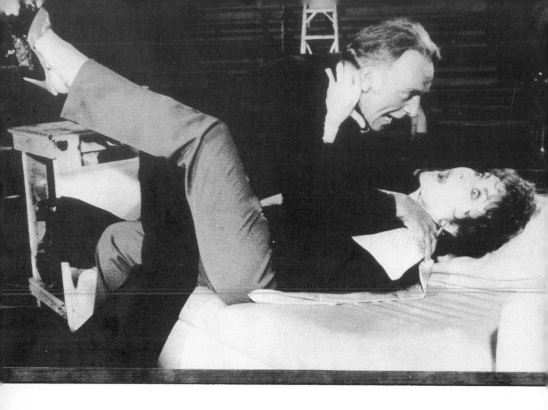

Avec Elizabeth dans *Private Lives,* à New York en 1983. Les batailles voulues sur scène par le script n'étaient qu'une pâle imitation des scènes se déroulant en coulisses. *(Popperfoto)*

« Le foie et les reins des Gallois doivent être faits d'un alliage de métaux différent de celui des autres hommes. Un jour, comme pour les avions, le métal peut finir par s'user. » *(Rex Features)*

Richard arrivant à une réception pour la compagnie de *Private Lives* avec Sally Hay (à gauche) et sa fille Kate. Ses amis furent sidérés de la ressemblance de Sally avec Sybil jeune. *(Popperfoto)*

Incarnant le sinistre O'Brien dans *1984* avec John Hurt. Burton accepta un second rôle : il y voyait l'ultime étape de son retour sur les écrans. *(Popperfoto)*

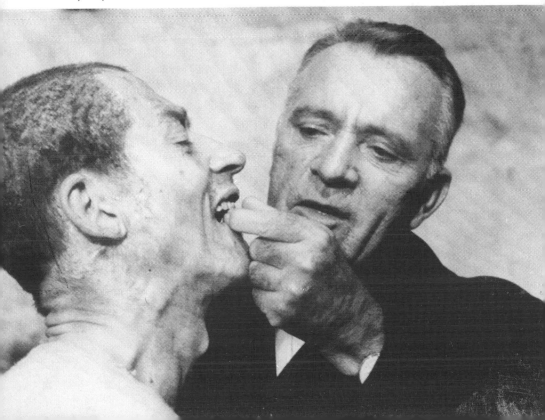

Cinquième mariage en juillet 1983. Avec Sally, on retrouvait l'ancien Richard. Il avait de nouveau l'esprit alerte, il était rationnel et cohérent, le regard brillant et il parlait de l'avenir avec enthousiasme.

femmes de coureurs, elles s'étaient liées d'amitié quand Suzy était mariée avec James Hunt. Pendant le déjeuner, Richard lui avait fait passer un billet où il avait écrit « Merci de m'avoir gardé Suzy ». Il était parfois violent avec sa nouvelle femme, comme avec tous ceux qui s'interposaient pour l'empêcher de boire, mais il reconnaissait à Suzy le mérite de l'avoir sauvé à la limite de l'autodestruction. C'était pourtant un rôle épuisant à jouer.

Suzy n'avait jamais rien eu à voir avec le monde du cinéma. Elle était effarée par la foule de parasites et de sycophantes qui entouraient Richard. Elle les trouvait nuisibles. Ils lui disaient ce qu'il voulait entendre et ils ne faisaient rien pour l'empêcher de boire. Elle entreprit donc d'éloigner les plus nocifs d'entre eux. Certains amis eurent aussi le sentiment d'être écartés, mais, comme bien des secondes ou troisièmes épouses, elle trouvait difficile de prendre la suite de celle qui l'avait précédée, en particulier quand tant de gens l'appelaient par mégarde Elizabeth. Même l'attaché de presse de Burton, John Springer, l'avait mentionnée sous le nom d'Elizabeth quand il avait annoncé leur mariage à la presse.

Suzy s'intéressait beaucoup à la carrière de Burton et pas seulement aux cachets qu'il touchait, bien au contraire. Quand elle vit à quel point il déplaisait à Richard de faire *L'exorciste II : l'hérétique,* autre très mauvais film condamné par les critiques autant que par le public, elle déclara : « Tu ne dois plus jamais faire cela, même pour gagner un million de dollars. » Le film était une suite à *L'exorciste,* qui avait fini par rapporter beaucoup d'argent, mais même son metteur en scène, John Boorman, admettait que c'était une erreur.

Le film d'*Equus* suivit, tourné au Canada et mis en scène par Sidney Lumet. Burton fut à nouveau nominé pour un Oscar, mais n'en obtint toujours pas. Il se rendit alors à Londres pour enregistrer un feuilleton en vingt-six épisodes pour la BBC sur l'histoire de la Couronne britannique, sous le titre de *Vivat Rex.* Quelques mois plus tard, il tournait un film policier à Pinewood, histoire d'un homme qui a un don de télékinésie, *The Medusa touch,* mis en scène par Jack Gold. Au lieu de séjourner tout le temps au Dorchester, Richard et Suzy louèrent une maison dans la campagne près de Windsor et restèrent un peu chez eux.

Ils firent aussi l'inévitable voyage au Pays de Galles pour présenter Suzy à la famille. Elle s'entendit très bien avec tout le clan et en particulier avec les sœurs de Richard qui étaient enchantées d'accueillir quiconque empêchait leur frère de boire. Il fit à son tour la connaissance de la famille de Suzy qui s'était alors installée dans une ferme près de Basingstoke. Richard se lia beaucoup avec son beau-père, Frederick Miller. Ce dernier était un self-made-man, très cultivé, et ils parlaient longuement de littérature ou partaient faire de grandes promenades dans la campagne. Le frère de Suzy, John, vivait à Los Angeles, mais il fit la connaissance de sa sœur jumelle, Vivienne Van Dyke. Quand le mariage de Vivienne fut rompu, elle vint vivre chez Richard et Susan avec sa fille Vanessa. Richard et la petite fille s'aimaient beaucoup.

Richard désirait vivement avoir lui-même un autre enfant, mais les mois passaient sans aucun signe de ce qu'il attendait. Entre-temps, il avait légué à Suzy une famille de bonne taille dont l'un des membres, Christopher Wilding, travaillait sur le prochain film de Richard, *Les oies sauvages* en Afrique du Sud. Richard avait obtenu le rôle de manière inhabituelle. Le producteur était Euan Lloyd, qui partageait jadis avec lui un même enthousiasme pour le rugby. Celui-ci reçut un coup de téléphone de Rober Lantz, l'agent de Burton à New York. Il lui dit qu'il pensait que Euan avait en main un script qui pourrait convenir à son client. Richard était de moins en moins considéré comme une vedette de premier plan au cinéma et son agent devait davantage prendre les devants que se contenter de fixer le cachet.

Lantz rencontra Euan Lloyd au Connaught★ de Londres et emporta immédiatement le script à Venise où Suzy et Richard séjournaient au Gritti★★. Il appela la semaine suivante pour dire

---

★ Célèbre hôtel de Londres.
★★ Célèbre hôtel de Venise.

que Richard était d'accord. Euan était très inquiet. Il aimait beaucoup Richard mais il ne pouvait pas se permettre de voir son film compromis par ses excès de boisson. Pour l'instant il ne buvait plus, mais que se passerait-il une fois dans la brousse ? Cependant, Suzy et son dévouement l'impressionnèrent tellement qu'il décida de tenter le coup.

Il faisait un autre pari en engageant aussi Richard Harris, autre grand buveur repenti, dont les amis lui assuraient qu'il ne rechuterait pas. On appelait les deux Richard R I et R II et ils s'entraidaient plus ou moins à rester dans le droit chemin. Richard Harris fauta juste une fois et il vint voir Euan le lendemain matin en se tenant la tête dans les mains : « Je me suis mal conduit hier soir », dit-il ; « mais ça ne se reproduira plus, Patron. »

Euan offrit aussi un petit rôle à Glyn Baker, le fils de Stanley. Burton déclarait dans les interviews que son filleul travaillait dans le film, ce qui irritait Glyn. Il avait Harry Secombe pour parrain et il l'adorait. Cette inexactitude le contrariait tout comme son père qui s'était mis en colère à Naples sur le Kalizma quand il avait entendu Richard parler aux journalistes du mineur unijambiste comme si c'était son propre père.

Les oies sauvages était une histoire de mercenaires, filmée à la frontière nord de l'Afrique du Sud. Richard avait deux sujets d'anxiété. « Je ne supporte pas les mercenaires », disait-il. « Je les déteste. Pourquoi en faire les héros d'un film ? » Euan lui expliqua comment le film était fondé sur une histoire véridique, celle du Colonel « Mad » Mike Hoare. « Fais sa connaissance », supplia-t-il. La rencontre eut lieu à Johannesbourg. Elle fut brève et Hoare ne plut pas du tout à Richard.

Il se tracassait aussi pour le lieu du tournage. « J'entends dire plein de choses terribles sur l'Afrique du Sud », expliqua-t-il. « J'aime bien y venir en touriste, mais il n'est pas aussi évident d'y travailler. »

« Ne t'inquiète pas », dit Euan, « nous pratiquerons une intégration complète. »

« Comment t'es-tu débrouillé ? » demanda Richard.

« J'ai prévenu le Gouvernement que si nous devions faire le

film ici, nous n'accepterions aucune barrière raciale. Ils m'ont donné leur accord pour m'organiser comme je le souhaitais. »

L'équipe de plus de deux cents personnes fut effectivement constituée d'un mélange de Sud-Africains et de Britanniques, de blancs et de noirs, vivant, travaillant, buvant et mangeant ensemble.

Cette organisation fascinait Richard : « Sapristi, ça fonctionne bien ! » dit-il.

« Oui, sous notre contrôle », dit Euan, « mais il y a d'autres problèmes. »

« C'est quand même un sacrément bon début. »

Mike Hoare était conseiller technique, et Euan lui avait suggéré de traiter tous ces hommes comme des soldats sous son commandement, étant entendu qu'il ne contrarierait pas les stars — les autres étant Roger Moore et l'acteur sud-africain Hardy Kruger.

Dès le premier jour, il s'arrangea pour en contrarier une. On apporta à Burton une note disant : « Tous les artistes sont convoqués à 10 heures au restaurant pour une communication du Colonel Hoare. »

Richard demanda à voir Euan d'urgence.

« Euan, qu'est-ce que ça veut dire ? » s'étonna-t-il, agitant sa convocation. Me revoilà dans cette foutue armée. Qu'est-ce qui se passe ? »

« Mike pensait que ça serait très utile... »

« Je me fous pas mal de ce qu'il pense. Ça ne me plaît pas du tout, Euan. »

« Ecoute, les autres ont reçu la même lettre, mais si ça pose des problèmes, je verrai ce qu'on peut faire d'autre. »

Richard grommelait et marmottait quand Euan le quitta. Celui-ci rencontra tout de suite Roger Moore. « Bonjour, monsieur », dit Roger, claquant les talons en se mettant au garde-à-vous, et saluant Euan. « Je serai au défilé à 10 heures. » Richard Harris l'imita.

Burton l'appela un peu plus tard. « J'ai réfléchi », dit-il. « Puisque c'est censé être un film militaire, d'accord. »

Le lendemain matin, les cinquante acteurs étaient rassemblés dans le restaurant et à dix heures moins deux, les quatre stars arrivèrent, saluèrent la compagnie en bonne et due forme et s'assirent au premier rang. Quelques secondes plus tard Mike Hoare arrivait en uniforme de colonel, avec une badine. Il se planta devant les cartes qu'il avait placées pour sa conférence. Burton, qui jouait dans le film le rôle du colonel, s'avança, salua Hoare, se retourna, s'adressa aux hommes qui s'étaient mis au garde-à-vous, et leur dit : « Repos ! »

La conférence devait durer vingt minutes, mais Hoare parla deux heures. Il décrivit en détail l'évolution des personnages comme un officier mercenaire et ses hommes, avec des exemples. Les quatre stars restaient médusées dans leur fauteuil. A la fin, Richard vint dire à Euan : « Je te dois des excuses, espèce de salaud. Je vois maintenant ce que tu veux dire. » A partir de cet instant, Richard observa tout ce que faisait Hoare et le personnage qu'il incarna dans le film fut entièrement calqué sur le Colonel « Mad » Mike Hoare.

C'était un rôle astreignant, épuisant et le dos de Richard, qui le gênait plus ou moins depuis des années commença à lui jouer des tours. Sans boisson pour engourdir la douleur et sans possibilités de repos, il commença à beaucoup souffrir. Ils travaillaient par des températures atteignant 40° à l'ombre et il avait un emploi du temps très serré, sur la brèche pratiquement tous les jours pendant douze semaines. Il ne se plaignait guère : « Fichu temps », disait-il pour éluder le problème, mais l'inquiétude de Euan grandissait car il voyait bien qu'il souffrait chaque jour davantage.

Une assurance couvrait ce genre de problème, mais perdre Richard à la moitié du film aurait été catastrophique. Eaun entreprit donc de trouver un spécialiste du dos qui puisse venir à Tshipise, à 1 000 kilomètres au nord de Johannesburg, pour examiner Richard. C'était un tour de force, mais il finit par trouver le professeur Kloppers ; celui-ci accepta de venir de Pretoria. On envoya un petit avion le chercher pour l'amener sur l'aérodrome de Tshipise. Il arriva à midi et se rendit tout de suite auprès de Burton qui était dans sa roulotte. Il souffrait tellement qu'il n'avait pas pu tourner de la journée. Kloppers resta une heure auprès de son patient, lui fit deux piqûres, et à deux heures, Richard sortait de sa roulotte complètement transformé. Il retourna travailler et ne souffrit pratiquement plus jusqu'à la fin du tournage.

Son dos allait mieux, mais Burton n'était que l'ombre de lui-même. Tous les soirs, on buvait sec au Red Ox. Il se tenait à l'écart. Il restait chez lui, lisant, jouant au Scrabble ou écoutant Suzy jouer du piano. Il se couchait tôt et il ne buvait pas.

On demandait toujours aux stars ce dont elles avaient besoin pour assurer leur confort dans un lieu comme celui-ci, et un piano était l'une des choses que Richard avait spécialement demandées. On avait donc envoyé de Johannesburg un piano à queue pour Suzy. Il voulait aussi des livres. Tout ce qu'il y avait à lire dans cette partie du monde, fut rassemblé y compris les œuvres de Skakespeare, pour lui constituer une bibliothèque. Restait le difficile sujet de la boisson. « Il fait chaud, là-bas » avait dit Euan. « Que voudras-tu comme boisson? »

« Du Tab », avait répondu Richard? « Je bois du « Tab. » Le « Tab » est une boisson américaine diététique non alcoolisée, introuvable à Johannesburg. On découvrit finalement un représentant à Cape Town qui en expédia mille boîtes vers le nord. On s'arrangea pour les garder au frais et pour qu'il en ait toujours une boîte glacée à portée de la main. Richard ne but rien de plus fort que cela.

Il ne se joignit aux autres qu'une seule fois pour passer une soirée au Red Ox. Il y avait plusieurs gros buveurs dans la distribution; Roger Moore était assis à côté de lui, descendant des Martinis. Richard paya à boire à tout le monde, mais ne toucha pas une goutte d'alcool. Euan était venu, terrifié à l'idée que Richard succomberait à la tentation, comme Richard le craignait visiblement lui-même.

Le lendemain matin, l'assistant-metteur en scène vint dire à Euan que Mr Burton voulait lui parler. Quand on fit une pause pour déjeuner, il alla voir Richard dans sa roulotte. Il portait encore la tenue de combat dans laquelle on l'avait filmé le matin, malgré la chaleur, et il n'avait pas touché à son déjeuner. Il avait l'air furieux, et, tapant du pied par terre avec colère il se retourna pour regarder son producteur droit dans les yeux et lui dire : « Ne me refais plus jamais ça, plus jamais ! »

Intrigué, Euan, lui demanda de quoi il voulait parler. Il eut droit à une tirade complètement paranoïaque, où il apparut que Richard trouvait que Euan l'avait ridiculisé devant ses amis la veille au soir.

Euan l'écouta sans y croire, mais il finit par en avoir assez et partit en lui disant : « Désolé, mais j'ai du travail. »

Le lendemain, Richard vint s'excuser dans sa roulotte.

Il était enclin à de brusques accès de colère, dont Suzy était généralement la première victime. Il invita un jour Christopher et Glyn à dîner. Quand ils arrivèrent, ils trouvèrent Richard profondément endormi dans le jardin. Ils passèrent furtivement près de lui et entrèrent dans la cabane voir Suzy. Ils jouaient tous trois tranquillement au Scrabble quand Richard fit irruption : « Comment osez-vous me déranger quand je suis en train de lire *Lear* », tonna-t-il.

« En train de lire ? », dit Christopher de manière cinglante. « Tu dormais. Tu ronflais. »

« Je ne supporte pas de perdre mon temps avec tous ces anti-intellectuels », rugit Richard.

« Alors, j'ai intérêt à m'en aller », dit Glyn.

« Non, tu peux rester, tu es à moitié intellectuel. »

Burton était de plus en plus irrité par la jeunesse. Christopher et Glyn avaient tous deux dix-neuf ans. Ils étaient blonds, beaux, et il trouvait cela dur à supporter, surtout quand ils étaient avec Suzy. Il était aussi jaloux de Kate, qui grandissait et fréquentait des garçons. Il relevait le défi en prenant un air protecteur et en jouant les intellectuels. « Vous êtes trop jeunes pour comprendre ça », aimait-il dire.

Quand Richard ne buvait plus, bien loin de vouloir que son entourage fasse de même, il distribuait l'alcool à foison, préparant des cocktails meurtriers, des vodkas géantes, et servant du bon vin. C'était un fin connaisseur en matière de vin, et pendant son mariage avec Suzy, il lui apprit ce qu'il savait. Et pourtant, il lui était très pénible de ne pas boire comme les autres.

Au cours d'un dîner avec James Hunt en Espagne plus tard cette même année, son malaise parut au grand jour. Il séjournait avec Suzy chez Lew Hoad, ancien champion de Wimbledon et leur voisin à Mijas. Pour que la situation ne soit pas trop gênante, James avait aussi invité Sean Connery, un autre voisin. Connery avait trois ans de moins que Burton, et on aurait pourtant dit que Richard était le vieillard de l'assistance. Il se tenait à table comme un grand-père que l'on sort et malgré tous les efforts de Suzy, on voyait bien que chaque seconde lui pesait. Deux jours plus tard, il échappa à la vigilance de sa femme juste assez longtemps pour boire jusqu'à perdre conscience.

Richard reconnut à la longue qu'il serait sans doute mort sans Suzy, mais dans la vie quotidienne, il la remerciait bien peu de ses efforts. Ceux qu'elle avait évincés l'appelaient « La vierge de fer » ; ceux qui aimaient vraiment Richard disaient que c'était « Florence Nightingale ». Sa dévotion pour lui était totale, mais elle eut une fin. Alors qu'il avait l'air en meilleure santé que les années précédentes, Susan paraissait exténuée. Elle perdit beaucoup de poids et ses amis se mirent à craindre qu'elle ne s'épuise totalement.

Il y avait aussi de grands moments, bien sûr, et quand Richard était en forme, il avait toujours le même charisme de mime, de conteur, de charmeur romantique. Et la vie avec une superstar menant grand train était excitante. L'année de leur mariage, ils avaient acheté une maison sur l'Ile d'Antigua, deux ans plus tard ils en achetèrent une autre à Puerto Vallarta, plus haut dans la montagne que Casa Kimberley qui avait échu à Elizabeth dans le partage du divorce, et il y avait « Le Pays de Galles » en Suisse, qui était resté la possession de Richard. Mais avec ses obligations professionnelles, ils ne séjournaient jamais longtemps nulle part.

Après *Les oies sauvages,* le film suivant de Burton, *Absolution* fut tourné à Pinewood et dans une localité du Shropshire. Il était écrit par Anthony Shaffer, frère de Peter, l'auteur d'*Equus.* Burton y jouait le rôle d'un prêtre, mais cette fois dans une école catholique, où il entend la confession d'un garçon qui a commis un meurtre. Il alla ensuite en Allemagne travailler avec Andrew McLaglen, qui avait mis en scène *Les oies sauvages* et avec qui il était devenu très ami. C'était pour un film de guerre *La percée d'Avranches,* où il partageait l'affiche avec Rod Steiger et Robert Mitchum.

Au début de 1980, il travailla sur un film à Toronto, avec Tatum O'Neal, la fille de Ryan O'Neal qui avait seize ans. C'était *Circle of two.* Il n'avait jamais eu de partenaire aussi jeune et il fut très troublé de jouer des scènes d'amour avec une fille qui avait trente-huit ans de moins que lui — encore plus jeune que ses enfants. Quand elle partait faire la fête en ville jusqu'à l'aube, il rentrait chez lui passer une soirée tranquille avec ses livres, sa femme et leur chien, un bâtard nommé Lupe, et qu'ils avaient trouvé errant dans les rues à la Guadeloupe — il montait sur les genoux de Richard qui en parlait comme de « notre bébé ».

Ce furent des années calmes pour le nouveau Burton rangé. Sans trop de films en perspective, il se mit de nouveau à écrire, répétant que sa véritable ambition était d'écrire un livre, « Un livre vraiment bon. J'aimerais mieux faire cela que de jouer tous les Hamlet et tous les Lear. » Il faisait plus d'exercice que les années précédentes. La natation était bonne pour son dos qui le faisait parfois beaucoup souffrir ; il marchait et se promenait à bicyclette. A l'instigation de Susan, il essaya même de cesser de fumer, mais il devint tellement invivable, qu'elle renonça à cette tentative. Suzy ne le quittait pas, et quand il disait que son mariage était éternel, ça paraissait très possible.

8

« Que le temps arrête son cours et
que minuit ne vienne jamais. »

A cinquante-quatre ans, Burton en paraissait beaucoup moins. Les yeux vitreux et injectés de sang, le visage bouffi, appartenaient au passé. Il avait de nouveau le regard clair, le visage lisse, et il émanait de lui une vitalité qu'on ne lui avait pas vue depuis des années. Cela lui permit de revenir à un rôle qu'il avait créé vingt ans avant : le Roi Arthur dans *Camelot,* la comédie musicale de Lerner et Loewe.

Dans les années suivantes, on avait fait un film avec *Camelot.* Alan Jay Lerner voulait que Burton tienne son rôle, mais il ne put trouver un accord financier avec la Warner Brothers et c'est finalement Richard Harris que l'on engagea. Malgré toute l'amitié qu'il avait pour Harris, Alan considéra toujours Richard Burton comme le Roi Arthur idéal et il voulait que les gens en gardent cette image. Il envisageait donc une reprise depuis quelques années. Richard avait été sur le point d'accepter à condition que Julie Andrews le fasse également. Elle y songea, mais rien n'aboutit. Puis, en 1980, Mike Merrick, l'ami de Lerner, qui avait fondé une compagnie de production avec Don Gregory, décida de remonter *My Fair Lady* avec Rex Harrisson. Alan déclara : « Si tu veux vraiment monter quelque chose, engage Richard pour faire sa rentrée dans une reprise de *Camelot.* » Et ils se mirent au travail.

C'était une entreprise à long terme et Richard était anxieux de remonter sur les planches. Ils devaient répéter à New York, débuter à Toronto en juin, venir à Broadway le mois suivant et partir ensuite en tournée pendant un an. C'est Suzy qui fit pencher la balance. Burton finit par accepter après un déjeuner en Suisse avec Don Gregory, Mike Merrick et Lerner qu'il avait voulu convoquer lui aussi.

Et ainsi, en juin 1980 il était de retour au O'Keefe Centre de Toronto. La dernière fois qu'il y était venu c'était pour jouer *Hamlet,* à l'époque de son mariage avec Elizabeth, en plein délire collectif, où la police devait garder les portes. La direction n'avait pas oublié son passage. Sans le moindre tact, on imprima des programmes souvenir pour marquer le retour de Burton, avec une photographie d'Elizabeth en Cléopâtre à l'intérieur, et rappelant qu'il l'avait épousée deux fois. Suzy était furieuse et exigea qu'on retire cette photo. Le personnel du O'Keefe Centre passa donc la nuit précédant la première à arracher la page concernée dans quatre vingt-dix mille programmes.

Il y eut des ennuis encore plus sérieux. Une semaine avant l'ouverture, Alan Jay Lerner reçut un appel désespéré du metteur en scène anglais du spectacle, Frank Dunlop. Quelque chose n'allait pas dans l'interprétation de Burton. C'était catastrophique. Alan pouvait-il venir de Londres pour lui donner son avis ? Alan arriva, reconnut que c'était plutôt mauvais, mais en détermina tout de suite la cause. La jeune actrice qui tenait le premier rôle, celui de Guenièvre, Kathleen McCearney, ne convenait pas du tout et cela gênait Burton. Alan discuta avec lui : « Richard, tu ne peux pas faire ta rentrée comme ça. C'est de ma faute, c'est moi qui ai insisté, mais je ne vais pas te laisser jouer vendredi prochain à Toronto avec cette partenaire. »

Alan et Frank commencèrent à auditionner le samedi après-midi et trouvèrent une fille qui chantait dans la reprise d'*Oklahoma.* Alan appela l'un des deux fils d'Oscar Hammerstein qui mettait en scène ce spectacle et lui dit : « Tu dois m'aider, il me faut cette fille. » Billy Hammerstein vint à son aide, trouva une remplaçante pour sa chanteuse et le dimanche matin Christine Ebersole commençait à répéter. Tout le monde travailla sans interruption ; on lui fabriqua en toute hâte de nouveaux costumes et de nouvelles perruques, et à la fin de la semaine, elle était prête. L'interprétation de Burton s'en trouva transformée.

Les critiques accueillirent son retour dans *Camelot* avec un enthousiasme mitigé. Le *New York Times* écrivit : « Il demeure en tous points le Roi Arthur majestueux de nos rêves d'enfant. » Dans le *Daily Telegraph,* John Barber déclara : « La magie et le danger de sa présence, cette peau rongée, ce regard accusateur, cet humour diabolique, et surtout cette voix de violoncelle sortie du fond d'une mine expliquent en grande partie les cinquante mille dollars qu'on lui donne par semaine. » Clive Barnes dans le *New York Post,* décrivit cependant la soirée comme « une soirée à oublier ». Burton, disait-il, avait l'air « blafard tel un mannequin réduit en cendres. Il a le visage parcheminé et mort, les bras ballants et les mains molles ».

On ne guettait pas seulement le jeu de Burton. Il avait souvent parlé dans la presse, dans les magazines et à la télévision de son combat contre l'alcool. Maintenant que le public le voyait tous les soirs, on cherchait à savoir s'il avait vraiment vaincu ce démon.

C'était presque le cas. Il buvait parfois le verre de vin blanc que son organisme semblait tolérer, mais il ne prenait toujours pas d'alcool ; c'était pour lui une lutte incessante. Deux jours avant la première de Toronto, il avait dîné avec Alan Jay Lerner et Edna O'Brien. Suzy n'était pas là. Le maître d'hôtel prenait la commande et Richard dit : « Je crois que je vais prendre un martini-vodka. » Puis il regarda Alan.

« Ne me regarde pas, Richard », dit-il, « tu peux prendre ce que tu veux car je sais que tu n'abandonneras pas ce spectacle. »

Richard réfléchit un instant et dit : « Bon, ça ne fait rien. Je vais plutôt prendre un Perrier. »

Une semaine après l'ouverture du spectacle à Broadway, on crut qu'il avait succombé. Burton pouvait à peine marcher ni parler. Pendant les premières minutes du spectacle, il titubait, chancelait sur scène. Il finit par s'arrêter complètement au milieu du premier acte. Tandis qu'on baissait le rideau, des gens crièrent dans le public : « Donnez-lui un autre verre ! » Pendant que Suzy le ramenait à la maison, des centaines de gens prirent d'assaut le bureau de location exigeant d'être remboursés bien que sa doublure l'ait remplacé. Des photographes campaient devant son hôtel et les journaux s'interrogeaient pour savoir s'il s'était remis ou non à boire. Il nia énergiquement avoir bu. Il avait pris plusieurs médicaments, disait-il, et ce mélange l'avait rendu malade. Il avouait pourtant avoir déjeuné ce jour-là avec Richard Harris.

Le soir suivant, il était de retour sur scène, terrorisé à l'idée de l'accueil que lui ferait le public. Mais quand il fit son entrée, celui-ci l'ovationna pendant trois minutes et demie. « Je suis resté là, et j'ai senti que le public me soutenait, j'ai senti son affection chaleureuse », dit-il. « C'est l'une des expériences les plus extraordinaires de ma carrière théâtrale. »

Il prenait effectivement certains médicaments. Il souffrait beaucoup, et pas seulement du dos, pendant toute la durée des représentations. Peu après le début des spectacles au Canada, il commença à souffrir des tendons du bras et de l'épaule droits. Il fallut lui donner de la cortisone, ce qui expliquait la gaucherie que Clive Barnes avait critiquée. Richard ne pouvait pratiquement plus lever le bras. Les spécialistes diagnostiquèrent un mois plus tard qu'il avait aussi un nerf coincé à la base du cou. Il suivait un traitement complet et Suzy y veillait. Elle resta à ses côtés pendant toute la série de représentations. Elle ne lui servait pas seulement d'infirmière ; elle remplaça Ron Berkley comme maquilleuse, devint son habilleuse, si bien qu'elle se trouva près de lui pour chaque représentation de cette tournée de dix mois.

Ce fut une année très dure pour tous les deux. Burton avait dit que *Camelot* était un essai avant *Lear,* pour reprendre le rythme de huit spectacles par semaine, car il avait compris que c'était le seul moyen de jouer enfin cette pièce, puisque Alex Cohen affirmait que l'Amérique n'était pas prête pour le répertoire. Il était cependant clair que sa santé ne lui aurait jamais permis de supporter cet effort. Il perdit quinze kilos dans l'année — passant de 86 à 71 — et il était épuisé physiquement et psychiquement. La machine commençait à s'user.

Los Angeles fut la dernière ville dans laquelle ils jouèrent et peu après la première en mars 1981, Burton s'écroula. Souffrant d'une infection virale et de douleur chronique dans les bras, il fut transporté à l'Hôpital St John de Santa Monica pour des examens. Un grand chirurgien neurologue, venu en avion de Floride, diagnostiqua plusieurs altérations de la colonne vertébrale. Il fallait opérer d'urgence et c'était grave. Mais il ne pouvait être question d'opération tant que l'infection virale n'était pas guérie et qu'il n'avait pas repris de poids. Il fallut attendre un mois avant qu'une équipe de quatre chirurgiens puissent ouvrir et découvrir que toute la colonne vertébrale était recouverte d'alcool cristallisé ; il fallut faire une sorte de détartrage avant de pouvoir s'attaquer aux cervicales. C'était une opération délicate et dangereuse, et le risque de paralysie était important. Suzy campait dans sa chambre d'hôpital et ne l'avait pas quitté une seconde depuis son admission. Sa famille vint du pays de Galles en avion. Elizabeth envoya des fleurs. Tout le monde attendait des nouvelles.

Les nouvelles furent bonnes. Il avait surmonté les cinq heures d'opération et il quittait l'hôpital au bout de deux semaines. Il resta à Beverly Hills avec Suzy jusqu'à ce qu'on l'autorise à prendre l'avion quelques semaines plus tard. Même pendant sa convalescence en Suisse, il continuait à prendre beaucoup de médicaments pour lutter contre la douleur et un psychothérapeute ne le quittait pas.

Ses médecins lui avaient interdit de travailler pendant au moins quatre mois, mais, début juillet, la BBC lui demanda de faire pour Radio 4 le commentaire du mariage du Prince Charles avec Lady Diana Spencer. C'était une proposition qu'il ne pouvait pas refuser, en raison de son sens de l'histoire et de la royauté. Mais c'était trop tôt. Bien que la voix fut toujours aussi belle, il peina beaucoup, et il décrivit Lady Diana quittant Clarence House pour la Cathédrale St Paul plusieurs minutes avant l'événement. Le reste de l'équipe s'efforça de masquer cette erreur embarrassante, mais la BBC laissa entendre qu'il avait bu et parla d'un « petit hoquet dans une mémorable retransmission de six heures ».

Richard passa le reste de l'été en convalescence. Il reprenait du poids et aussi des forces. Puis soudain début, octobre, il s'écroula de nouveau, et fut transporté d'urgence à l'Hôpital St John de Santa Monica pour être opéré d'un ulcère ouvert. Suzy monta encore la garde à son chevet, Elizabeth Taylor envoya encore des fleurs. Quand il quitta l'hôpital, il était rétabli, mais maintenant, à cause de cet ulcère il ne pouvait plus prendre de calmants pour son dos, et la situation devenait de moins en moins supportable. Quant à Suzy, elle devait affronter un époux encore plus difficile.

Richard passa sa convalescence à l'Hôtel de l'Hermitage à Beverly Hills. C'est là que le cinéaste anglais Tony Palmer lui envoya un script à lire. Il s'agissait d'une biographie de Richard Wagner en dix heures de projection télévisée ; une production prestigieuse où on lui demandait de jouer le rôle-titre. On avait aussi demandé à Sir John Gielgud, à Laurence Olivier et à Sir Ralph Richardson d'y participer.

Richard fut tout de suite intéressé, surtout quand il sut que les trois géants de la scène britannique faisaient partie de la distribution. Après tous les films légers qu'il avait faits, tous ces navets, il voulait relever un défi. Il voulait faire un film qui lui apporte les louanges de la critique et fasse de lui l'un des grands acteurs anglais. Il pensa que c'était l'occasion. Ce désir fut activé par Suzy. C'est elle qui le stimula et l'encouragea. Une semaine plus tard, il envoya donc un télégramme à Tony Palmer à Londres, lui demandant une entrevue pour discuter du projet. Tony appela Alan Wright son producteur alors à Zurich et ils prirent tous deux l'avion pour Beverly Hills, où Richard et Suzy venaient de s'installer dans une nouvelle maison.

Ils trouvèrent Burton assez négligé, avec un pantalon qui lui allait mal, des souliers clairs, entouré de livres et de documents sur le compositeur. « Je suis Wagner », dit-il. « Je veux jouer Wagner. »

Ce projet l'excitait beaucoup. Wagner était un homme qui le fascinait particulièrement, un homme qui n'était pas très différent de lui à bien des égards. Quand on soulignait ces ressemblances, il disait : « Wagner était un génie. Pas moi. » Il aimait sa musique et deux ans auparavant, il avait tourné en Irlande de l'Ouest, *Tristan et Iseult,* l'histoire d'amour médiévale sur laquelle était fondée l'opéra de Wagner. Il avait aussi rencontré une fois Peter Hoffman, le célèbre chanteur wagnérien et leur amitié lui avait donné l'occasion d'en apprendre davantage.

Il était clair que Richard voulait donner l'impression d'être un intellectuel, de ne plus boire du tout, d'être physiquement sur la bonne voic. Il ne voulait pas qu'on s'occupe de lui, et il trouvait les attentions constantes de Suzy très irritantes. Elle ne le quittait guère des yeux. Elle restait assise à côté de lui sur le divan, lui passait la main dans les cheveux et lui demandait sans cesse s'il allait bien. Il se nourrissait de soupe de poulet et de thé qu'elle courait chercher à la cuisine à intervalles réguliers et qu'il dédaignait souvent.

Tony Palmer et Alan Wright s'inquiétaient beaucoup de sa santé. C'était un rôle très lourd. Wagner était présent dans presque toutes les scènes de cette épopée de dix heures. Avant que l'on puisse décider quoi que ce soit, il fallait être sûr que Richard pouvait être assuré.

Venaient ensuite les questions d'argent. Le dernier agent, secrétaire et conseiller personnel de Richard était une Américaine dure en affaires et très protectionniste. Elle s'appelait Valérie Douglas et avait travaillé pour l'une des grandes firmes cinématographiques d'Hollywood, s'occupant de temps à autre de Richard dans les années passées. Elle lui était toute dévouée et lui servait d'agent depuis peu, avant son deuxième divorce avec Elizabeth et avec la bénédiction de Susan.

« Richard ne fait rien », déclara-t-elle, « même si c'est cinq minutes dans un film, à moins d'un million deux cent cinquante mille de dollars ».

« Alors, je suis désolé », dit Alan Wright sèchement, « mais nous n'avons pas de telles sommes d'argent ».

Ils arrivèrent au chiffre d'un million de dollars. C'était beaucoup pour sept mois de travail. Valérie les avertit : « Richard est trop généreux », dit-elle. « Il ne renvoie jamais personne et signe tous les chèques qu'on lui demande. Alors je vous en prie, surveillez-le. »

Burton trouvait passionnante l'idée de travailler avec Olivier, Richardson et Gielgud, mais il craignait Vanessa Redgrave qui devait jouer Cosima, la seconde femme de Wagner. « Je trouve que c'est une actrice merveilleuse », dit-il « mais ne la laissez pas faire de politique ». Il s'inquiétait aussi de Gemma Craven, qui devait jouer Minna Planer, première femme de Wagner, car il n'avait jamais entendu parler d'elle. On le rassura sur ces deux points et il arriva à Vienne avec sa suite en janvier 1982 pour commencer le tournage.

Richard avait exigé d'avoir pour maquilleur Ron Berkley qui supervisait toute la production. Une fille d'une trentaine d'années remplaçait Bob Wilson, son assistant. Bob, qui avait plus de soixante-dix ans, avait pris sa retraite dans sa maison de Long Island où Richard continuait à l'aider financièrement. Richard était accompagné de Joe Rossy, un psychothérapeute de l'Hôpital St John. Brook Williams faisait aussi partie de l'équipe. Valérie Douglas avait dit : « Vous n'avez pas besoin de lui et je préférerais qu'il ne soit pas du voyage. » Brook avait alors téléphoné : « Je sais que tenir compagnie à Richard est une perte de temps », avait-il dit, « mais il en a absolument besoin ; je ferais tout ce que vous voudrez sur le plateau, le coursier, le plongeur, n'importe quoi ». Et Brook était venu, se montrant inestimable.

Seule Susan manquait à l'appel. Valérie expliqua qu'elle était restée au Mexique pour régler des problèmes concernant la maison et qu'elle rejoindrait Richard à la fin janvier. Elle nia énergiquement toutes les rumeurs circulant sur d'éventuels problèmes conjugaux. Burton ne donna aucune explication. En fait, le ménage n'allait pas fort. Suzy avait atteint les limites du supportable et elle était épuisée. Il s'en était pris à elle une fois de trop. Elle l'avait pris au mot et laissé seul. Elle n'avait pas cessé de l'aimer, seulement elle trouvait de plus en plus difficile de vivre avec lui. Cet éternel combat pour l'empêcher de boire, ce caractère coléreux et ces insultes commençaient à prendre le pas sur les plaisirs. Elle n'en pouvait plus.

A Vienne, les premières semaines de tournage se passèrent bien, malgré le froid intense. Richard était totalement professionnel : il ne buvait pas et il tournait presque chaque prise en une fois. Seule sa taille posait un léger problème. Wagner était petit et ne mesurait pas plus d'un mètre soixante ; or Richard avait presqu'un mètre soixante-quinze. Il avait toujours été préoccupé par sa taille. Il aimait croire qu'il mesurait un mètre quatre-vingts, mais en dépit des chaussures à semelles épaisses qu'il portait toujours, il ne les faisait pas. Il y attachait malgré tout de l'importance et il exigea que son chausseur lui fasse des chaussures à grosses semelles pour interpréter Wagner.

Pourtant, il n'était pas vaniteux. Ne distinguant pas très bien les couleurs il ne s'intéressait pas beaucoup à ses vêtements. Il mentionnait toujours dans ses contrats le droit de sélectionner les photos à employer pour sa promotion, mais il s'en servait rarement. « Je vous fais confiance pour ne pas montrer mon gros derrière », disait-il. De tous les films qu'il avait faits il n'en avait guère vu plus de sept.

Tony Palmer s'était fait un nom grâce à des documentaires fort appréciés. *Wagner* était le premier spectacle qu'il mettait en scène et il était très angoissé. Il avait aussi très peur de travailler avec Burton, connaissant toutes les histoires que l'on racontait sur lui. Mais les semaines passaient, Richard restait sobre et travaillait dur et ses craintes se dissipèrent.

Alan Wright et lui avaient bien commencé avec leur star. Ils sortaient tous deux d'Oxford et Richard se sentit tout de suite bien en leur compagnie. Il avait le sentiment de se trouver parmi des amis et des intellectuels comme lui. Les vieilles histoires d'Oxford ressortirent — tout comme les autres — et tant qu'elles ne furent pas trop rabâchées, ils trouvèrent tous Richard modeste, aimable et très amusant.

Vers la troisième semaine cependant, Richard se mit à boire et un aspect très différent de son caractère apparut soudain. Un soir, les Italiens du film, y compris Vittorio Soraro le cameraman, invitèrent tout le monde à manger des pâtes à leur hôtel. Richard s'enivra très vite et s'en prit à Vittorio :

« Tu ne sais même pas ce que tu fous », dit-il. « On dirait un dessin animé, on ne photographie pas un film comme ça. »

Ron Berkley avait été très caustique au sujet de Vittorio et il avait une grande influence sur Richard. L'Italien était très concentré sur son travail, à la manière des cinéastes européens, et il aimait employer de long travellings et des ruptures d'éclairage complexes. Ron voulait qu'il fasse moins de prises artistiques et qu'il avance dans le travail, et il le disait souvent.

« Non Richard », dit Vittorio, pour se défendre. « Laisse-moi t'expliquer. » Il s'embarqua dans une théorie sur la signification spirituelle de l'ombre et de la lumière, et Burton l'interrompit.

« Dispense-moi de tout ce fatras intellectuel », dit-il. Ce fut le sang-froid de Vittorio qui évita de gâcher la soirée. Le bruit courut bientôt que Richard buvait de nouveau. Il restait six mois de travail et les producteurs commencèrent à avoir quelques craintes pour l'avenir de leur film.

Olivier, Gielgud et Richardson arrivèrent peu après. C'était un grand événement : les trois grands acteurs jouaient ensemble pour la première fois. Bien qu'ils aient tous joué dans le *Richard III* d'Olivier, ils n'y paraissaient jamais dans les mêmes scènes. Burton attendait leur arrivée aussi excité qu'un enfant. Il avait souvent parlé des trois hommes : comment il avait été mis en scène par Gielgud, comment il avait travaillé avec Larry, et comment, jadis, il passait ses week-ends chez Olivier avec Vivien Leigh sa deuxième femme, quand « tout le monde » était là. Richard croyait que l'une des raisons, sinon la seule, pour lesquelles ils voulaient tous tourner dans ce film, était sa présence dans le rôle de Wagner. Ils venaient dans « son » film, et il se sentait très honoré. « N'est-ce pas fantastique ? C'est la première fois que nous allons jouer ensemble tous les quatre », dit-il. Il était du même coup inquiet de jouer avec eux, conscient de la légende à laquelle il était confronté, et effrayé d'échouer devant le public auquel il tenait le plus. En fait ils venaient tous pour mille autres raisons, et avaient accepté de jouer avant même qu'on ait songé à Burton pour le rôle.

Le trio apporta un souffle d'air frais dans la production. Ils s'entendaient très bien tous les trois, donnant un peu de chaleur au climat qui s'était installé après des semaines de travail ardu, de froid et de nourriture inhabituelle. Gielgud et Richardson, âgés respectivement de soixante-dix-sept et quatre-vingts ans, déclarèrent qu'ils voulaient partager la même loge, étant les plus jeunes et ils laissèrent la loge de la star à « leur aîné » Olivier, ce gamin de soixante-quinze ans...

Le samedi où ils furent tous là pour la première fois, les producteurs donnèrent un dîner en leur honneur et invitèrent Burton. Les trois vieux acteurs ne l'avaient pas vu depuis quelque temps et étaient impatients de le retrouver. Ils disaient tous qu'ils le considéraient comme un grand acteur, qu'ils attendaient mieux de lui. Tous se montraient attristés de voir sa carrière sortie des rails.

De toute évidence, Richard était nerveux en arrivant au dîner et il avait bu un verre ou deux. Il prit un grand verre de vin blanc comme apéritif et son comportement commença à s'altérer. Une fois à table, il devint de plus en plus ivre et agressif. Il s'en prit à Olivier.

« Je me rappelle que tu as dit une fois que j'étais un acteur de second ordre », dit-il.

« Oh, je suis certain de n'avoir jamais dit ça », dit Olivier. « Tu as toujours été un merveilleux acteur. Nous reconnaissons tous que tu es le plus grand acteur du monde. »

« Tu as dit que j'étais un acteur de second ordre », poursuivit Richard que rien n'arrêtait. « Sais-tu quel rôle tu joues dans Wagner ? »

« Eh bien oui », dit Olivier, presque de vingt ans son aîné. « C'est celui d'un ministre, une sorte de chef de la police, n'est-ce pas ? »

« Oui, dit Richard. Tu joues un ministre de second ordre, tu joues un rôle de second ordre ; et moi, je suis Wagner. Je suis la star, la roue a tourné. »

Tout le monde riait et s'efforçait de prendre à la légère ce qui devenait une situation embarrassante. Finalement Richard fut emmené jusqu'à sa voiture, mais l'incident perturba beaucoup Olivier et Richardson. Quand il quitta Vienne à la fin du film dix jours plus tard, Olivier donna un dîner auquel il invita Richardson, Gielgud, Tony Palmer et Alan Wright. Il n'invita pas Burton.

Pendant son séjour à Vienne, Richard fut cependant convié au Bal de l'Opéra. Le Duc d'Edimbourg était l'invité d'honneur. Richard venait en second. L'invitation était parvenue à Alan Wright à qui l'on avait dit sans ménagements que Richard faisait vendre des billets. Il n'était pas question qu'il se décommande après avoir accepté de venir, car il aurait alors à payer un dédommagement de l'ordre de 12 000 dollars.

Richard était ravi, et il demanda s'il pouvait aussi amener sa fille Maria. Elle avait maintenant vingt-et-un ans et s'était mariée à New York le samedi précédent. Richard n'approuvait pas vraiment son choix, un agent pour mannequins, Steve Carson, mais ils devaient venir tous deux le voir à Vienne cette semaine-là. Les organisateurs acceptèrent sans problème et tout fut organisé en conséquence. Pour compléter ce groupe, Alan avait convié Franco Nero, qui jouait aussi dans *Wagner,* à venir passer le week-end.

C'était un vendredi soir vers la fin février, et après huit semaines de travail, la troupe avait presque fini de tourner à Vienne. Alan Wright et sa femme passèrent chercher Burton dans sa suite et frappèrent à sa porte. Son secrétaire apparut. Il avait l'air très nerveux. Ils comprirent vite pourquoi. Burton et Franco étaient assis face à face devant une table de jeu. Franco avait l'air de s'excuser désespérément. Richard était avachi, presque inconscient, un verre de Martini plein posé près de lui. A côté, un télégramme de Susan qui était arrivée la veille au soir : elle lui disait que c'était fini entre eux et qu'elle voulait divorcer. Depuis, il n'avait pas cessé de boire.

Il était hors d'état de sortir, et de participer à l'événement viennois de l'année. Mais il était trop tard pour y renoncer : presque deux cents photographes l'attendaient dans le foyer de l'hôtel Bristol. Le Duc d'Edimbourg allait arriver à l'Opéra une demi-heure plus tard. Ils l'attendirent cinq minutes ; tout le monde s'y mettant, y compris Maria et son mari que Richard appelait par tous les noms sauf le sien ; on l'habilla, on le mit sur ses pieds et on le propulsa sur les deux cents mètres séparant l'hôtel de l'Opéra, écartant les reporters, les micros et les journalistes de télévision à chaque pas.

La première à apprendre la nouvelle du telex de Susan fut Elizabeth. Elle s'était séparée de son dernier mari, le sénateur républicain John Warner en décembre. Elle était en contact quasi quotidien avec Richard depuis des semaines. Elle l'appelait des Etats-Unis, souvent à deux ou trois heures du matin, et ils bavardaient pendant une heure ou plus, s'aimant et se détestant, se disputant, criant, se raccrochant au nez, et rappelant pour se réconcilier.

Quand on sut que Burton et Suzy divorçaient, on imagina tout de suite qu'Elizabeth et lui allaient se remarier une troisième fois. La rumeur s'amplifia quand on apprit qu'ils devaient se retrouver à Londres la semaine suivante. C'était vraiment une simple coïncidence. Bien avant que l'on ait commencé à travailler sur *Wagner,* Patrick Drumgoole, responsable des programmes de la HTV, avait demandé si l'on pouvait laisser Burton venir une journée en janvier participer à une lecture de quelques pages de Dylan Thomas au Duke of York Theatre de Londres, au cours d'un gala de charité. Il se trouva que la date de l'événement fut repoussée jusqu'à la fin février, moment où Elizabeth était à Londres pour répéter son succès de Broadway *The little foxes.* Alan Wright et Tony Palmer avaient accepté de laisser partir Richard non sans craintes. Ils n'avaient pas compris que ce week-end coïncidait avec le cinquantième anniversaire d'Elizabeth. Pour le fêter, son producteur, Zev Bufman, donnait une réception démente où devaient se retrouver toutes les stars au Legends, la boîte de Mayfair.

Richard passa le week-end dans un brouillard éthylique. La réception avait lieu le jour de son arrivée, le samedi soir. On avait dit qu'il n'était pas invité, mais il ne fut pas seulement présent. Il resta toute la soirée à côté d'Elizabeth, il l'amena dans sa voiture et la reconduisit ensuite chez elle. Il était près de deux heures du matin quand ils arrivèrent à la maison qu'elle louait à Chelsea. Richard entra et y resta jusqu'à l'aube. La presse bourdonnait comme un essaim d'abeilles. Il en ressortit à six heures du matin pour rentrer en voiture au Dorchester. Il invita un groupe de reporters dans sa suite, et buvant de la vodka, délira pendant des heures sur Elizabeth et Susan, son amour pour elles, sur les bébés, les enfants et les raisons pour lesquelles il n'épouserait pas Elizabeth une nouvelle fois. Les vieilles histoires resurgirent avec les anecdotes, la poésie.

Il donna le même spectacle avec d'autres journalistes et d'autres vodkas le dimanche, le soir du gala Dylan Thomas. La soirée avait été dure pour lui. Au début de la deuxième partie, au moment où il allait commencer à lire *Au bois lacté,* Elizabeth apparut soudain sur scène, se dirigea vers lui les bras tendus et l'embrassa. Il perdit tout contrôle de lui-même, se mit à trembler, et à bredouiller, lisant de manière parfois incompréhensible. A un moment donné, il dit : « Je me suis trompé de page. Excusez-moi, mais je suis un peu perdu. » Elizabeth revint sur scène pour le salut final, lui mit les bras autour du cou et murmura pour que l'audience puisse entendre : « Rwyn dy garu di », c'est-à-dire « Je t'aime » en gallois.

Ils quittèrent ensemble le théâtre, et Richard dit aux reporters : « Nous nous sommes toujours aimés. » Mais il rentra seul au Dorchester, passant le reste de la nuit avec les auteurs du show-business de Fleet Street. Il ne savait plus ce qu'il leur disait, et ne pouvait s'en souvenir.

« Elizabeth ? Je suppose qu'elle a un mari, mais tout le monde s'en moque. Qui a entendu parler de lui ? Est-ce qu'il a quelque chose à voir avec les Warner Brothers ?

« Ma femme Susan ? Plus grande qu'un fantôme, et tout aussi lointaine, si j'ose dire. Elle est tellement anglaise, avec cette terrible réserve, désespérante.

« Elizabeth ? Complètement différente. Je pourrais rester loin d'elle mille ans, et elle loin de moi mille ans, et ce serait toujours ma petite fille. »

Il était triste, épuisé physiquement et émotionnellement, perdu sans femme, et reconnaissant de pouvoir parler à quelqu'un, à quelqu'un qui l'aide à combler les heures solitaires le séparant de l'aube.

Ron Berkley mit fin à la séance. Il avait promis de ramener

Richard sur le tournage de *Wagner* le lundi matin pour qu'il soit au travail l'après-midi. Mais Richard n'était pas en état de travailler. Ils se trouvaient tous à Venise à ce moment-là et Alan Wright reçut un coup de téléphone d'un assistant de production lui disant que Burton était de retour.

« Très bien, je descends le voir », dit Alan.

« Cela vaudrait mieux », prévint-il.

Au Gritti, il trouva Ron qui lui expliqua que Richard dormait car il ne s'était pas couché du week-end. Il promit de le réveiller un peu plus tard, mais n'y parvint jamais. Richard était coupé du monde et le resta toute la journée et une partie de la nuit. Il apparut tête haute le lendemain sur le plateau.

« Bonjour tout le monde », dit-il. « Je suis vraiment navré pour hier. J'ai dû avoir une sorte de gastrite. »

Il se montrait toujours professionnel. En sept mois de tournage, Burton manqua bien peu de jours. Il continuait à boire, mais il était à l'heure sur le plateau et en général, il jouait bien. La présence de tous ces acteurs anglais célèbres dans la distribution le forçait à se maintenir à un certain niveau. Pourtant, il n'était pas toujours à la hauteur lorsqu'il tournait des scènes avec des acteurs hongrois ou allemands, car il n'avait aucune envie de les impressionner, à l'exception du jeune acteur d'Allemagne de l'Est, Eckhardt Schall, le fils de Bertold Brecht, et du Hongrois Roberto Gulfi que Gielgud considérait comme le meilleur jeune acteur qu'il ait jamais vu.

Un jour, après de longues heures de beuverie, Richard et Ron Berkley, qui pouvait largement boire autant que lui, décidèrent d'aller prendre un dernier verre au célèbre Harry's Bar. Ils y trouvèrent Eckhardt Schall, haut perché à un bout du bar, un verre de Martini à la main, dans un état encore pire que le leur. Burton l'accueillit à bras ouverts. « Jamais, dans l'histoire du monde », dit-il, « on n'avait vu les deux plus grands acteurs vivants dans un même bar. » Ils bavardèrent tard dans la nuit et Richard finit par demander à l'Allemand pourquoi il avait l'air si déprimé.

« Parce que je n'arrive plus à me souvenir où je loge », expliqua Schall, « et ma femme va être folle d'inquiétude. »

« Reste avec moi et partage mon appartement pour la nuit », proposa Burton. Sur ce, ils prirent tous la direction du Gritti, gesticulant, criant, déclamant et essayant d'en faire plus les uns que les autres tout le long du chemin.

« Vous pouvez dire ce que vous voudrez », dit Richard en arrivant à la réception, « cet homme, qui est le plus grand acteur du monde après moi, ne sait plus le nom de son hôtel et il va coucher cette nuit dans ma chambre ».

« Mais Monsieur Burton », commença le réceptionniste.

« Pas de ça », interrompit-il. « Juste parce qu'il vient d'un pays de l'Est. Je paye ma suite très cher et il va en profiter. »

« Monsieur Burton », essaya encore de dire le réceptionniste avant d'être réduit au silence.

« Mais Monsieur Burton », parvint-il finalement à dire, « Monsieur Schall loge au Gritti. Il a une chambre. »

Cependant, durant leur séjour à Venise, quelqu'un d'autre profita de l'hospitalité de Burton. Une jeune journaliste entreprenante, Judith Chisholm, parvint jusqu'à sa suite, le trouva seul et quelques instants plus tard partageait son bar et son lit. Elle resta cinq jours et cinq nuits avec lui. Elle vendit le récit de cette aventure, dévoilant tout ce qui s'était passé, de sa manière dominatrice de faire l'amour à ses confidences d'ivrogne sur l'oreiller, des conquêtes dont il se vantait, y compris le fait d'avoir jeté dehors tous les homosexuels de l'entourage d'Elizabeth et d'avoir fait l'amour à son ex-femme le soir de son cinquantième anniversaire. Ce récit à sensation parut dans le *National Enquirer* aux Etats-Unis, et dans *The News of the World* en Grande-Bretagne, et fut repris par des douzaines d'autres journaux et magazines dans le monde.

L'équipe de production avait cherché toute la semaine le moyen d'éjecter Judith Chisholm et la secrétaire de Richard, Judith Goodman, fut congédiée pour avoir laissé une telle chose se produire. Richard lui-même fut troublé par toutes ces retombées. Susan était furieuse, Elizabeth encore plus, ainsi que toutes celles qu'il avait mises en cause. Sa famille était très gênée et Cissie lui dit carrément ce qu'elle en pensait.

L'équipe quitta l'Italie pour la Hongrie et à Budapest, une

autre journaliste parvint jusqu'à Richard. Il avait déjà rencontré cette femme quand il tournait *Barbe Bleue* dix ans auparavant. La relation qu'il entretenait depuis des semaines avec la script girl du film était beaucoup plus importante. Sally Hay avait trente-quatre ans. Elle avait été assistante de production à la BBC et la Thames Television, mais elle avait toujours souhaité travailler sur une grande œuvre dramatique. Quand Alan Wright l'engagea pour *Wagner,* elle s'était offert une formation. Son travail consistait à rester près de Burton quand il tournait : elle lui donnait ses notes, le prévenait des changements dans le script, et s'assurait qu'il était satisfait. Au fil des mois, il s'attacha de plus en plus à elle.

Elle était célibataire, décontractée et pas spécialement séduisante, mais douce et enthousiaste, très désireuse de rendre service et comme tous les membres de la production, elle se montrait navrée pour Burton et voulait le protéger. Elle comprenait aussi son obsession de la bouteille, ayant eu un père dans le même cas. Bien qu'il fut usé et affaibli, maigre, hagard et virtuellement incapable de lever les mains au-dessus de la tête, il avait toujours un charme fou, du sex-appeal et un magnétisme indiscutable. Peut-être n'était-il que l'ombre de lui-même, mais il était toujours le Gallois farouche, le beau parleur, le romantique sombre et songeur à la voix bouleversante. Et puis, il était aussi le célèbre Richard Burton.

Il lui fallut un certain temps pour comprendre que Richard s'intéressait sincèrement à elle. Il ne lui était jamais venu à l'esprit que la star du film, dont les femmes comptaient parmi les plus belles et les plus séduisantes du monde entier, puisse jeter un regard sur une fille comme elle.

Une provinciale venue de Birmingham. Mais plus le temps passait, plus il devenait évident que c'était le cas, et son affection la flattait beaucoup.

Cette union était si peu vraisemblable, que pendant longtemps aucun membre de l'équipe ne se douta de ce qui se passait. Quand l'affaire fut évidente, Sally s'était installée dans son hôtel et semblait avoir un tel effet thérapeutique sur lui que les producteurs décidèrent de la libérer de son contrat pour la laisser se consacrer à Burton.

Quand Richard se rendit à Londres en juin pour voir Elizabeth dans *The little foxes,* Sally partit avec lui. Au moment où l'équipe s'était transportée à York pour filmer les dernières séquences, il avait annoncé qu'il allait l'épouser. « Je ne sais pas quel jour aura lieu mon prochain mariage », avait-il dit « mais ce sera avec Sally. » A l'époque, cela semblait très improbable, même à Sally, mais elle resta à ses côtés. Elle fit le voyage de Pontrhydyfen pour la présentation à la famille, et quand *Wagner* fut enfin terminé en juillet, elle se rendit d'abord à Céligny avec lui, puis en Amérique, où Burton fut de nouveau admis à l'hôpital de Santa Monica pour faire examiner son dos.

Sally avait beaucoup changé. Son maquillage, sa coiffure, ses vêtements s'améliorèrent au point de la modifier totalement, l'argent arrangeant bien les choses. Elle prit conscience de son aspect physique — « une Madame Burton en gestation » — et ses amis furent étonnés, de son incroyable ressemblance avec Sybil jeune.

Sally et Richard partirent pour New York voir Kate, qui avait maintenant vingt-quatre ans et venait de faire ses débuts à Broadway dans une pièce de Noel Coward, *Present Laughter.* Elle sortait juste de la Yale Drama School, et ne jouait qu'un petit rôle, mais c'était un très bon début. Pour la première, Sybil était venue en avion de Californie, où elle vivait maintenant avec Jordan et leur fille Amy. Burton dut attendre le mois d'août pour voir la pièce, mais il était très fier. « Elle est formidable », dit-il. « C'est bien ma fille, n'est-ce pas ? »

Pendant ce temps, des projets se concrétisaient pour que Burton paraisse à Broadway dans une pièce de Noel Coward, — avec Elizabeth, *Private lives,* une comédie des années trente créée par Gertrude Lawrence et le maître en personne. C'était l'histoire d'un couple divorcé qui se retrouve par hasard pendant leur voyage de noces avec leurs nouveaux conjoints. Ils retombent amoureux l'un de l'autre et s'enfuient à Paris laissant leurs partenaires sidérés devant des lits intacts. On parla beaucoup de la concordance entre la fiction et la réalité : « une reprise de leur éternel spectacle privé », comme le dit un spectateur. C'était aussi une évidente source de revenus et une partie du financement était assuré par Elizabeth, qui avait fondé une société de production avec Zev Bufman. Richard et elle touchaient 42 000 livres par semaine, salaire le plus élevé jamais touché par un acteur à Broadway. Le spectacle était assuré à la Lloyds pour 3 millions de livres, taux jamais atteint dans l'histoire du théâtre.

La vie elle, ne se calqua pas sur la fiction ; les spectacles non plus. Les critiques les condamnèrent unanimement, et s'il ne s'était agi du « Liz and Dick show », comme tout le monde l'appelait, la pièce n'aurait pas tenu plus d'une semaine. Le *New York Post* remarqua : « Ce n'est pas aussi mauvais que les mauvais augures ni le bouche à oreille l'avaient annoncé. Il y a quand même quelques éclairs de médiocrité. » On lisait dans Le *New York Times* : « On ne peut faire grand-chose d'autre qu'attendre les entractes. » Malgré tout, il n'y avait plus une place à louer et dès la première on en avait vendu pour 2 millions de livres à l'avance.

Burton se comporta de bout en bout en professionnel : il ne buvait pas, il savait son texte et il restait discret, évitant avec élégance la foule qui s'amassait chaque soir près des portes du Lunt-Fontanne Theater en arrivant et en partant de bonne heure. La foule était aussi dense qu'en 1964 pour *Hamlet*. Il venait alors d'épouser Elizabeth, il avait trente-huit ans, elle en avait trente-deux et ils étaient au mieux de leur forme : au zénith de leur beauté et de leur passion. Cette fois, il avait cinquante-sept ans et paraissait vingt de plus ; elle en avait cinquante, et s'était empâtée, et pourtant leurs admirateurs bloquaient toujours la 46e rue ouest. Avant le début officiel des représentations, un sondage téléphonique télévisé révéla que sur 3 500 personnes, soixante-trois pour cent souhaitaient qu'ils se remarient.

Rien de ce genre ne se produisit. Elizabeth avait un nouveau chevalier servant, l'avocat mexicain Victor Luna, désigné comme son huitième mari et Sally ne lui laissait aucune possibilité de changer d'avis. Celle-ci restait auprès de Burton nuit et jour. La pièce avait débuté à Boston avant de venir à Broadway en mai ; en juillet, elle fila tranquillement un week-end à Las Vegas avec lui où ils se marièrent. Dans la suite présidentielle du Frontier Hotel, Sally Hay, de vingt-deux ans sa cadette, devint la cinquième Madame Burton. La cérémonie fut célébrée par un pasteur presbytérien, le Reverend Phillips, avec Brook Williams comme témoin, et le secret fut si bien gardé que l'hôtel même n'en sut rien. Valérie Douglas était présente, elle aussi.

Elizabeth ne l'apprit qu'après le week-end et bien qu'elle s'efforça avec courage d'avoir l'air heureuse pour eux deux, elle commença à perdre pied. Elle avait déjà abandonné le spectacle depuis une semaine à cause d'une infection à la gorge et le soir où elle apprit la nouvelle, elle faillit s'évanouir. Richard n'allait pas bien non plus ; il souffrait toujours du dos et restait sous médicaments ; il y avait tout un arsenal de pilules et de vitamines dans sa loge.

A d'autres égards rien n'avait changé ; Burton et Taylor continuaient leur duel personnel. Les batailles écrites dans la pièce n'étaient qu'une pâle réplique des scènes se déroulant en coulisse. Tous les soirs, en arrivant au théâtre, elle disait au portier : « Où est-il ? », et elle montait dans sa loge où ils commençaient à hurler. L'escalier résonnait de « C'est la dernière fois que je travaille avec toi, connasse. » Le lendemain le score était effacé et la dispute repartait à zéro. C'était une lutte de présence permanente, réduite parfois à des chamailleries pour savoir qui avait la meilleure loge.

Dans sa loge, avec ses pilules, Richard avait deux photos, l'une de Noel Coward dédicacée par l'acteur écrivain, l'autre de lui-même avec Elizabeth et Noel. Ils se connaissaient depuis des années et avaient travaillé ensemble dans *Boom.* Coward appelait affectueusement Burton « ce stupide petit con de Gallois ». Il racontait comment il lui avait une fois demandé de jouer dans *Conversation piece,* mais Richard avait marchandé son cachet. « Je lui ai dit « tu vas le faire », racontait Coward comme lui seul le savait, « tu vas le faire pour moi et tu m'en seras extrêmement reconnaissant ».

Pendant que le spectacle se donnait à Broadway, Sheran et Simon Hornby vinrent à New York et, non sans appréhension, organisèrent un dîner avec Richard, Sally et Elizabeth. Elizabeth arriva avec plusieurs heures de retard, ce qui était dans ses habitudes, mais la rencontre se passa très amicalement. Sally et elle ne devaient jamais aller au-delà d'une bonne tolérance réciproque, mais elle le firent avec une dignité parfaite. Pour Sally, c'était une vie tellement nouvelle, riche et brillante. Elle envoyait de longs récits enflammés à ses amis en Angleterre, racontant tout ce qu'elle faisait. Certains récits étaient personnels et s'adressaient à celles qui partageaient autrefois son logement ; d'autres étaient destinés à la *Thames Television,* où elle travaillait juste avant d'être engagée pour *Wagner.* Elle écrivit aussi à Alan Wright pour le remercier d'avoir été l'artisan de leur rencontre.

Tous les amis de Richard adoptèrent Sally. Elle semblait ne lui faire que du bien, s'efforçant de raviver les amitiés qui s'étaient étiolées pendant son mariage avec Susan. Quand ils étaient à Londres, elle s'arrangeait pour téléphoner à leurs amis et quand elle promettait de rappeler le lendemain, ils pouvaient être certains qu'elle le ferait.

La curiosité initiale et l'importance de la location avaient semblé assurer l'avenir financier de la pièce, mais *Private lives* connut vite des problèmes, et après une tournée sans succès à Washington et à Chicago, elle s'arrêta à Los Angeles à la fin de l'année, avec un gros déficit.

Burton avait pourtant gagné suffisamment d'argent avec ce fiasco de dix mois pour s'acheter une maison en Haïti et se reposer et soigner sa santé pendant quelques temps. Il n'avait toujours aucune force dans l'épaule. Richard n'avait jamais récupéré l'usage de ses muscles abîmés au cours de son opération et lutter sur scène nuit après nuit avec Elizabeth n'avait rien arrangé. Il possédait toujours « Le pays de Galles », sa maison de Céligny, son point de chute, mais celle de Puerto Vallarta était allée à Susan au moment de leur divorce. C'est donc en Haïti qu'il partit chercher le soleil avec Sally et Brook — l'île du vaudou des dictateurs et du divorce instantané, qui avait jadis interdit son film *Les comédiens.*

L'état de son dos empira en Haïti. Début 1984, Euan Lloyd qui se trouvait en Californie pour le casting de son nouveau film *Les oies sauvages II,* auquel il souhaitait que Burton participât, reçut un coup de téléphone de Brook. « Richard t'envoie toutes ses amitiés d'Haïti, mais il a de gros problèmes avec son dos. Il nage beaucoup, mais la seule personne qui ait jamais su vraiment le soulager est ce professeur en Afrique du Sud. Peux-tu le retrouver pour que notre médecin en Haïti lui demande ce qu'il a fait à l'époque. Il n'est réellement pas bien du tout. »

Euan se rappelait par hasard que l'homme s'appelait Kloppers, mais il n'avait pas ses coordonnées. Il téléphona donc à l'Ambassade d'Afrique du Sud à Washington qui le trouva dans l'annuaire de Pretoria. Il appela le professeur et dans le quart d'heure suivant, Kloppers avait le médecin français de Richard au téléphone. Vingt-quatre heures plus tard, le remède miracle donné par téléphone au-dessus de l'Atlantique faisait effet.

Les problèmes de dos de Burton n'étaient pas les seuls qui préoccupaient Euan. Richard ne pouvait plus être assuré, et s'il abandonnait brusquement un film de dix millions de dollars sans assurance, ce serait catastrophique. Connaissant le professionnalisme de Richard, il finit par décider de prendre le risque, mais il s'arrangea pour que son rôle fût beaucoup moins fatigant que celui de *Les oies sauvages* précédent. Le tournage était prévu pour le mois d'août après un feuilleton que Richard avait accepté de tourner à Londres avec Kate pour la télévision américaine.

Entre-temps, il partit avec Sally pour la Suisse, où Verdun et Hilda les rejoignirent avec leurs conjoints respectifs. Verdun venait d'être opéré d'une jambe et Richard avait tenu à ce qu'il vienne se reposer. Le lendemain, une limousine était à leur porte pour les conduire à l'aéroport. Richard les attendait à destination. Il leur donna à chacun une poignée de francs suisses à dépenser pendant leur séjour. Comme d'habitude, tout était payé et tout ce que leur hôte demanda en échange, fut que

Betty, la femme de Verdun, lui fît du vrai Cawl Gallois. Ils ne dépensèrent donc même pas leur argent. Rentrés au pays de Galles, ils le changèrent pour payer la note de gaz.

Avant de quitter Haïti, Burton avait reçu une proposition pour tourner un film anglais avec John Hurt. On lui demandait de jouer le rôle d'O'Brien, un tortionnaire, dans *1984*, d'après le roman de George Orwell, description d'un état policier en Grande-Bretagne. Il avait emporté le script avec lui en Suisse et il accepta dans les vingt-quatre heures qui suivirent la proposition de contrat. Il dit que c'était la première fois dans toute sa carrière, sauf quand il tournait avec Elizabeth, qu'il acceptait un second rôle. Il touchait aussi moins que Hurt, mais c'était une production britannique, un script de qualité et Richard y voyait le moyen de rétablir sa réputation d'acteur sérieux, ultime étape de son retour.

Il n'était pas le premier à qui l'on avait songé pour ce rôle. On l'avait d'abord proposé à Paul Scofield, mais il s'était cassé la jambe. On fit appel aussi à Sean Connery; on songea également à Marlon Brando. Quand on opta pour Burton, le tournage était commencé depuis six semaines.

Comme la plupart des metteurs en scène connaissant la réputation de Richard, Mike Radford était inquiet. Il n'aimait pas du tout ce qu'il avait vu de lui dans ses films, et il ne voulait pas que le personnage d'O'Brien soit simplement Richard Burton. Il exigeait davantage. Le premier jour de tournage, il essaya de contrôler son interprétation. Comme Burton n'arrivait pas à retenir son texte, il fallut vingt-neuf prises pour réussir la première petite scène. Suivait une scène avec John Hurt, réussie en une prise. Les caméras se braquèrent à nouveau sur Richard et il fit sa deuxième scène en trente-cinq prises.

Mike était au bord du désespoir. C'est ça, Richard Burton, se dit-il. Mais un peu gêné de l'avoir contraint à tant de prises, il envoya à Richard un mot d'excuse. Il expliquait que c'était une scène importante, et qu'il s'inquiétait beaucoup du résultat tant qu'il n'avait pas vu les rushes. Burton le fit venir dans sa roulotte et lui dit : « Ecoutez, j'attends depuis vingt-cinq ans de faire un film sans la " voix de Richard Burton ", et je suis sûr que c'est celui-ci. »

Mike avoua qu'il ne pouvait rien entendre de plus agréable et qu'il avait tenté toute la journée de lui dire la même chose. Richard était ravi. Dorénavant, chaque fois qu'il savait en faire trop, il disait « je fais du Burton », et il rit beaucoup lorsque John Dodds, le deuxième assistant lui donna un fauteuil avec « Jenkins » écrit sur le dossier.

Il ne s'était pas senti dans la course en arrivant sur le plateau, vieil homme jeté dans une équipe de cinéastes très jeunes et enthousiastes et qui vivaient ensemble depuis des semaines et s'amusaient visiblement beaucoup. Il était très anxieux, mais fut rassuré quand il s'aperçut qu'il se trouvait avec trois autres anciens d'Oxford et un major d'Eton. Il reprit vite les vieilles habitudes. Les histoires, les anecdotes, les souvenirs, les poèmes déferlèrent à nouveau et il restait jour après jour sur le plateau à raconter, au lieu de se retirer dans sa roulotte comme on pensait qu'il le ferait. Comme d'habitude, certaines de ces histoires étaient fort drôles et beaucoup très ennuyeuses. Il les avait racontées toute sa vie, mais là il avait un auditoire neuf. Ces anecdotes se rapportaient à Victor Mature, Lana Turner, Humphrey Bogart et le bon vieux temps à Hollywood ; racontées par Burton, elles ne manquaient pas de sel.

Un jour, au milieu d'une scène avec John Hurt qui jouait le rôle de Winston Smith, ligoté sur une table de torture, Burton se mit à raconter une histoire de Stratford. Il jouait dans la deuxième partie d'*Henry IV* avec Michael Redgrave. C'était le jour de la saint David (il tint dans tous ses contrats ultérieurs à ne pas travailler ce jour-là) et il s'était soûlé en faisant la fête avec ses frères. Ceux-ci assistèrent au spectacle et soudain, sur le plateau, en pleine scène avec Michael Redgrave, il fut pris d'un incontrôlable besoin d'uriner. « Heureusement qu'il était tourné vers le haut », dit-il « et que le costume était très épais. Rien n'est passé à travers, tout a mijoté à l'intérieur. » Il se mit à imiter l'expression du visage de Michael Redgrave, totalement inconscient de ce qui s'était passé et ses propres cris étranglés, car le soulagement lui coupait la parole. Richard les fit rire aux éclats pendant un quart d'heure en enjolivant son récit et ce fut un glapissement désespéré de John Hurt, toujours rivé à la table de torture qui les ramenèrent à *1984*.

Quelque temps plus tard, Mike Radford alla visiter une maison à vendre et il discuta avec le vendeur, un ancien acteur. Mike lui parla de son travail avec Burton. « C'est à l'Ecole d'Art Dramatique que j'ai été le plus proche de lui », raconta l'acteur. Nous donnions la deuxième partie d'*Henry IV,* et je portais son ancien costume. »

« Ce costume n'avait-il rien de curieux ? » demanda Mike, convaincu que l'histoire de Burton était une blague.

« Oui, effectivement. Il était tâché de jaune. »

Ses blagues et ses histoires étaient souvent une manœuvre de diversion, un moyen de dissimuler le fait qu'il ne savait pas son texte et elles concernaient très souvent d'autres acteurs qui avaient des défaillances eux aussi. « Il a la tête tellement pleine d'histoires, qu'il ne reste plus de place pour mon script », dit un jour Mike exaspéré, alors que Burton séchait pour la énième fois. Mike le soupçonnait parfois de n'avoir jamais lu le livre, tant son analyse psychologique du sinistre tyran O'Brien était à côté de la plaque. Sur le plateau, d'autres pensaient qu'il ne comprenait pas grand-chose à ce qu'il disait.

Tout cela ne semblait avoir aucune importance. Diriger Burton était comme régler la minuterie d'un four automatique. Radford lui donnait juste un adjectif, comme « plus charmant », ou « plus calme » et il jouait en conséquence.

Richard ne s'était jamais passionné pour l'analyse psychologique des personnages qu'il interprétait, et pendant des années il ne s'était guère intéressé aux autres. Sa vie tournait autour de lui seul. Il vivait sur son passé, sur ses souvenirs et ses succès d'autrefois. « On m'offrait de m'ennoblir pour que je revienne jouer cinq ans à l'Old Vic », plastronnait-il. « J'ai calculé et j'ai vu que je ne pourrais pas payer les impôts. » Même la conversation la plus banale tournait toujours autour de lui.

« Comment va Norma aujourd'hui ? », demanda-t-il, parlant de l'amie de Mike. « Gentille fille. Elle est dans le métier ? »

« Non, non. »

« C'est plus sage. J'ai été marié à quelqu'un du métier. Ça peut être difficile, trop concurrentiel. Je me souviens que lorsqu'Elizabeth gagnait un million de dollars et que j'en gagnais un million et demi, elle était furieuse. »

Pendant toute la durée du film, Burton ne but pas une goutte d'alcool, ce qui lui était rendu plus facile par la présence d'un autre alcoolique repenti, John Hurt. Il s'en tenait à du Diet Pepsi, que Brook lui apportait tout ouvert sur le plateau. Un temps Mike fut convaincu que les boîtes contenaient un mélange de Vodka, et ses soupçons, bien qu'inavoués, furent visiblement compris par Richard. Il se mit à lui en offrir une gorgée avant de boire lui-même.

Hormis Brook, il ne restait que Ron Berkley de son ancien entourage. Ron buvait beaucoup pour oublier ses problèmes familiaux. Il disparut après deux jours de tournage. Richard en fut très contrarié et jura de ne plus jamais utiliser ses services. Il était toujours aussi coléreux, et bien qu'il ne fût qu'un acteur parmi les autres sur le plateau, il s'attendait toujours à être traité comme une star. Tout changement de planning devait lui être communiqué par le metteur en scène et présenté avec les formes : « Est-ce que ça t'ennuie qu'on filme tard ce soir Richard ? », avait toujours pour réponse, « Bien sûr, mon vieux, pas la peine de demander », mais il était bien clair que c'était la peine de demander. Cette petite comédie était nécessaire pour mettre de l'huile dans les rouages.

Richard portait presque tout le temps une minerve. Le crane rasé pour le rôle, pâli par le maquillage, il avait l'air malade, maigre et fatigué et paraissait beaucoup plus que son âge. Il avait toujours le même charisme quand il le destinait à la caméra, mais au repos, il évoquait une bête sauvage attendant la mort. Sa passion l'avait quitté. Il paraissait ne plus avoir aucun enthousiasme pour la vie. Et pourtant, il continuait à faire des rêves d'avenir. Il parlait de jouer enfin *Lear,* mais craignait que ses vertèbres cervicales ne l'en empêchent, car il ne pourrait plus porter Cordelia dans la scène finale. Mais il reviendrait à Shakespeare. « Ce petit salaud du Warwickshire vous gâche tout le reste. » Il jouerait *Othello,* ou Prospero dans *La Tempête,* et il mijotait un projet pour interpréter *Richard III* avec John Hurt, en alternant tous deux dans les rôles du Roi et de Buckingham.

Au lieu de cela, c'était un feuilleton qui l'attendait. Ce n'était peut-être pas très culturel, mais Burton avait ainsi l'occasion de travailler pour la première fois avec sa fille, Kate. *Ellis Island* était une histoire d'immigrants à New York au début du siècle. Burton incarnait un sénateur américain sans scrupules et Kate était sa fille. Le décor était le vieux marché aux poissons de Billingsgate sur les bords de la Tamise, et les studios de Shepperton.

Le résultat fut mauvais. Richard ne buvait pas, mais il payait ses années d'excès ; l'esprit vidé par l'alcool, il n'était plus que l'ombre de lui-même.

Il séjourna avec Sally au Dorchester et ils renouèrent avec leurs amis. Un message direct fut envoyé à John Dexter : « Demandez à ce type du Derbyshire quand il va me faire à nouveau travailler. » Le temps des grandes réceptions et de la cour XVIIIe siècle était passé. Ils invitaient quelques amis dans des restaurants qu'ils aimaient, comme le « White elephant ». Richard buvait du vin blanc ou de l'eau minérale et commandait du très bon Bordeaux pour ses hôtes. Les amis qui l'avaient cru à jamais perdu, pensaient tous qu'ils retrouvaient des vestiges de l'ancien Burton. Il avait de nouveau l'esprit alerte, il était rationnel et cohérent, ses yeux brillaient, il parlait avec enthousiasme de son prochain film *Les oies sauvages II*. Certes ses histoires ne variaient guère, mais il les répétait moins souvent. Il semblait heureux avec Sally. Il projetait d'avoir un enfant — ce garçon tant désiré — et il semblait finalement prêt à affronter un futur acceptable.

Il partit se reposer quelques jours à Céligny fin juillet avant de s'envoler pour Berlin tourner son nouveau film. Il dit à ses amis qu'il reviendrait en septembre. Il s'agissait d'une suite à *Les oies sauvages*. Les mercenaires placés sous ses ordres étaient payés pour faire échapper Herman Hess, le criminel de guerre nazi de la prison de Spandau. Laurence Olivier devait jouer le rôle de Hess.

Richard manqua à l'appel. Quatre jours avant les premières prises de vue, le dimanche 5 août, il était emmené d'urgence à l'hôpital à la suite d'une hémorragie cérébrale. Sally l'avait trouvé dans un profond coma en s'éveillant à ses côtés ce matin-là. Elle appela immédiatement un médecin et on le transporta à l'hôpital cantonal de Genève où on l'admit tout de suite en salle d'opération. Il était trop tard. A une heure et quart de l'après-midi, l'homme qu'Emlyn Williams avait une fois décrit comme « éternel » fut déclaré mort. Sans que rien ne le laisse pressentir, il mourait soudainement à l'âge de cinquante-huit ans ; et l'ironie du sort voulait que ce fût quatre jours avant de se produire avec l'acteur dont il avait jadis paru être le successeur.

Sally fut submergée par le chagrin. Elle était si optimiste pour l'avenir. A trente-quatre ans, juste quand elle pensait qu'elle ne se marierait jamais et n'aurait jamais d'enfants, elle avait trouvé tout ce dont elle rêvait. Elle vivait avec un homme qu'elle adorait, elle avait deux maisons luxueuses, un nom célèbre, la sécurité financière et une vie brillante. Et au bout de deux ans, tout lui était arraché.

Aussi désespérée qu'elle fût, elle parvint à téléphoner à ceux qu'elle savait capables de partager son chagrin, pour leur annoncer la nouvelle. Elle appela Kate, qui était toujours à Londres, elle téléphona à Elizabeth chez elle à Los Angeles, et à Graham, le frère de Richard, dans le Hampshire qui se chargea de prévenir le reste de la famille. Sybil apprit la nouvelle par Kate et elle demanda immédiatement à sa fille d'aller voir Gwen à Squires Mount pour veiller sur elle. Elle avait toujours beaucoup d'affection pour la veuve d'Ifor et elle savait combien celle-ci serait bouleversée.

Les amis, les parents et les collègues de Richard furent très frappés et très attristés. Valérie Douglas prit l'avion pour Genève pour rejoindre Sally et l'aider à organiser l'enterrement. Brook était là aussi, malgré son immense chagrin. John Hurt se joignit à eux. Il faisait un film en Suisse et avait dîné avec Richard et Sally le vendredi d'avant. Il fut d'un grand réconfort, ayant lui même subi une perte douloureuse peu de temps avant, quand son amie de longue date s'était tuée en tombant de cheval.

La mort de Richard fit la Une de tous les journaux nationaux en Grande-Bretagne. Dans certains cas, c'était même la seule nouvelle occupant toute la première page. Le *Daily Star* annonçait : « Burton, une légende meurt à 58 ans. » et citant un extrait d'interview : « Je fumais trop, je buvais trop, je faisais trop l'amour. » L'épitaphe d'une superstar par elle-même. " Burton le Grand " disait le *Daily Express* " Il jetait la grandeur comme une vieille chaussette. " " Ses promesses immenses non accomplies " déclara le *Daily Telegraph* et le *Time* parlait d' " Une carrière follement gâchée. "

On consacra des pages à ses possibilités, à ses débuts prometteurs, à son déclin, à son alcoolisme, à ses mariages et à ses infidélités. Tandis que ses parents, par le sang et par alliance se battaient pour préparer son enterrement, on aurait dit que même mort, il jouait les premiers rôles et faisait des ravages autour de lui.

Sa famille voulait qu'il repose près de ses parents à Pontrhy-dyfen, où ils disaient qu'il avait toujours souhaité être enterré. De son côté, Sally voulait qu'on l'inhume en Suisse où il avait acheté une concession pour raisons fiscales. Malgré toutes ces disputes, ce fut dans le petit cimetière envahi de mauvaises herbes de l'église protestante de Céligny qu'il fut enterré le jeudi suivant. C'était une église modeste, avec des nattes par terre, un poêle à charbon dans un coin, et où Kate et Jessica avaient été baptisées plus de vingt-cinq ans auparavant par le Révérend Arnold Mobbs, aujourd'hui à la retraite, mais qui vint célébrer les funérailles de Richard.

Burton s'en alla comme il l'aurait aimé : avec de la musique, de la poésie, une note d'irrévérence et des millions de spectateurs regardant la cérémonie à la télévision dans le monde entier. Il y eut des hymnes gallois émouvants, des lectures en anglais et en gallois, et des prières en français. Kate lut avec émotion du Dylan Thomas, avec ce vers obsédant : « Que ta colère ne cesse jamais contre la mort de la lumière », poème qu'il avait écrit quand son propre père était mort. Au cimetière,

Brook lut un autre poème de Thomas « Et la mort n'aura pas de royaume. »

Il fut enterré comme il avait vécu, en Gallois. On l'habilla des pieds à la tête en rouge, la couleur nationale. On mit sur son cercueil une grande couronne en forme de dragon gallois. Et au moment où il allait être mis en terre, un exemplaire des poèmes choisis de Dylan Thomas déposé par Kate dans son cercueil ainsi qu'une lettre cachetée de Sally, sa famille entonna brusquement le vigoureux hymne du rugby gallois *Sospan Fach*.

Une personne était absente, Elizabeth. On avait dit qu'elle était trop bouleversée pour faire le voyage depuis la Californie et elle avait envoyé une seule rose rouge sans message. Elle s'était en fait tenue à l'écart par déférence pour Sally. Dès qu'on avait su la mort de Burton, les media s'étaient concentrés sur Elizabeth, comme s'il n'avait jamais eu d'autre épouse.

Elle s'abstint avec le même tact d'assister au service commémoratif célébré deux jours plus tard à Pontrhydyfen. Là, personne ne se mélangea aux Gallois. Il n'y avait dans l'assistance aucun vêtement sombre, et tous avaient les larmes aux yeux. C'était l'endroit qui avait fait Richard Burton : sa passion pour la poésie y était née, celle pour la musique, pour le langage et pour la vie aussi. Il n'y avait pas ce silence recueilli qui accompagne ailleurs les offices. L'assemblée bavardait joyeusement, échangeait des signes. Un petit garçon, assis jambes pendantes sur un banc, avait le nez enfoui dans un roman d'Agatha Christie. Puis l'organiste aux cheveux gris se mit à jouer et l'office commença. Tous chantèrent comme seuls les Gallois savent le faire, des haut-parleurs répercutant le son loin dans les collines. Le petit village était envahi par une masse humaine bouillonnante, les champs verdoyants et les routes à perte de vue étaient couverts de voitures. Son corps gisait peut-être en Suisse, mais son âme était chez lui.

Euan fut de ceux qui se rendirent à la célébration de Pontrhydyfen. La mort de Burton ne représentait pas seulement pour lui la perte d'un ami, mais aussi une tragédie professionnelle. Son film de 10 millions de livres avait perdu sa vedette et il avait dû trouver un remplaçant en quatre jours. L'esprit tourmenté, il avait laissé sa femme à Berlin et était rentré chez lui à Londres pour essayer d'y voir clair. Pendant trois jours et trois nuits il tenta de trouver un autre acteur et il était désespéré. Et puis, en se promenant dans Hyde Park le mercredi matin, sa dernière conversation avec Richard lui revint à l'esprit. Au cours d'un dîner au White Elephant deux semaines auparavant, ils parlaient de rugby quand Richard avait soudain changé de conversation et demandé à Euan s'il avait vu le feuilleton télévisé *Edward et Mrs Simpson*. En Suisse, un ami lui avait récemment prêté une cassette vidéo, et il trouvait que Edward Fox qui jouait Edward VIII, était très brillant. Euan comprit immédiatement qu'Edward Fox était l'homme qu'il fallait pour *Les oies sauvages II,* et il fut convaincu que Burton le guidait. Il rentra directement chez lui, appela l'agent de Fox et apprit qu'il était disponible. Le jeudi l'affaire était conclue et signée.

Elizabeth accomplit son pèlerinage une semaine plus tard. Elle alla d'abord sur la tombe de Richard à Céligny puis elle rendit visite à sa famille à Pontrhydyfen. Ces deux visites furent entourées d'une grande publicité et éveillèrent le scepticisme de ses admirateurs même les plus fidèles. Elle passa la nuit chez Hilda dans sa petite maison à terrasse, et parut sur le seuil le matin suivant, entourée des frères et sœurs de Richard pour déclarer : « J'ai l'impression d'être chez moi. » Malgré toute cette mise en scène, Elizabeth était profondément bouleversée par sa mort.

Susan également. Dans l'année qui avait suivi leur divorce, Susan avait refait sa vie en Californie et elle allait se remarier. Elle était à Londres le jour où elle apprit la mort de Richard. Son futur mari, promoteur en Virginie, l'avait laissée en Angleterre tandis qu'il se rendait pour affaires en Italie. Le dimanche où mourut Richard, elle était avec Bette Hill, la veuve de Graham, pour voir courir leur fils Damian. Elle fut complètement bouleversée en apprenant la nouvelle et incapable de rester seule. Bette l'emmena donc chez Alan Jay Lerner et sa femme Liza à Chelsea. Le lendemain, quand elle se fut suffisamment reprise, elle téléphona en Suisse à Sally à qui cet appel fit beaucoup de bien.

Elles assistèrent toutes deux au service commémoratif célébré pour Burton le 24 août au Wilshire Theater de Los Angeles. Ce tribut convenait bien pour la ville qui lui avait permis de réaliser deux de ses ambitions : être l'acteur le plus riche et le plus célèbre du monde. Son éloge fut prononcé par des stars comme Frank Sinatra, George Segal et John Huston. Richard Harris s'effondra au milieu de son intervention : un passage de *Richard II,* « Asseyons-nous sur le sol et racontons la triste histoire de la mort des Rois. » Tandis qu'il séchait ses larmes et s'écartait un instant, un chœur gallois entonna « Nous t'accueillerons dans les collines. » « Si Richard m'avait vu tout à l'heure », dit Harris « il aurait hurlé de rire ».

Il aurait sans doute eu du mal à garder son sérieux aussi s'il avait assisté à son service commémoratif à Londres. Cela ressemblait au grand final d'une tragi-comédie écrite à partir du moment où il avait fui le rayon des tissus à la Co-op de Port Talbot, plus de quarante ans auparavant.

Le 30 août, les rues entourant St Martin in the Fields étaient complètement embouteillées par des centaines de badauds agglutinés à Trafalgar Square pour ce qu'on espérait être le spectacle du siècle, les quatre superbes femmes de Burton pour la première fois réunies. Sybil ne vint pas, mais le reste ne les déçut pas.

Elizabeth arriva la première et fut placée aux côtés de la famille de Richard. Les 1 200 places de l'église étaient occupées par une foule de stars et de gens qui voulaient voir les stars. Le nombre de vrai amis parmi eux pouvaient se compter sur les doigts de la main. Susan arriva la seconde, en retard à cause des embouteillages et elle prit les organisateurs complètement au dépourvu. Elle avait dit à Sally qu'elle viendrait, mais personne d'autre ne semblait l'attendre et elle eut quelques difficultés à trouver un siège. Sally arriva la dernière, pour compléter le tableau, et elle s'assit devant, près de Brook. Celui-ci avait pris la place normalement réservée à la veuve.

Emlyn Williams, âgé maintenant de soixante-huit ans,

savait qu'avec son discours il était sur la corde raide. Il ne mentionna ni Sybil ni Susan, fit à peine allusion à Sally, et parla d'Elizabeth comme si elle avait été son unique épouse.

Sir Laurence Olivier, sans doute encore vexé de leur rencontre à Vienne, refusa de lire un texte et ne prit même pas la peine de venir. Kate lut des passages de Shakespeare, tout comme Paul Scofield. On n'espérait plus la venue de John Gielgud quand il se glissa dans l'église et lut un passage *d'Hamlet*. On l'avait trouvé remontant en voiture Shaftesbury Avenue, dans la mauvaise direction, apparemment en route pour une autre église.

Richard aurait bien ri. Il ne l'aurait peut-être pas raconté comme cela s'était passé ; sans doute aurait-il emprunté certains personnages au service commémoratif de quelqu'un d'autre, introduit un nouveau filleul, ou imaginé une bagarre dans la sacristie entre Elizabeth, Susan et Sally, mais vous pouvez être sûrs, que de toutes manières, c'eût été une très bonne histoire.

Épilogue

Ceux qui écrivirent sur sa mort insistèrent sur les échecs de Richard Burton : son talent galvaudé, ses occasions perdues, le géant qu'il aurait pu être. C'était seulement la moitié de l'histoire. Burton avait incontestablement un immense talent qu'il ne sut pas utiliser, mais seulement dans le domaine théâtral et le théâtre ne fut jamais la chose dans laquelle il s'investit autant que les autres le firent pour lui. Il obtint de la vie ce qu'il voulait. Quand il déclara à Alan Jay Lerner qu'il voulait être « l'acteur le plus riche, le plus célèbre et le meilleur du monde », il savait qu'il ne pouvait être tout cela en même temps. Ce qu'il s'efforça d'obtenir fut ce qui le stimulait le plus : la célébrité et la fortune. Et personne ne peut l'accuser d'avoir gâché son habileté à gagner de l'argent.

De l'argent, il en gagna et en donna avec une remarquable générosité, ce qui ne doit pas être oublié. Ses innombrables dons à des œuvres furent en leur temps rendus publics ; en revanche, certains dons individuels ne furent connus qu'après sa mort, quand on examina les livres de sa société londonienne, Bushel Investments Limited. Elle était gérée par son comptable, James Wishart et fondée pour allouer des dons et des prêts à des parents et des amis dans le besoin. Certains prêts s'élevaient à 6 000 livres et n'avaient jamais été remboursés. Bien d'autres n'ont laissé aucune trace.

Les 3 millions 600 000 livres qu'il laissa dans son testament montrent bien qu'il gardait peu d'argent pour lui-même, si l'on considère les hommes colossales qu'il avait gagnées et le peu d'impôts qu'il payait. Ses biens mobiliers furent partagés entre ses quatre frères vivants et ses trois sœurs, ses filles Kate, Jessica et Maria, et sa veuve Sally. Il laissait aussi de l'argent à l'homme qui avait tout rendu possible : Philip Burton.

L'histoire de Richard est doublement tragique : à cause des éléments destructeurs inhérents à sa personnalité, et de son incapacité à se réconcilier avec lui-même. Il mourut solitaire, après s'être détruit aussi radicalement qu'il avait détruit ceux qui l'entouraient. Les astrologues en rendraient responsable son signe astral, le scorpion, avec ses pinces et son venin dans la queue. Sir John Gielgud l'attribuait à « une sombre tendance galloise au pessimisme et à l'insouciance ».

Plus il détruisait, moins il s'aimait, si bien que sa vie ne fut qu'une longue fuite — fuite loin des gens, des lieux, des contacts, de la tragédie, de la souffrance, et même de sa propre sexualité. Ce à quoi il ne put jamais échapper fut son profond sens moral, cet héritage religieux de l'ouvrier gallois qui désapprouvait chaque pas fait dans cette direction.

Après des débuts si difficiles, la vie devint trop facile pour lui, comme par une ironie du sort. Il n'avait aucun effort à faire, son charme le sauvait toujours. Les femmes l'adoraient ; les hommes aussi. Au théâtre, Burton parvint au sommet et au cinéma, il y fut dès ses débuts ; et il s'y ennuya terriblement. Il n'y avait aucun risque dans sa vie, aucune incertitude pour lui stimuler l'esprit, même pas le plaisir de désirer quelque chose.

Après la guerre, son ambition avait été de posséder les mille titres de la collection Everyman. Quand Frank Hauser le rencontra par hasard vingt-cinq ans plus tard, il lui demanda s'il y était parvenu. « Oh oui », dit Richard. « Elizabeth me les a offerts pour mon anniversaire. Reliés en cuir. »

Le petit garçon qui devait jadis attendre son tour pour se chauffer devant le poêle de Caradoc Street avait atteint son but. Mais à quel prix !

On demanda un jour à Sybil comment elle rédigerait le

dernier paragraphe de l'histoire de Richard. Elle dit : « En fin de compte, il a surtout souffert. Il a donné énormément de plaisir à beaucoup de gens, mais il ne l'a jamais trouvé pour lui-même. » C'était cela, la tragédie de Richard Burton.

Index des noms cités

A

ADDAMS, Dawn, 84.
ALBEE, Edward, 136-137.
ANDERSON, Maxwell, 158.
ANDREWS, Julie, 95, 98, 203.
ANOUILH, Jean, 68, 92, 112.

B

BAGALL, John, 81.
BAKER, Ellen, 59, 63, 84, 85, 107-108, 110, 114, 134, 155-157, 188-190.
BAKER, Glyn, 195, 199.
BAKER, Sally, 108, 155, 156, 157, 190, 191.
BAKER, Stanley, 11, 40, 41, 52, 53, 58, 59, 62, 63, 84, 85, 92, 103, 105, 107, 110, 134-135, 151, 155-157, 188-190, 195.
BALFOUR, Neil, 180.

BARBER, John, 186, 205.
BARKER, Corporal, 47.
BARKER, Vere, 58, 64, 114.
BARNES, Clive, 205, 206.
BEAUMONT, Hugh Binkie, 52, 56, 64.
BELL, Jean, 181.
BENTHALL, Michael, 77, 83.
BENTON, Jim, 153.
BERKLEY, Ron, 151, 206, 212, 216, 217, 228.
BLANCHFLOWER, Danny, 50.
BLONDEL, Joan, 101.
BLOOM, Claire, 56, 76, 81, 88, 93-94, 135.
BOGARDE, Dirk, 107.
BOGART, Humphrey, 226.
BOORMAN, John, 193.
BOYD, Stephen, 100.
BRANDO, Marlon, 149, 225.
BRIEN, Alan, 140.
BROOK, 184, 185, 228.
BROWN, Pamela, 56, 57.
BUFMAN, Zev, 215, 221.

Table des matières

Achevé d'imprimer en juin 1986
sur les presses de l'imprimerie Bussière
à Saint-Amand-Montrond (Cher)